経済原論

基礎と演習

小幡道昭

東京大学出版会

The Principles of Political Economy:
Basics and Exercises

Michiaki OBATA

University of Tokyo Press, 2009
ISBN978-4-13-042133-1

はじめに

　本書は，マルクス経済学による経済原論のテキストである．マルクス経済学というのは，一種のラベルのようなもので，いささか仰々しくて尻込みしてしまうが，何種類かある経済学の一つ，という程度にとってもらってよい．最近では，政治経済学とか，社会経済学とか，違うラベルが貼られていることもあるが，短いラベルに中身を凝縮するのは無理だし，ラベルをどう変えても中身が変わるわけではない．「理論に何種類もあるのは怪しからん，科学だったら一つに統一すべきだ」という人もいるが，それぞれ特徴のある理論がこれまで並立してきた事実は如何ともしがたい．「べきだ」と「理念」を振りかざすまえに，なぜ簡単に統一されないのか，と「事実」を問うほうが，まだしも「科学」には相応しいと思うのだが……．それはともかく，あまた身内のあるなかで，かなり特徴のある経済学の基礎理論について紹介するのが本書の目的である．

　このような経済原論は，日本ではかなり昔から，といっても大正の頃からか，ともかく大学で講義されてきたようである．さすがにその御代のことは存知奉らぬが，戦後生まれ（もはや死語か）の私にも，知的モノ心がついたころから，この経済原論という建物は，とても気になる存在だった．まだこんなに高層ビルが林立するまえの町を歩いていると，この建物は遠くからでも人目を引いた．外から眺めると，堅牢な要塞のようにも，寺院の塔のようにも，天守閣を備えた城郭のようにも映る．見る角度によって複雑に変化し，なかなか全容がつかめない不思議な建物だ．もの知り顔で眺めている人に尋ねると，資本主義とかいうものの巨大なアブストラクトになっていて，その発展に反応してかたちが変わるのだ，と教えてくれた．

　そんな生き物みたいな建物なんてあるのだろうか．はじめ周りをウロウロしていた私は，大学に入学すると，好奇心に駆られて思わず建物のなかに足を踏み入れてしまった．なかは薄暗く，迷路のようになっていたり，かと思うと，隠し扉の向こうに突然吹き抜けの空間が広がっていたりで，外見以上に摩訶不

思議な世界だった．それ以来，私はこの建物の内部をあちこち探検し，いつしか，ここの住民となっていた．とはいえ日の光がほとんど差し込まないので，籠もりっきりでは健康によくない．昼間は，よく散歩と称して近所を徘徊し，気晴らしをしている．違う建物に足を踏み入れることもあるが，私にはここほどおもしろいとは思えないので，夜は必ずここで寝泊まりしている．住みついてしばらくすると，ただ建物のなかを歩き回っているだけでは気が済まなくなり，リフォームと称して，好き勝手にあちこちいじりはじめるようになった．これがまたおもしろく，没頭しているうちに，かれこれ40年たったことになる．

　それで，さっき，この建物について「紹介」すると書いたが，あれはちょっと違っている気がしてきた．私が興味に駆られて，壁を壊したり床を剥がしたりしていると，よく，下の方からガイドの人の声がする．あそこは何で，あの人は今何をしているところだ，などと「紹介」しているようだ．何でもよく知っていて感心するが，「そんなの聞いておもしろいの」とつい思ってしまう．というわけで，私はいままでついぞ，この種の「紹介」をしようと思ったことはないし，本書もそういう「紹介」はしない．実地を踏まないと絶対おもしろくないと，これだけは妙に自信をもっていえる．やってみたいのは，この建物のなかを一緒に歩き回って，てっぺんまで実際に登ってみることである．そんな紹介ならしてみようかと思うようになった「事情」はすぐ後に話すが，そのまえに「でも，そんな無茶な．そういうところにゆくには，ちゃんと装備を整えないと．いきなりは無謀というものでしょう」という人がいそうだ．「もっとガイドブックを読んで，知識を蓄えないと無理だ」というのが普通かもしれない．でも，ここを歩き回るのに，別に重装備も予備知識もいらない．本書をちょっと覗いてもらえばわかるが，ほかの書物を前提にしているわけではないし，数学だって中学・高校レベルで余りがでるような代物だ．別に外国語ができなくたって何の問題もない．むしろ，余計な装備は歩き回るのには邪魔だし，生半可に知っているとケガをする．実地に歩き回ることで，知っていると思っていること，当たり前だと信じてきたことが，どんどんわからなくなる．オーソリティー好みの「積み重ね」ではなく，アナーキーな「積み崩し」がおもしろいのだ．これまで詰め込んできた知識でちょっと肥満気味なら，ちょうどよいダイエットになると思う．

ダイエット効果を上げるために，本書では「問題」をタップリだしておいた．何せ古い建物だ．床が傾いていたり，壁が崩れかかっていたり，障害物だらけだ．ちょっと危ないところで足下を確かめてもらうような問題や，迷路で現在位置を確認してもらう程度の問題もある（こうした基本問題の番号には★印をつけておいた）が，なかには「人の役には立つのに，自分には役に立たないモノって，なあに？」なんて，謎々みたいなのもある．謎々というのは，答えを聞くと「何だ，そりゃ，当たり前じゃないか」ということになる．「答え」から「問い」をみると当たり前，でも「問い」から「答え」を探そうとすると見当がつかない，それが謎というものだ．こういう問題は，たいてい，床が抜けていたり，階段が落ちていたりして，全力でジャンプしたり，壁をよじ登ってもらわないと先に進めないところでだしてある．謎解きで先入観や常識を削ぎ落とし，身軽になってもらおうという趣向だ．ダイエット効果タップリの難所だ．でも，キツかったら無理せず，先に解答を読んでしまってかまわない．全問私の回答付きだ．ただ，これは私にとってキツかった．いくつも別解が思い浮かんで，どれが正解か，迷ったが，ともかく言い切るかたちにした．たぶん，解答のうちには誤答も含まれているから，鵜呑みにはしないほうがよい．

　さて，こんな一風変わった紹介を思い立った「事情」を話そう．それは，あちこち改造しているうちに，だんだんこの巨大建造物の秘密めいたものに気づくようになったのが切っ掛けだった．どうもこの建物には，もともと，いくつもの窓やベランダ，外扉やペントハウスといった，開口部があったらしい．それを，いつのころか，誰かが丁寧に塞いで入り口一つの閉じた空間にしたようだ．大改造だ．おかげで建物は堅牢そのものになった．外壁に，いろいろな人が，現代風のかなり奇抜なオーナメントを取り付けて悦に入っているが，建物はへっちゃらだ．でも，なんだかモノ足りない．それであるとき試しに，漆喰を剥がして窓をちょっと開けてみた．するとミシミシいって建物全体が動いた，ように思えた．どうも内部の床や壁も連動しているようだ．窓の隙間からのぞくと，今まで見たことのない町の光景が広がっている．絶景だ．見渡せば，私が資本主義だと教わってきた町の眺めも，全然変わってみえる．それから，おもしろくなって，開口部を探しまわるようになった．開口部の開き具合で建物は変容し，窓の景色も変わってゆく．

　こんな私を建物の住民たちは「建物を壊す気か，危ないからやめとけ」と

たしなめる.「ワシの自慢の隠居部屋はどうしてくれる」と文句をいう老大家もいる.「いい年してそんなところによじ登って,落ちて死んでも知りませんよ」と本気で心配してくれる若者もいる.外壁にあれこれ取り付けている人たちからも「そんなことをされては迷惑千万,ルール違反だぞ」と苦情が絶えない.しかし,この建物はもともとこうした柔構造になっている.そんなに簡単には壊れやしない.それを証明しようと,ここ10年ほどは,原理論の再構築とか,変容論的アプローチとかいって,建物全体の構造解析めいた仕事にのめり込んできた.まだ全部わかったわけではないが,だいたいの目途はついた.しかし,この変容の原理はいくら口で説明してもピンとこないようだ.実際に全体を歩き回って体験してもらうに如くはない,そう思うに至った.これが「事情」らしきものである.

　最後に一言付け加えておく.本書は,ちょっと風変わりなところはあるものの,いままでのマルクス経済学の経済原論を,自慢ではないが,一歩もでていない.直しはしたが,正真正銘の焼き直しだ.使用した建材はすべて,大正時代に輸入されたカール・マルクス社製『資本論』の純正品で,ほかの建物からとってきた部材は混じってない.ただ,傷んでいるところは私が補修しピカピカに磨き,ドイツ語のラベルを貼り直し,索引で太字にしてあるページで「定義」を与えておいた.そのほか,いくつか,カギとなる日常用語についても「これを何々と呼ぶ」というように「定義」を明確にして索引にいれておいた.こちらは,ドイツ語のラベルが貼ってないからわかると思う.言葉というものは,使っているうちに自然に身につくもので,どの建物でも何年か通っていると,その建物固有の言葉づかい(ジャーゴンとかいうそうだ)が通じる仲間はできるものだ.そうした仲間に入れてもらうことが学者になることだ,と勘違いしている人もいる.が,それこそ権威主義の温床だ.論理的に「正しい」ということは,言葉を正しく使うことにつきる.そういった手前,ともかく,辞書的「定義」を与えねばならず,これもちょっとキツかった.複雑な概念を表す用語は,やはり直接定義などせず,いくとおりかの文脈で使ってゆくことでその含意を悟らせるのが常套なのだが(そしてジャーゴンを駆使する学派の孵卵器にもなるのだが),「テキスト」と銘打った以上,それは無しとした.

　ただ,「テキスト」というのは,通説を網羅的に紹介するのが本筋だ,という考え方もある.私もこの意見に異論はない.実はこの建物は,地上に聳えて

いるだけではない．地下には巨大な迷路があり，そこには創建当時の設計プランから，その後の増改築の遺構，取り外された梁や柱，現代までの補修の資料などが眠っている．私が勝手に改築に没頭していると，ときどき，地階から杖を曳いた爺さんがやってきて「君，それは，何年ごろ，何某氏がすでにやったことだ，何ならついてこい」なんていって遺跡案内をしてくれる．そういうことがあるから，基本のテキストは，まずこの地下の迷宮案内からはじめるべきだというのだろう．でも，遺跡はいつも似てはいるがどこか違う．で，爺さんに「率爾ながら（老人にはこんな風に切り出すものだ）〈似ている〉と〈同じ〉はどう違うのでせふか」などとトボケてきくと，根っから真面目な人なのだろう，「ナム?!（狼狽するとなかなか愛嬌のある顔だ）それにはたしか，何某氏が答えておったはずじゃが……」なんて呟きながら，迷路の奥に消え戻ってこない．私はあきらめて，本書では地階へ踏み込まぬことにした．ホントは興味津々なのだが，それはまた10年後に楽しもうと思っている．ずいぶん我が儘なガイドだが，これから実地踏破にとりかかる．ちょっとふざけ気味だったが，この先は転倒滑落が付き物だから気を引き締めて進もう．

目　次

はじめに　i

序　論 1

  0.1　経済原論の対象 1
            歴史的社会／発展段階／重商主義段階／自由主義段階／帝国主義段階／第一次世界大戦後の資本主義／グローバリズム

  0.2　経済原論の方法 9
            変わる力と変える力／メタ・モデル／トータル・モデル／階層モデル／メカニズムとシステム／全体・状態・内部と外部

  0.3　経済原論の構成 15
            体系と構造／二層構造／三篇構成

第 Ⅰ 篇　流通論

第1章　商　品 21

  1.1　モノと商品 21
            主　体／属　性／所　有／モノの深層

  1.2　商品の二要因──使用価値と価値 26
            使用価値／他人のための使用価値／価　値／価値量（価値の大きさ）

  1.3　価値形態 31

1.3.1　**価値表現**　31

　　　　　価値量の表現／相対的価値形態と等価形態
　　1.3.2　**価値形態の展開**　35
　　　　　A．**簡単な価値形態**　35
　　　　　　　必要と交換
　　　　　B．**拡大された価値形態**　38
　　　　　　　間接交換／手段に対する欲望
　　　　　C．**一般的価値形態**　40
　　　　　D．**貨幣形態**　41
　　　　　　　資産の価値表現／価　格／価値形態の最終形態
　　1.3.3　**商品貨幣**　44
　　　　　広義の商品貨幣／物品貨幣／信用貨幣

第2章　貨　幣　49

2.1　価値尺度　49

価値尺度という用語／価値表現と価値実現／覆水盆に返らず／買い手のイニシャティブ／いくつかの前提／(1) 商品の大量性と主体の複数性／(2) 商品の資産性と期間の関係／(3) 時間と空間の関係／個別的な実現と社会的な尺度

2.2　流通手段　56

商品の流通／販売の連鎖／貨幣量と価格水準／貨幣価値の大きさ

2.3　蓄蔵手段　62

購買のための準備／蓄蔵貨幣／一般的富

2.4　商品売買の変形　65

　　2.4.1　**売って買う方式**　65
　　　　　市場の基本構造／在庫としての商品／販売期間のバラツキ／売買のための資財と活動／値引き販売
　　2.4.2　**信用売買**　69
　　　　　後払いで買う動機／後払いで売る動機／債権・債務関係
　　2.4.3　**貨幣貸借**　72
　　　　　信用売買の代替／貸借と売買／賃料と利子／信用売買と貨幣貸借
　　2.4.4　**販売代位**　75
　　　　　貨幣貸付の変形／買って売る主体の交替

第3章　資　本 79

3.1　資本の概念 79
商品流通をこえる運動／自己増殖／価値増殖／運動体／利　潤／利潤率

3.2　資本の多態化 86
多態性

3.2.1　姿態変換外接型　88
3.2.2　姿態変換内接型　90
安く買って高く売る／安く買う買い方／労働力の売買
3.2.3　流通費用節減型　92
費用化と節減／具体的形態

3.3　市場の軸心 95
資本なき商品流通／資本に売り資本から買う／市場の完結性／システムとしての市場

第 II 篇　生 産 論

第1章　労　働 101

1.1　労働過程 101
自然過程／目的意識的活動／生産と労働／労働力／労働の同質性／過程としての労働／他人のための労働

1.2　労働組織 110

1.2.1　協　業　111
協力・合体の原理／集団力／競争心／生産手段の共有
1.2.2　分　業　116
分割・合成の原理／考察方法上の注意／作業場内分業と社会的分業／基本的効果／習熟効果／自動化効果
1.2.3　資本主義的労働組織　122
理論構成の再確認／労働力の商品化／協業と分業の交叉／資本と労働組織／資本主義的労働組織の二重性／マニュファクチュアの基本概念／マニュファクチュアの展開形態／機械制大工業の基本概念／機械制大工業

x　目次

　　　　　　　　　　　の展開形態
　　1.3　賃金制度 ··· 133
　　　　　　　　　　　賃金制度の基本概念／賃金形態／型づけられた労働／
　　　　　　　　　　　支払方式／賃金制度の多型性

第2章　生　産 ·· 141
　　2.1　社会的再生産 ··· 141
　　　　　　　　　　　再生産／社会的生産／生産期間と労働量／異種労働の
　　　　　　　　　　　合算可能性／対象化された労働
　　2.2　純生産物と剰余生産物 ··· 152
　　　　　　　　　　　モノと労働力の区別／階級関係／剰余生産物／本源的
　　　　　　　　　　　弾力性／補塡と取得の全体
　　2.3　価値増殖過程 ··· 157
　　　　　　　　　　　労働力の全面的商品化／理論構成上の注意点／価値増
　　　　　　　　　　　殖の社会的根拠／剰余価値率／絶対的剰余価値の生産
　　　　　　　　　　　／相対的剰余価値の生産

第3章　蓄　積 ·· 165
　　3.1　資本の蓄積 ·· 165
　　　　　　　　　　　剰余価値の処分／資本構成／労働力の吸収と反発／雇
　　　　　　　　　　　用人口
　　3.2　労働市場 ··· 171
　　　　　　　　　　　産業予備軍／生活過程／産業予備軍の枯渇／労働力商
　　　　　　　　　　　品の価値
　　3.3　再生産表式 ·· 176
　　　　　3.3.1　単純再生産表式　176
　　　　　　　　　　　2部門分割／再生産の条件
　　　　　3.3.2　拡大再生産表式　177

第 III 篇　機 構 論

第1章　価格機構 ··· 183
　　1.1　費用価格と利潤 ·· 183

　　　　　　　生産期間と流通期間／生産資本／流通資本／費用価格
　　　　　　　／流通費用／売上高と利益／粗利潤率と純利潤率／利
　　　　　　　潤率の均等化／一般的利潤率の規制力
　　1.2　生産価格 ……………………………………………………… 192
　　　　　　　平均利潤／生産価格の決定因子／単純な価格機構の限
　　　　　　　界
　　1.3　市場価値 ……………………………………………………… 197
　　　　　　　生産条件の較差／市場価値／特別利潤／競争による生
　　　　　　　産部門編成／一般的利潤率の長期的動向
　　1.4　地　代 ………………………………………………………… 201
　　　　　　　本源的自然力／落流と蒸気機関の例／差額地代／絶対
　　　　　　　地代／土地耕作の例／所有の力の相対化／土地資本

第2章　市場機構 ……………………………………………………… 213

　　2.1　商業資本 ……………………………………………………… 213
　　　　　　　第2の分業／販売過程の代位／商業資本の特性／分化
　　　　　　　の効果／利潤率の均等化
　　2.2　商業信用 ……………………………………………………… 220
　　　　　　　産業資本による信用売買／受信動機／与信動機／商業
　　　　　　　信用の成立条件／商業信用に伴う流通費用／利潤率の
　　　　　　　均等化の促進効果
　　2.3　銀行信用 ……………………………………………………… 226
　　　　　　　商業信用の変形／受信のための与信／信用調査の代行
　　　　　　　／媒介された信用関係／集積の効果／銀行と銀行資本
　　　　　　　／銀行券／預　金／銀行の利潤率／利子率の水準／銀
　　　　　　　行間取引／銀行間組織／銀行業資本の社会的機能
　　2.4　株式資本 ……………………………………………………… 244
　　　　　　　長期貸付／出資方式／株式証券／株式市場／社会的効
　　　　　　　果

第3章　景気循環 ……………………………………………………… 253

　　3.1　原理的アプローチ …………………………………………… 253
　　　　　　　景　気／運動論／相の概念／相をきめる諸要因／生産
　　　　　　　的要因と流通の要因／総量と比率
　　3.2　好況と不況 …………………………………………………… 260
　　　　　　　労働市場と産業予備軍／商業機構と信用機構／標準形

3.3 恐　慌 265
　　　　不安定化因子／貨幣賃金率の急騰／投機活動と累積的
　　　　価格上昇／信用膨張と利子率の急騰／固定資本の蓄積
　　　　／相転移の非対称性

問題の解答 271

おわりに　355

索　引　358

本文中の問題のなかで，★印のつけられたものは基本問題を表わす．

序　論

0.1　経済原論の対象

　　　　　　　　われわれの生きているこの経済社会はどのような構造をも
　歴史的社会
　　　　　　　ち，いかなる法則にしたがって運動しているのか，その基本
原理を明らかにすることが，本書の課題である．**経済原論**というのは，経済
学の「基礎理論」をさす．経済原論は，経済学原理論ともよばれる．一般に
「論」というのは「理論」の意味で，「価値論」といえば「価値（に関する）理
論」であり，「原論」といえば，「基礎理論」のことである．

　さて，基礎理論といっても，経済原論は，モノの生産，分配，消費を意味す
る「広義の経済」全般を対象とするわけではない．対象はもっと限定されてい
る．経済原論が対象とするのは，例えば今日の日本を含むような，あるタイプ
の経済社会である．対象を絞らないと，基本原理を理論的に説明することは難
しい．「1を知って10を知る」のが理論であり，10を知っても1はわからな
い．基本原理が明らかになれば，他の社会にも共通する「広義の経済」の仕組
みは推察できる．まずはっきりみえるものに照準を合わせ，その背後にさまざ
まな経済社会を透視するのだ．われわれの生きている社会は，いろいろな社会
のうちの一つだという点ではたしかに「特殊」だが，経済の特徴をよく示して
いるという点では「一般的」なのである．

　では，この特徴とは何か．それは，営利企業が主体となり，はじめから利潤

追求のために生産がおこなわれ,分配も消費もこれと切り離しては考えられないところにある.このような経済社会のあり方は,人類の歴史のなかで,はじめから存在してきたわけではない.それは,ある時代にある地域で発生し,今日の世界で,支配的な影響力を有するに至ったのである.時代を区切って,それぞれに固有な社会のあり方を捉えるアプローチを,一般に**歴史的**という.「歴史的」というのは「時代別の」といった含意で,けっして「昔の」という意味ではない.

経済原論が対象とするのは,時代を遡ればどこかに出発点をもつ,歴史的社会なのである.ここでそれを,さしあたり「資本主義」と名づけてみる.そうすると,経済原論とは,「資本主義とは何か」という問いに,理論的に答える学問だということになる.

問題 1

「資本主義とは何か」という問いは,本当に成りたつのだろうか.

発展段階　ところが,経済原論の対象は,資本主義に絞ればすむものではない.さらにやっかいな問題が加わる.資本主義は,変わらない一つのすがたをもつのではなく,それ自体,歴史的に発展し,その姿かたちを変えてきたし,今日また,大きく変貌を遂げつつある.本当に難しいのはこの点である.「資本主義とは何か」という問題は,さらにそれ自身,姿かたちを変える動く標的を相手にしなくてはならないのである.

この場合,「変わる」というのは,規模が拡大するとか,領域が広がるといった,単純な変化だけではない.全体の状態が変わるのである.部分の変化と区別して,これをとくに**変容**とよぶ.この変容を理論的に捉えるためには,独自の方法論的な工夫が必要となる.上で説明した意味における歴史的な視角である.そこで,資本主義自身がどのようにかたちを変えてきたのか,簡単にふり返っておこう.これは,理論的考察のための準備体操のようなもので,その本格的分析は,本書の守備範囲をこえる.

歴史的な観点からみると,資本主義自身も,連続的に成長してきたのではない.同じ資本主義の内部に,大きな節目をもち,段階的に発展してきたのである.変容という捉え方は,このような資本主義の発展段階論に結びついてい

る．重商主義，自由主義，帝国主義という三段階論はよく知られているので，まず歴史的変容のイメージを想いうかべてもらう意味で，簡単に紹介しておこう．

重商主義段階　重商主義というのは，一国を富ませるもとは対外貿易のプラス分だという経済思想と政策体系のことであるが，重商主義段階というのは，もっと広く，資本主義が発生した時代を一般的に意味する．この時代にこうした政策が支配的であったということで，重商主義というラベルが貼られているのである．資本主義については，一般に二重の起源が考えられる．一つ目は，16, 7世紀の西ヨーロッパにおける商業の活性化である．そこではまず，イスラム商人にかわって地中海貿易を支配するようになったイタリアの都市国家が繁栄すると，次いで，新大陸の発見を契機にスペイン，ポルトガルに主導権は移っていった．さらに，スペイン・ハップスブルグ王朝の支配から新興商工業国オランダが独立を遂げ，世界貿易の覇権を握るが，その覇権は最終的にイギリスに移る．このような政治的・軍事的葛藤を伴いながら，西ヨーロッパは広大な世界貿易を基礎に商業的富を蓄えてゆく．これが資本主義の一つの基礎となる．

もう一つの起源は，国内生産の領域への市場の浸透・拡大である．この時期，イギリスでは借地農業者が地主から農地を賃借するとともに，賃金を支払って労働者を雇用して，商業的な大規模農業を展開するようになり，それとともに農業生産力の急上昇がみられた．また，内外の毛織物産業の発達は，その原料供給地としてのイギリスにおいて耕地の牧羊地への転換を急速に進め，この過程で，賃金労働者が大量に形成されていった．農地や道具などの生産手段をもたず，もっぱら雇用され賃金で生活する労働者を**プロレタリアート**という．大量のプロレタリアートの形成が，資本主義のもつ一つの基礎となる．

ポイントは，このような二重の経路を通じて誕生した資本主義が，同時に近代的な国民国家の形成と連動しているという点にある．市場経済は，それ自身の力で自然に社会の隅々に広がってゆくというものではない．それは市場には欠けている強制力（ゲバルト）を必要とする．「改革」を掲げる強い国家の力をかりなくてはならなかった．市場にまかせるほうが効率がよいから，市場は自然に浸透・拡大するのだ，というのは，後知恵による正当化にすぎない．プ

ロレタリアートの抵抗に対して，既存の制度や慣行を打破する国家の強制力が不可欠だったのである．

自由主義段階 商業的富とプロレタリアートとが同時に形成され蓄積されることで，イギリスに独自の工業生産体制が誕生する．従来の毛織物業においては，イギリスは先行する大陸の諸地域をついに凌駕することはできなかった．しかし，新興の綿工業をベースに機械化を進め，他の追随を許さぬ生産力を具えた基軸産業を確立する．すなわち，産業革命の展開である．機械化は同時に，労働者の熟練を徹底して排除することを可能にした．この結果，不特定多数の単純労働を独自に編成・組織化することで，大規模生産のメリットを活かすことが可能となった．これは農業や鉱業のような領域で実は先行してみられたものだった．植民地におけるプランテーションや本国における大農場経営である．イギリスではこれが工業の領域に導入可能となったのである．すなわち工場による生産体制である．こうして，産業革命と工場制の基礎のうえに，イギリスは市場中心の経済社会を築くことになる．

このような経済的発展は，市場に対する国家の関わり方に大きな転換を促すことになる．従来の輸出産業保護や輸入制限は，もはや現実に即応しなくなる．国家の政策的な介入を排除し，自由貿易を唱える自由主義的な政策が提唱されるようになる．資本主義は，19世紀にはいるとイギリスを中心にした，自立的な発展期にはいる．「自立的」というのは，国家など，市場以外の補助を必要とせず，市場だけで内部調整できるという意味で，「自律的」と表現されることもある．国家に助けられて成立した資本主義の経済は，国家の介入や規制を今度は不必要な遺制として斥け，そこから離脱する傾向を示すようになる．イギリスでは，「安上がりの政府」，「夜警国家」，「自由放任」を理念とする政策が展開され，市場が社会的生産を全面的に覆うようになる．このような発展期の資本主義が，自由主義段階を特徴づけるのである．

帝国主義段階 ところが，自由主義的な資本主義はいつまでも続くものではなかった．19世紀末になると，先発資本主義国イギリスにおくれて，ドイツを先頭に後発資本主義国が急速に発展する．「後発」ということは，必ずしも「後進」ということにはならない．20世紀にはいると，

極東で唯一，資本主義化した日本も巻き込み，綿工業を基軸とした自由主義段階のイギリス資本主義とは異なるタイプの資本主義が登場したのである．

そこでは鉄鋼業や鉄道建設などを中心に大規模な設備投資が進む．これらの産業では，証券市場で売買される株式資本の形態をとった巨大企業が成立し，個別資本の競争にかわり独占的に組織された市場が支配的になる．しかし，高い生産力を誇る巨大企業の周辺には，中小企業や小農経営など旧来の産業が温存され，二重構造を形づくっていた．このため，国内市場の広がりには限界があり，新たな植民地を求め対外的な進出が不可避となる．

こうして，19世紀末以降，後発資本主義国は植民地の再分割を要求し，やがて第一次世界大戦に至った．帝国主義というのは，狭義には列強諸国の植民地の争奪を指すが，広義にはこうした動きを生みだした資本主義国内の変容全体を意味する．この意味で，資本主義は自由主義段階から帝国主義段階に移行したといわれる．19世紀末から第一次世界大戦に至る時期をとくに**古典的帝国主義**の段階という．

第一次世界大戦後の資本主義 問題はこの後に続く，20世紀の資本主義をどう捉えるかにある．第一次世界大戦は社会主義建設をめざすソビエト連邦を生み，その存在は植民地独立運動にも強い影響力を与えた．同時に，資本主義諸国においても，第一次大戦で疲弊した列強諸国に対して，アメリカ合衆国の相対的優位が顕著となった．しかし，合衆国も大恐慌を契機に不況対策として国家の経済過程への介入が進み，さらに資本主義諸国は再び軍事的対立を深め，第二次世界大戦に突入していった．第二次大戦後は，植民地の独立が進み，そのなかで社会主義的発展をめざす動きも強まった．これに対して，資本主義諸国は圧倒的な軍事力を擁する合衆国を中心に結束し，対外的にはソビエト連邦との冷戦体制に組み込まれる．そして，対内的には，雇用保障や教育・医療などの予算を拡充し，**福祉国家体制**を強化してゆくことになった．

このように20世紀を通じて，資本主義は大きく変質した．ただ，それは市場に対する社会的規制や，政府による財政・金融政策が果たす役割が増大したという点では，古典的帝国主義の傾向がさらに強化されたということもできる．福祉国家体制は，限られた国民を対象にしてはじめて可能なのである．そ

の意味では，国民経済を高い障壁で囲い込むことが前提となる．そして，先進資本主義諸国の壁の外では，長い間，新たな資本主義国は生まれてこなかった．地理的にみれば，資本主義はその拡張力を喪失したということもできたのである．こうしてみると，19世紀末以降，二つの世界大戦をまたいで20世紀末までの資本主義を，広義の帝国主義段階として一括することも不可能ではない．

このような広義の帝国主義の観点から大きく歴史を捉え返せば，19世紀末までの資本主義は，イギリスを中心にして市場中心の社会に進んでいったようにみえる．自由競争を妨げる制度・慣習・法規則などを廃止し，市場による経済編成に一本化してゆく傾向を，資本主義の**純化傾向**とか純粋化傾向とよぶ．また，市場原理だけで編成された資本主義本来の状態を**純粋資本主義**とよぶ．すなわち，19世紀を通じて，イギリスでは純化傾向が進み，純粋資本主義にもっとも近づいたということができる．

ところが，この純化傾向は，ドイツに代表される後発諸国の資本主義化とともに，鈍化・逆転し，競争的な市場以外の要因を抱え込むようになった．そして，財政や金融制度，組織や制度に強く依存する傾向を強めるという意味では，20世紀の軍国主義や福祉国家も含めて，資本主義はその形成・発展期に純粋な資本主義に近づきながら，やがてそこから離れ，不純化の傾向を強め，爛熟・没落にはいった．これが20世紀末までの資本主義の歴史に関する有力な見方であった．すなわち，三段階の発展段階論である．

グローバリズム　　しかし，20世紀末，資本主義は再び大変貌をとげる．ロシア革命を皮切りに資本主義とは異なる発展の途を模索してきた社会主義諸国の崩壊が進むと同時に，資本主義諸国も急激にその様相を変えてゆく．福祉国家の危機が告げられ，**ネオリベラリズム**（新自由主義）的な主張が強まっていったのである．さらに，旧社会主義諸国を含めて，新たな経済的発展が始動し，中国，インド，ブラジルなど，新興資本主義諸国の台頭が鮮明になってきた．資本主義は再び大きな地殻変動に直面している．おそらく，19世紀末における自由主義から帝国主義へ段階的移行を凌ぐ，大転換である．それはまた，20世紀における資本主義の変質との断絶を意味した．この大転換を，広義の帝国主義と区別して，ここでは**グローバリズム**とよぶ．

このグローバリズムはネオリベラリズムに還元されるものではない．ネオリベラリズムは，第二次世界大戦後，先進資本主義で定着した福祉国家体制の軌道修正が基本であった．ネオリベラリズムが，新興資本主義諸国の発展を生みだしたのではない．逆に，新興諸国の発展がグローバリズムを推進し，その一つの帰結が先進諸国のネオリベラリズだったのである．だからネオリベラリズムが行き詰まっても，先進諸国はもはやもとの20世紀の福祉国家体制に引き返すことはできない．新たな地域・国家の資本主義化は底流で進んでいる．これは画期的なことである．先進資本主義国のネオリベラリズムが変質しても，底流をなすグローバリズムが終息することはないだろう．

　こうした大転換は，先ほど紹介した三段階の発展段階論に対して根本的な見直しを求める．帝国主義段階をどう拡張しても，もはや純化・不純化という枠組は妥当しない．今や，重商主義段階まで遡って，はじめから考えなおす必要があるのかもしれない．例えば，重商主義段階のイギリスも，後発国として，先発国オランダを，国家権力を最大限利用して凌駕したと考えることもできる．後発国の資本主義化は，多かれ少なかれ，不純な性格を帯びながら台頭してきたといってよい．その意味では，イギリスの重商主義と，ドイツの帝国主義は，同じ位相にたつ．後発国は，資本主義化の時期に応じて，異なるタイプの資本主義を生みだし，それが先発国に反作用することで，資本主義の発展段階は画される．今日のグローバリズムも，この同じ位相で生じた新たな大転換である．この波状型をした資本主義の拡張の歴史を，一度の純化・不純化に還元して捉えることには無理がある．資本主義は，地域や国を移しながら間歇的に勃興し，それを契機に全体の姿かたちを変えながら生きながらえてきた．資本主義には純粋な本質的姿があるのではない．変容こそ，資本主義の本質なのだ．「これまでの経済原論」は，このような変容を不純な要因によるものとして外部に押しだすことで，資本主義の純粋像を追求してきた．「これからの経済原論」はこの点から発想を転換しなくてはならない．たしかに，歴史的変容がすべて理論的に説明できるというわけではない．だが逆に，それがまったく理論とは切断された現象だというのも誤りである．今日の時点で資本主義の発展過程をふり返ってみるとき，資本主義はどのようにして変容するのか，この解明こそ経済原論の中心課題となるのである．

★問題 2

経済社会は発達するにつれて，一つの姿にゆきつくという主張を**収斂説**（しゅうれん）という．アダム・スミス（Adam Smith 1723-1790），カール・マルクス（Karl Marx 1818-1883），宇野弘蔵（1897-1977）の著作から，収斂説に関係がありそうな箇所を抜粋してみた．これを読んで，以下の質問に答えよ．

S_1：これほど多くの利益が引きだされるこの分業というものは，もともとそれが引きおこす一般的富裕を予見したり，意図したりする人間の英知の所産ではない．それは，このような広大な効用をまったく眼中におかぬところの，人間の本性のなかにある一定の性向，つまりある物を他の物と取り引きし，交易し，交換するという性向の，非常に緩慢で漸進的であるが必然的な帰結なのである．（『国富論』第 1 編第 2 章）

S_2：あらゆる人は，交換することによって生活し，つまりある程度商人になり，また社会そのものも，適切にいえば一つの商業社会に成長する．（同第 4 章）

M_1：資本主義的生産の自然諸法則から生ずる社会的な敵対の発展程度の高低が，それ自体として問題になるのではない．問題なのは，これらの諸法則そのものであり，鉄の必然性をもって作用し，自己を貫徹するこの傾向である．産業の発展のより高い国は，その発展のより低い国，ただこの国自身の未来の姿を示しているだけである．（『資本論』第 1 巻初版への序文）

M_2：理論においては，資本主義的生産様式の諸法則は純粋に展開されるということが前提される．現実においては，常にただ近似のみが存する．しかし，この近似は，資本主義的生産様式が発展すればするほど，そして従前の経済的状態の残滓（ざんし）による資本主義的生産様式の不純化と混在とが除去されればされるほど，ますます大きくなる．

(『資本論』第 3 巻第 10 章)

U_1：マルクスが『資本論』を執筆した当時には殆んど予想を許されなかったような発展が，資本主義のその後に見られるようになったのであって，吾々は，もはや単純に資本主義の発展は益々純粋の資本主義社会に近似してくるとはいえなくなっている．（『経済学方法論』1962 年　Ⅰ-三）

U_2：イギリスに対して後れて資本主義化した諸国においては，先進国の発展の成果を輸入して資本主義化するために，その影響は著しく受けながら，決して同一の過程を経ることにはならない．（中略）先進国イギリス自身でも，19 世紀末以後の資本主義は，ドイツ，アメリカ等の後進諸国と共に，従来の純化傾向を阻害されることになるのである．（『経済原論』1964 年　序論 註(8)）

1. 経済社会あるいは資本主義は，その発展の結果，どのような状態に至ると主張されているか，三者それぞれの特徴を端的に示すフレーズを抜きだせ．
2. 三者の発展観を対比・整理し，違いを明らかにせよ．

0.2　経済原論の方法

変わる力と変える力　　資本主義は，歴史的にふり返ってみると，現実に一つの姿に収斂することはなかったし，また，一度は純粋な姿に近づきながら，その後，そこから離れていった，というわけでもない．それは幾度かにわたり，地殻変動を繰り返し，段階的にその姿を変えてきた．この変容するという特性を切り捨ててつくった理論では，資本主義とは何かという課題に答えたことにはならない．いま，動きを生みだす要因という意味で「力」という言葉を用いるとすると，資本主義は本質的に「変わる力」を内包しているのである．

ここですぐに強調しておくが,「変わる力」をもつということは,資本主義の変容が「すべて」原理論の内部で説明できるということではない.資本主義に対しては,同時に外部から「変える力」が作用し,さまざまな変容は歴史的な過程として生じる.連続的な変化ではなく,不連続にすがたが変わるという変容は,内因と外因の作用・反作用の関係を通じてはじめて説明できる.そして,このような変容を理論的に捉えるためには,それなりの方法論を意識的に用意する必要がある.経済原論に対して,どうもまわりくどく馴染めない,取っつきにくい,といった印象をうけるのは,一つには,この点が自覚されていないことによる.

> **問題3**
> 「変わる」と「違う」は,どう違うのか.

メタ・モデル このような意味での変容を捉えるため,原理論には独自の工夫が必要となってくる.理論は現実そのものとは異なり,多かれ少なかれ,その本質と思われる部分を抜きだした説明装置,すなわち抽象的モデルである.自然科学では,一般にこうしたモデルをつくり,実験を通じて検証し,また的確なモデルによって起こるべき現象を予測したりする.経済学も一応,こうした方法にしたがっているといってよい.しかし,資本主義の変容を捉えようとする場合,自然科学のモデル論ではどうもしっくりこない.だから,このあと本書の本論では,モデルという用語はほとんどでてこないはずであるが,しばらく通例の用語で説明を続けよう.

さて,これに対して,モデル論を支持する人から,次のように考えればよいのではないか,という声が聞こえてきそうだ.資本主義が多様なすがたを示すのであれば,「それぞれに対応した複数のモデルをつくればよい,スクラップ・アンド・ビルドで機動的に対応すべきだ」と.

たしかに,理論と現実の直接的な対応を考えれば,このようなアプローチが妥当である.しかし,それは「なぜ資本主義が変化するのか」という問題には何も答えてくれない.われわれが知りたいのは,こうしたモデルとモデルの関係である.そのためには,モデル間を関連づけるメタ・モデルが必要なのである.資本主義を資本主義たらしめる基本的な性質は,個別のモデルにあるので

もないし，多くのモデルをただ単に寄せ集めれば理解できるというものでもない．その本質は，メタ・モデルのうちにある．

　資本主義の原理論というのは，単一の理論で複数の状態を説明するという点で，通常の理論と現実を実証的に関連づける方法とは異なるアプローチをとる．多様なものを統一的に捉える理論という点で，自然科学を模範とした仮説・検証型のアプローチだけでは，資本主義とは何かという問題に充分な解答を引きだすことはできないのである．

トータル・モデル　資本主義の変容は，また経済社会を構成するいろいろな部分を別個に取りだして説明するだけでは捉えることはできない．価格機構や金融制度，生産システムや労働組織，労働市場や流通システム，資本蓄積や景気循環といったさまざまな要素を別々に研究しても，この問題に対する答えは得られない．

　精緻な部分モデルに馴染んだ人ならおそらく，「トータル・モデルというが，そんなにいろいろな領域を浅く広く扱っても本格的な学問にはならない」という印象をもつだろう．しかし，それはそれ，これはこれで，解明したい関心が異なるのだ．トータル・モデルをつくるには，各領域の内部は意識的にシンプルにしたほうがよい．理論化にはメリハリが肝心で，領域の内部を単純化することで，領域間のインターフェースははっきりする．この点がわからないと，経済原論は浅薄な入門書にみえるだろう．

　むろん，それぞれの関心に基づいて，各領域に関する理論は独自に形成され，その対象を限定することで精緻なものとなってゆくであろう．しかし，それぞれの理論領域における専門的な研究を積み重ねるだけでは，資本主義という歴史的な社会像を捉えることにはならないのである．

　個に還元できない関係の束を**全体**とよぶ．ここでも，それぞれの部分領域を対象とした精密な個別モデルをいくら寄せ集めてみても，全体を捉えることはできない．部分と部分を関連づけるようなトータル・モデルのうちに資本主義の変容の本質は潜むのである．

階層モデル　理論は現実を分析するための道具であるといわれる．たしかに，現実を無視した理論など意味がない．しかし，現実を分

析する道具という場合，古典的な物理・化学などの科学的方法がいつも妥当するというわけではない．歴史的に変容する経済社会を対象に，この意味での分析モデルをつくろうと思えば，時期をできるだけ限定し，対象領域を特定することが不可欠である．対象を狭くとればとるほど，現実との近似は大きくなるし，データとの対応関係は高くなる．しかし，その対象は変わるから，モデルはすぐに古くなってしまう．モデルのスクラップ・アンド・ビルドを繰り返すほかないのである．

　資本主義を捉える原理論は，いくつかの理論領域を関連づけることのほうに力点をおく．それぞれの理論領域を取りだして，現実の分析に当てはめようとすれば，きっと失望することだろう．それは，(1) 理論としては抽象的にすぎ，(2) 適用する対象からみれば単純で狭すぎるからである．しかし，それは商品市場と労働市場の関連，産業資本と銀行資本の連鎖，資本蓄積と景気循環の関係など，経済社会を構成するいろいろな領域の有機的な関連を明らかにする．ところが，よくみると，関連づけようとしている領域は相対的な存在でしかない．上位の領域はいくつかの下位の領域で構成されている．この上位下位の区別を**層**という．部分と部分を関連づけるといっても，同じ単一平面で関連づけるのではない．相対的に独立した下位の領域が，上位の層からみると一まとまりの領域となって，他の領域と関連している，と捉えるのである．下位から上位へと，層を組み上げて全体を構成するモデルを階層モデルという．原理論は典型的な階層モデルである．

　こうした階層モデルをつくることで，ある部分の変化が他の領域にどう作用し，反作用を受けるのか，こうした部分的変化のなかで，全体の状態がどのように維持され，また変容することになるのか，という問題に答えることができる．資本主義が段階的に発展してきたのはいかなる仕組みによるのか，という問題に答えるためには，このような階層モデルをつくることが不可欠なのである．

メカニズムとシステム　　以上のことを別の角度から説明してみよう．ここにはやや大げさにいえば，メカニズム論的な自然観からシステム論的な自然観への転換が投影されているといってよい．**メカニズム**というのは，さしあたり，機械仕掛けで動いている装置を思い浮かべれば

よい．それはともかく「動く」のであり，その意味では変化する．分析すれば単純な動作に還元できるかもしれないが，その組合せによっては，予想をこえた複雑な運動をする．外的自然はすべて物理化学的な法則で解明できるというメカニズム論的な世界観は，ルネ・デカルト（1596-1650）らによって，近代初頭に唱えられて以来影響力を強め，19世紀まで支配的な自然観の地位を築いた．そして今日でも，それが支配的であることにかわりはない．ただ，19世紀末から次第に，それだけでは捉えきれない世界があることが，意識されるようになってきた．

その端緒となったのは，生物学が扱う生き物の世界であり，そこにおける進化という特異な現象である．動物のカラダもまた，精巧な機械仕掛けでできているというデカルトのアイデアは，その後，解剖学的な知見が深まり，さまざまな臓器の役割が明らかになるにつれて，より現実味を帯びていった．しかし，それでも動物のカラダには，メカニズム論では説明できない性質が多すぎる．機械を部品で組み立てるように，カラダを臓器にばらして組み立てるわけにはゆかない．そして，カラダをもつ生き物は，多様な種を生みだして，外部の環境に適応してきた．どんなに精巧に機械仕掛けで動物のカラダを模造しても，その延長線上に，この進化という現象は再現できそうにない．生き物のカラダと環境のように，メカニズムに還元できない関係を**システム**とよぶ．

全体・状態・内部と外部 システムには，部分の単純な合成には還元できない全体が存在する．この場合，全体といっても，もちろん内部が分解できない一様な存在ではない．その内部は，何層ものレベルでまとまりを形づくっている．臓器は循環系とか消化器系とか，一連のつながりをなす．各臓器は異なる機能をはたす幾種もの細胞で構成されている．単純な細胞の集まりではなく，階層的に組織されて，全体をなすのである．そして，変容というのはこの全体が変わるのである．

しかも，全体といっても，それはその内部で完結しているわけではない．カラダは外部の環境と物質代謝をおこなっている．カラダはその意味で，環境からみれば，その部分でしかない．例えば，森に住む動植物といえば，通常，生死を繰り返す個体を考えるが，それらは同時に森という全体を構成する部分でもある．環境は個体に還元できない．

システムは，各層において相対的に，内部と外部という区別をもつ．例えば，カラダというレベルでいうとこの区別は直感的にすぐわかる．しかし，カラダの内部と外部も実は皮膚や消化器官の内壁といった物理的な壁で完全に切り離されているわけではない．そこでは物質代謝がつねにおこなわれている．しかし，それでも，例えば免疫系のように，外部と内部を区切る巧妙な仕組みがある．カラダは必要な養分を吸収し老廃物を排出する．病原菌や異物が進入すればそれを排除する．こうした相対的な内部と外部の関係は，機械装置にはみられない．生き物を機械仕掛けでつくることは，この点でも無理があるのである．

　さらに，相対的に区別された内部は，さまざまな状態を呈することになる．運動すれば，体温が上がり，呼吸が速まり，発汗し血行はよくなる．睡眠状態ではこれとは逆になる．同じカラダでもその状態はかわる．そのどれが本来のカラダの状態であるか，考えることは無意味である．均衡とか，純粋な姿とかいったものはない．

　といってどのような状態にでもなるかといえば，独自の自動制御がはたらいている．恒温動物であれば，体温はある幅に収まるよう，調整される．そこでは，制御される器官と独立した，神経系とか免疫系とかいった制御する仕組みが分化する．個々の器官の状態を感知し全体を制御することで，内部環境が保たれるのである．システムは，このような自動制御によって内的に統合された主体によって形づくられるのである．

　システムについて，これ以上，一般的に考察することは本書の目的ではない．システムについて一般論を解明して，それを応用して経済原論を展開しようというのではない．逆に，経済原論の展開に即して，システムについての認識は深まるだろう．方法論というのは要するに指針であり，およその方向をきめる手がかりのようなものでしかない．少なくとも，まず，方法論のほうが先に確立され，それにしたがって考えると正しい答えがでてくるといった万能薬ではない．それならば，方法論にすべての答えがはじめから含まれていることになり，方法論ですべてがわかってしまうことになる．しかし，何も手がかりがないところで，新しいことを知るということもない．知っていることと，知らないこととを結ぶ手がかりが必要なのである．ここではただ本書が，以上の意味でのメカニズムとシステムの区別を，資本主義はなぜ，いかにして変わる

のか，という問題を考えるヒントにしていることだけ指摘しておく．

0.3　経済原論の構成

体系と構造　変容する対象を理論的に捉えるためには，それなりの方法論的な工夫が必要になる．相手は一つのシステムである．システムというのは，言い換えれば**体系**である．システムに対する理論は，体系として展開される．体系というのは形式的な表現様式の問題ではなく，対象としてのシステム全体を捉えるために実質的に要請される分析方法の問題である．

体系の中味をなすのは，関係の束であるが，その関係は階層をなす．すでに述べたように，カラダについてみれば，細胞があり，細胞が胃や腸のような組織をつくり，組織が結びついて器官をつくる．実際にはもっと複雑なつながりを考えなくてはならないが，少なくともフラットな細胞の集まりで全体が捉えられるのではないことがわかればよい．カラダ全体は細胞，組織，器官といった次元をなしている．このような「関係の関係」を**構造**という．本書では，対象自身に焦点を合わせたときに構造という用語を当て，その記述方法に焦点を合わせたときには体系という用語を当てるが，記述対象と記述方法は厳密に区別できるわけではない．

経済原論の内容が，篇，章，節などに分かれているのは，けっして形式的な整理ではない．システムとして対象を捉えるための方法であることを了解してほしい．ただし，必要なのは体系的な把握であり，本書は識別しやすいように形式を整えたが，必ずしも体系的記述は厳密に一種類しかないわけではない．目次をみると，やたらと3の組合せが目につくかもしれないが，これはもっぱら読者へのサービスで，それ以上深い意味はない．必要なのは体系的に記述することまでであり，それ以上形式にこだわることは得策ではない．

二層構造　資本主義の変容を解明するため，経済原論はその内部に，二層構造を設けることになる．これは変容を扱う理論の多くに共通するかたちである．性質の異なる構造Xと構造Yが結びついたものとして全体を捉えるのである．この大構造の下位には，また幾層かの構造が入れ子状に含まれているが，内部にこのような結合・反発の力が含まれないかぎり，自ら

その姿を変えるという変容の原理を説明することは難しい．

　経済原論を形づくる大構造の一つは「市場」であり，もう一つは「社会的再生産」である．この用語の定義は，その内部構造とともにこれから本論で与えるほかない．ここではとりあえず，対極的なものを区別するラベルでしかない．両者は本書の第Ⅰ篇「流通論」，第Ⅱ篇「生産論」でそれぞれ考察するので，ラベルとしては簡単に，流通と生産と略してもよいだろう．

　ともかく，今は予備作業として，全体の大まかなイメージを描いておくことが目的である．経済原論の体系は，一枚岩の流通と一枚岩の生産とがぶつかり合うという，外的な対立関係をなすのではない．流通も生産もともに内部に重層的な階層構造をもち，その間には複雑な結合・反発の作用がはたいている．しかし，これら個々の領域間の作用は，同時に体系全体の内部に位置しており，流通と生産という二大構造の関係として集約される面をもつ．この点に注目することで，ばらばらな変化の束ではなく，構造的な変容であることがはじめて明確になるのである．

三篇構成　　序論で本書の内容を要約的に論じることは，これから読み進めようとする読者にとっては，むしろ無用に思われるかもしれない．ただ，繰り返し述べてきたように，一つのシステムとして全体像を描くこと，そして，構造的な変容に力点があること，このような理論の特性からいって，体系全体の見取り図を頭に入れておくこと，目次をつねに想起しながら考えてゆくことは必須となる．読み進めるなかで変更されてもよいから，とりあえずはじめに略図を知っておくことは邪魔にはならない（図0.1）．

問題 4

　対極的な二つの構造の結合体として全体を描くという場合，どちらからはじめてもよさそうである．しかし，叙述の順番として，二つの構造のうち，市場のほうから考察をはじめるのが普通である．それには何か特定の根拠があるのだろうか．以下の三つの主張について論評せよ．

1. 社会的再生産の構造を分析しても，そこからは市場が説明できない．

> 2.「資本主義とは何か」という問題関心が，市場の分析からはじめるように促す．
> 3. 市場の内部構造のほうが論理的に捉えやすい．

　第Ⅰ篇「流通論」は，第1章「商品」，第2章「貨幣」，第3章「資本」からなる．まず第1章では，商品という特殊な「モノのあり方」を厳密に考えてみる．これは貨幣の存在を論理的に説明することになる．第2章では，この貨幣のはたらきを分析する．それは同時に，商品の単純な売買をこえた市場構造の変容の契機を明らかにすることにつながる．第3章では，商品と貨幣からなる市場の基本構造とその変容のなかから，資本という独自の運動が発生することを示し，資本を中心とした市場構造の特徴を明らかにする．そして最後に，こうして導出される個別資本にとっては，市場に商品を流し込む生産過程は，それ自体としては異質なものとはならない点が示される．総じて，市場の内部構造は，社会的再生産に比して，相対的に論理演繹的に構成しやすい．また，その構造は個別的には外部に結びつく契機を内包しているのである．

　第Ⅱ篇「生産論」は，第1章「労働」，第2章「生産」，第3章「蓄積」からなる．社会的再生産の構造は，市場に比べ演繹的に捉えにくい面をもつ．しかし，このことはそれが独自の構造をもたないということではない．第1章と第2章では，労働と生産という社会的再生産の基底をなす対抗軸を明らかにする．そして，この社会的再生産の内部構造を，資本という明確なフィルターを通じて，量的関係として描いてゆく．ポイントとなるのは，社会的再生産が生みだす余剰にある．第3章では，社会的再生産を包摂した資本は，その全体から余剰の一部を取得し蓄積を進める過程について考案する．この資本の蓄積を通じて，資本主義の変容は，内部からいわば燃料補給されることになる．

　第Ⅲ篇「機構論」は，第1章「価格機構」，第2章「市場機構」，第3章「景気循環」からなる．今述べたように，第Ⅰ篇と第Ⅱ篇はそれぞれ独立に構造分析をするわけではない．第Ⅰ篇は第Ⅱ篇を前提とすることなく，独自に展開されたが，第Ⅱ篇は労働と生産という対抗軸を分析すると同時に，資本によるその変容についても考察を加えている．この第Ⅲ篇では，基本的に第Ⅱ篇で明らかになった変容した社会的再生産が，個別資本の内部にどのような変容を逆に生みだすのか，いわば反作用の側面を明らかにする．第1章では，個別産

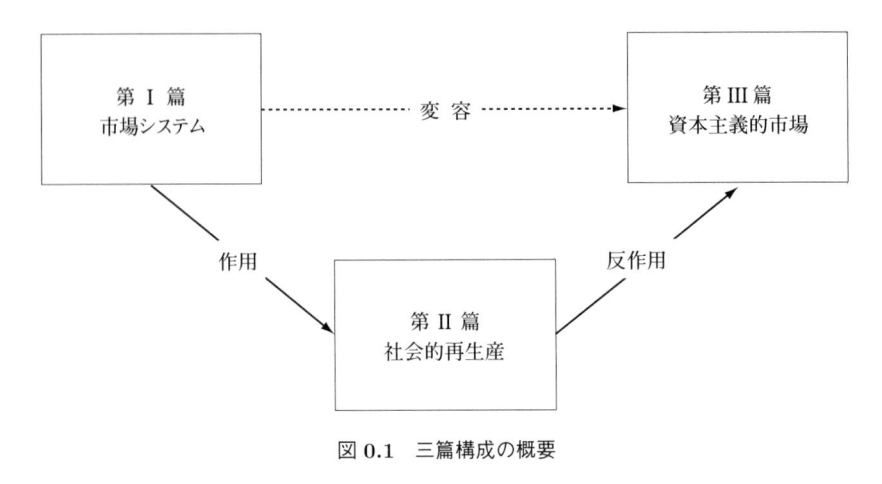

```
┌──────────┐          変  容           ┌──────────┐
│  第Ⅰ篇   │ ‑‑‑‑‑‑‑‑‑‑‑‑‑‑‑‑‑‑‑‑‑‑> │  第Ⅲ篇   │
│市場システム│                          │資本主義的市場│
└────┬─────┘                          └─────▲────┘
     │ 作用                    反作用       │
     ▼                                     │
        ┌──────────┐
        │  第Ⅱ篇   │
        │社会的再生産│
        └──────────┘
```

図 0.1　三篇構成の概要

業資本の競争を通じて，諸商品の市場価格に独自の規制力がはたらく価格機構が明らかにされる．第2章では，生産と流通という個別産業資本にとって異質な内部要因が，商業資本，銀行資本，株式資本といったかたちで外部に分かれて現れる固有の機構化が明らかにされる．第3章では，このような価格機構と市場機構を具えた資本主義的な市場のもとで，競争的な資本蓄積が進む結果，景気循環が発生する関係が明らかにされる．「機構の変容」をこえて，最後の章では「運動の変容」という難問にチャレンジしてみる．

第 I 篇

流通論

　多くのテキストがそうしているように，各篇のはじめで概略を示すのもよいのだが，それは序論で述べたばかりだし，それにだいたい，中味を読むまえに概略をきいてもわからないのが普通だ．ここでは，各篇の考え方の特徴とか，通常とかなり違う点とか，誤解しないよう注意したほうがよい点など，本論に進むまえにちょっと横からアドバイスしておく．
　第 I 篇を読むうえでの第1のポイントは，自分が個別主体の観点にたって，まわりがどう見えるか，どう行動するか，実地に考えてみることだ．市場を外部から観察するのではなく，自分が主人公になって内部から分析するのだ．「主体は主観的に思い込んで，自分勝手に行動している，そんな主体の観点などを持ち込むと，客観的な認識から，かけ離れるばかりだ」と思うかもしれない．たしかに，自然科学の実験や観察ならそういってよいだろう．それはだれがみても基本的には同じにみえるはずだからだ．しかし，社会が対象になると，そういう保証はない．自然科学にならって，本人は「客観的」に観察しているつもりでも，それが「客観的」であることをチェックする手段がない．だから，外部から観察するだけではなく，理論に登場する個別主体の目線で，逆に観察者のほうを観察してみなければ信用できない．個別主体の導入は，実はゴリゴリの客観主義なのだ．ただ，この

個別主体の観点は，所詮チェックが目的であることも忘れずに覚えておこう．商品所有者の立場にたつことさえできれば，そこから「商品経済の論理だけで」自動的に理論が展開できるかのように過信してはならない．市場を対象とするこの篇では，こうした叙述方法がアチコチにでてくることだけ予告して，あとは現場で話そう．

第2のポイントは，論理的に推論可能な領域と，その限界をはっきり区別するという観点だ．これは第Ⅰ篇に限るわけではないが，とくに私的な利得だけを追求する個別主体という強力な推論エンジンを駆使するこの篇では，この観点が際だってくる．商品，貨幣，資本を外から観察して区別するのではなく，個別主体の目で関連づけようというわけだが，実はそう簡単にゆかないところがでてくる．そしてこの簡単にゆかない理由こそ，真に見極めたい課題なのだ．そこは理論のグレーゾーンだが，ここを論理的に推論可能な白か，限界を示す黒か，とかなりしつこく追求する．これは，このあと繰り返しでてくる「開口部」とか，「外的条件」とか，資本主義の変容を考えるうえで重要なポイントになる．本篇を読んでいて「何でそんなに形式論理にこだわるのだ，グレーな現実をもう少し受け容れてよいではないか」とウンザリしたときは，このことを思い出してほしい．

第3のポイントは，もう少し，単純な話であるが，本篇の特徴かもしれない．簡単にいえば，出発点から商品を広い意味での「在庫」と捉えている点である．かつてある先生に「在庫は商品なのでしょうか」と尋ねたところ，「商品は売れる瞬間に商品になるので，それまでは商品として考える必要などない」と教えられた覚えがあるが，本篇は「売れるまえから商品は立派な資産として市場の内部に存在している」という基本認識から出発している．均衡価格でもよいし，価値通りの価格でもよい．ともかく「商品は市場で適正な価格が与えられ，その価格で売れるのは当たり前だ，理論としては，少なくともそういう想定にたっているはずだ」という先入観で本篇を読むと，途端につまずくと思うので注意しておく．なぜ，そんな自明視されてきた想定を外すのか，その理由は長くなるので，これも本論で説明しよう．

第1章 商　品

1.1　モノと商品

　　　　　　　市場の基本構造を捉えるうえで，原点となるのは商品である．こ
　主　体　　の原点の意味を知るためには，モノと人間の基本的な関係に遡っ
　　　　　　てみるのがよい．商品はモノであるが，モノがすべて商品であるわけではない．モノとの区別を明らかにすることで，商品の概念も厳密に規定することができる．そこで，とりあえず，モノとして，リンネル 20 ヤールとか，上衣 1 着とか，適当な有体物をイメージして，商品の考察をはじめてもよいのだが，商品として市場に取り込まれるモノは，環境とか，知識とか，健康とか，さまざまな領域に拡大し複雑化している．こうした問題をきちんと考えるためには，商品そのものの概念から鍛えておかないと歯が立たない．というわけで，この先，いきなり，モノから商品まで，垂直登攀でグイグイ抽象度をあげてゆく．序論でだいぶウォーミングアップしたので，大丈夫だとは思うが少し辛抱してほしい．ただどうしても生理的に不調を来したときはやむをえない，その時点で 1.2 節に跳んでもたぶん支障はないだろう．

　まず，モノからはじめよう．ここで**モノ**というのは，とりあえず「あれ」とか「これ」とか，指し示し特定できる外的対象のことである．指し示す側は，漠然と人間とよぶかわりに，意志と行為を重視して，**主体**とよぶことにする．モノは主体の関心の対象であり，主体はモノに取り囲まれている．主体に対して，モノは**客体**をなすが，それは有体物に限られるわけでない．無体物であっても，どの主体の目からみても，明確な境界が存在し，その間に重複がなければ，モノといってよい．土地のように連続した平面であっても，それが境界線

で区切られれば，それぞれ独立したモノとして現れる．知識なども，主体によって発見され，未知から既知になった対象として，モノとして性格をもつ．逆に，まったく手つかずの外的自然は，ここでいうモノにはならない．モノが主体との関連で社会性をもつことは，このあと，市場の拡張性を理解するうえで一つのポイントとなる．

> **問題 5**
>
> ここで考えているカタカナ表記の「モノ」は，自然科学が扱う客観的存在としての「物」とはちょっと違う．物は主体の関心の対象として，はじめてモノとして現れるのである．このようなモノと主体の関係は，モノの**複製**について考えてみるとはっきりする．そこで問題．モノは複製によって増えるか．

属　性　　主体がモノに関心を示すのは，それぞれ固有の性質をもつからである．モノは，例えば色やかたちのような性質をもつ．また，きれいだとか，おもしろい，とかいう性質も考えられる．一般にある対象がある性質を「もつ」(have) とき，その対象にはその性質が「ある」という．本を手にもって重ければ，その本には重さが「ある」といい，厚ければ厚さが「ある」という．重量も長さもその対象から，独立した存在として抜きだすことはできない．だから，この「ある」というのは，独立した主語の資格で「実存する」(exist) という意味ではない．主語的存在ではなく，補語的存在なのである．「在る」と「有る」の違いである．このかぎりでは当たり前のことだが，後に「商品には価値がある」という段階になると，価値の存在をめぐる混乱の原因となるので注意を促しておく．

さて，この本は 500 グラムの重さがあるとか，3 センチの厚みがあるというのは，だれにとってもそうであろう．薄汚れているとか，つまらないというのは，読み手次第である．だが，モノの性質は，いずれの場合も，主体の判断ぬきに考えられない．ただこのうち，色やかたちのように，だれにとっても同じに現れる性質を，**自然的属性**あるいは単に**属性**とよぶ．主体の違いをこえて，モノ自体に属している性質という意味である．これに対して，美しくみえるとか，よい香りがするとか，主体によって評価が分かれる性質もある．この性質

によって，モノは，特定の主体の役にたったり，そうでなかったりする．このような主体にとって異なるモノの性質を，**有用性**とよぶ．モノはこの有用性によって，主体の欲求を満たす．

属性はだれにでも通用する尺度単位で計量し表示できる．つまり定量性をもつ．これに対して有用性は，尺度単位を欠き，定量性をもたない．しかし，属性と有用性との区別は，絶対的なものではない．この本が500グラムであるというのはだれにとってもそうだろう．しかしそれが重いのか，軽いのか，判断は分かれる．この本を重石にしようとしている主体には，軽くて役にたたないかもしれない．寝ころんで読むにはちょっと重すぎて，扱いにくいかもしれない．軽重は，属性とも有用性とも決めがたいところがある．

所有　さらにモノの性質には，他の主体との関係によって，モノに付与される性格がある．モノの使用や処分がどの主体の権限に属するかという性質である．これもモノなくしてはありえないという意味で，モノの性質である．ただそれは，モノが主体との関係でモノであるということから生じる社会的性格である．この性質を**所有**という．所有という観点からみると，モノは所有されているか，そうでないか，いずかに分かれる．この「そうでない」という意味を「非」で表し，非所有という．

問題 6

どうも「非所有」などという言い方は馴染めない．例えば，「非黒」といった場合，それは何を意味するのか，「非黒」という必要があるかどうか，述べよ．

所有について，もう少し説明しておこう．私の腕はおそらく私のモノであり，私の意志で自由にできるし，またそうしてよいはずだ．心臓は，私の意志で自由にコントロールはできないが，それでも私のモノであり，他人に勝手に停止させられては困る．今この手で操作しているキーボードは，私の身体の一部ではないが，手の延長ではある．他人が横から手を出すことを拒める私のモノである．

これに対して，私の吸い込む大気は非所有物であり，どこでも自由に呼吸し

てもよいことになっている．また，私が書き記すのに使っているこの文字も，だれに断ることもなく使用できる非所有物である．だが，それで記した文章の中味は，現在の社会ではひとまず私に属すると考えられている．所有と非所有の境界も，属性と有用性とは異なる意味においてだが，やはり相対的な性格をもっている．

　ただ，所有概念には，身体というわかりやすい出発点がある．それはある意味では，意志をもつ主体の本質と不可分だといってよい．意志の存在は，その意志によって自由に支配できるモノ，すなわち身体の存在を最低限の条件としている．支配というのは，自由にコントロールできるということである．自分の身体は，自分の意志を差し措いて，他人の意のままに動くようにはできていない．意志と身体の関係は所有概念の原点をなす．このようなモノに対する主体の関わりが，不可避的に生みだす帰属関係を**個人的所有**ないし個体的所有という．

　ところが，このような主体の意志は，外界において競合し干渉する．同じ一つのモノをめぐって，複数の主体がそれをコントロールしようとする．相互に排他的な関係におかれた主体，つまり「私」を**私的個人**という．私的個人による所有を**私的所有**ないし私有という．ただし，「私的個人」が先に存在し，その結果として「私的所有」が現れると考えるべきではない．逆に，「私的所有」というモノのあり方が，「私的個人」という主体の観念を生む面もある．両者ははじめからセットとして存在し，相補的な関係にあるというべきなのだ．

　私的所有が成立するためには，その対象となるモノが，他のモノからはっきり区別されることが最低限必要である．その属性によって，分離が容易で，私的所有の対象によく馴染むモノがある．食料や衣服など基礎的な消費物資は，その典型である．これらは最終的には個人ベースで所有され，消費される．1着の上衣を同時に2人で着たり，一切れの肉を2人で嚙むのは無理である．しかし，私的所有はモノの属性から必然的に生じるわけではない．モノの間の区分は，社会的・人為的につくりだされる面もある．土地には区画が設けられ，著作や発明は法的な権利で囲い込まれ，環境も騒音や排気ガスの量などで等級に分けられる．私的所有は，法制度や契約関係と結びついて，社会的・人為的に拡張される．私的所有に適したモノが典型となり，それに馴染みにくいモノが，それに人為的に似せて処理される．このような処理を**擬制**という．

ここには，モノの所有一般に対して，どのような領域に，どの程度まで排他性を認めるかという，社会的な価値観が深く関わる．その時代に大多数がしたがっているようにみえ，それに反する行為が自然にとりにくくなるような，目に見えない規制力をもつ社会的通念を，広い意味で**イデオロギー**という．私的所有の境界は，広義のイデオロギーで縁取られている．だが，通常そのことは意識されず，この境界もまたモノの属性から必然的に生じると見なされる．個人的所有が原点となり，私的所有はそのイデオロギーによって拡張され受容されているのである．

> ★問題 7
> 私的所有の対をなす概念は何か．

　以上をまとめると，図 I.1.1 のように，モノは主体と三つの層で関連するということになる．

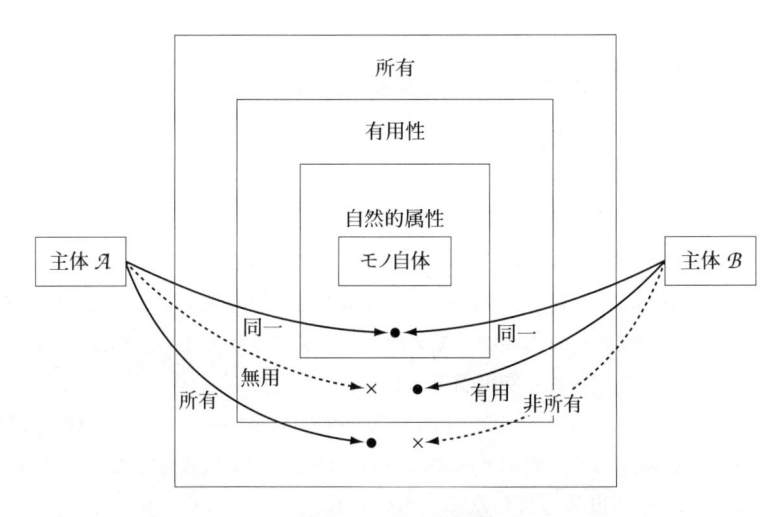

図 I.1.1　モノの三層

モノの深層　　主体とモノとの関係について詳しく考えてみたのは，市場とともにモノのあり方も変わる点を理論的に捉えたかったから

である．今日，市場の覆う領域は，かつてない規模と速さで拡張している．そして，その影響はモノと主体の関係の深層にまで及んでいる．その結果，モノの属性と有用性の区別や，私的所有の境界線は，激しく揺らぎ流動化している．これまで独立したモノとは考えられてこなかった対象が，次々にモノと見なされ，市場に取りこまれている．情報や知識や，健康・生命維持の諸要件や遺伝子情報，自然環境や居住条件など，その境界が明確でなかった全体が細分化され，その各部分がモノとして市場の取引対象となる．これには，情報技術や生命科学などの発展が，モノの属性の捉え方を変え，定量化を可能にしたことも与っている．しかし，教育や医療などをめぐる社会的価値観や，それを体現した制度や政策が所有・非所有の境界を揺るがしている点も見逃せない．ここでは，イデオロギーによる擬制作用が強くはたらいているのである．こうした変容を考えるうえで，商品に先だってモノとは何か，それはどのような意味で主体と関わっているのか，自然的属性に還元できないモノ自体のもつ社会的性格について理解を深めておく必要がある．

1.2　商品の二要因——使用価値と価値

モノと主体の関係を基礎に，商品とは何か，考えてみよう．

使用価値　　商品はモノの一種であり，モノとして自然的属性と有用性をもつ．自然的属性や有用性が帰属する対象を，ここではとりあえず「モノ自体」とよんでおく．モノ自体が消えてなくなれば，属性も有用性もなくなる．上衣自体がなくなれば，1着として識別できる属性も，保温効果という有用性もなくなる．モノの属性と有用性は，モノ自体を媒介に分かちがたく結びついているので，これらを一括して**使用価値**とよぶ．

使用価値という用語は，一般にはかなり多義的に用いられている．狭義には有用性のみに限定して，効用と同義に用いられる．逆に広義にはモノの性質だけではなく，モノ自体を含む意味で用いられることもある．例えば上衣1着について，この1着のことを上衣の使用価値量などという場合もある．自然的属性で量ったモノ自体の量のことである．本書ではこの意味では素直に物量とよぶ．使用価値という用語は，モノの三層のうち，自然的属性と有用性を一括した範疇であり，第三の性質である所有とは明確に分離される．ただこの用

語は，文脈により主に自然的属性を含意する場合と，有用性を含意する場合とがでてくるので注意してほしい．

$$
モノ自体\begin{cases} 使用価値 \begin{cases} 自然的属性 \\ 有用性（＝効用） \end{cases} \\ 物量 \end{cases}
$$

他人のための使用価値　では，商品をモノから区別する条件とは何か．まったく同じモノ，たとえば1着の上衣でも，商品であったり，そうでなかったりする．両者を区別する条件は，自然的属性ではない．それは有用性と所有との特殊な関係である．商品の本性は，その所有主体の観点からその使用価値を考えるとはっきりする．モノは，その所有主体にとって役にたつから所有されるというのが自然であろう．しかし，なかにはこれが捻れたケースがある．それは，その所有主体自身にとっては有用ではないが，だれか他の主体には有用であろうという予想のもとに所有されているケースである．もし，だれにとっても有用でないなら，それは社会的に不要な，ただのゴミでしかない．このような捻れた有用性のあり方を，**他人のための使用価値**という．この場合の使用価値は，有用性の意味である．そして，この用語を使えば，**商品**とは，「他人のための使用価値をもつモノである」と定義される．

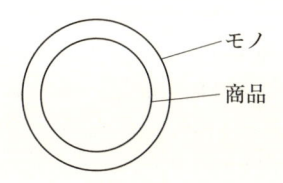

　　　　　　　　モノ
　　　　　　　　商品

　商品とは，モノが主体に対して特定の状態にあるとき，モノに付帯する性質なのである．それは，使用価値と所有の結合概念，モノの「性格の性格」という二次の概念になる．商品という概念をめぐる混乱の多くは，この二次性に由来する．これに対して，他人のための使用価値になっても，モノの自然的属性には影響はない．商品におけるモノ自体のほうを**商品体**という．商品体は「商品」という修辞がついてはいるが，モノ一般に通じる規定である．商品体は自

然的属性と結びついており，物量として数えることができる．しかし，有用性のほうは物量として直接計測することはできない．つまり効用そのものは測れないのである．

　さて，ここで，完全に「他人のための使用価値」になりきったモノ，すなわち，純粋な商品を想定してみよう．ただ，自分のもっているいろいろな持ち物を見回してみても，「他人のための使用価値」になりきったモノなどみつからない．これはかなり極端な理論上の想定にみえるかもしれない．だが，外に目を転じて，店頭に並んでいるモノを思い浮かべてみよう．そこにはたしかに，「他人のための使用価値」になりきったモノ，すなわち「純粋な商品」が満ちている．純粋な商品は，商店の商品を考えれば自然にイメージできる．しかし，この商店とは何か，厳密に理解するには，資本という概念が前提となる．この資本はまた貨幣という概念が前提となる．そして，この貨幣の概念を明らかにするためには，純粋な商品概念を想定する必要がある，というようにもとに戻ってしまう．純粋な商品を最初に仮定するのは，実は，一種の循環論法になるが，商品，貨幣，資本からなる一体のシステムを理解するうえで必要な循環なのである．ここではいちおう店頭の商品をイメージして，純粋な商品の存在を仮定し，それをもとに貨幣，資本の概念を導きだすことにしよう．そして，この資本の概念が明確になると，出発点でイメージした店頭の商品という具体例にも理論的な基礎が与えられるのである．

> ★問題 8
> 　半ば自分のための使用価値をもち，半ば他人のための使用価値をもつようなモノの集合を出発点に想定する理論的な立場も考えられる．このような観点からみると，どのような市場のすがたが考えられるだろうか．

価　値　商品を使用価値の観点から規定することは，商品とは所有者にとって使用価値が「ない」ものだと，いわば否定形で定義したことを意味する．では，商品はその所有者にとって何で「ある」のか．肯定形の定義が求められる．ところで，他人のための使用価値をもつということは，他の商品の所有者がそれを有用だと思って欲しがっているということである．し

たがって，自分の商品はその商品と交換できるという性質をもつことになる．交換を求める欲求は網の目のように連鎖している．この連鎖をたどれば，自分の商品は，間接的なかたちでだが，商品全般と交換できる性質を秘めていることがわかる．他の商品と交換できるという一般的性質，交換可能性，すなわち**交換性**を**価値**とよぶ．所有者にとって商品とは，価値が「ある」所有物だということになる（この「ある」の意味については，もう一度 22 頁の説明をみてほしい）．

　価値という言葉は日常，例えば美的価値とか，学問的価値とか，いろいろな領域で，さまざまな有用性に対する「評価」という意味で用いられる．しかし，この意味での価値は本書では「使用価値」とよび，修辞なしにただ「価値」という場合は，交換性としての商品価値を指す．「使用価値」の対語としてなら「交換価値」というほうがぴったりするが，すぐあとで述べるように，「交換価値」という用語は，伝統的にリンネル 20 ヤール＝上衣 1 着というような物量で表される「交換比率」と同義に使われてきた．この用語に「交換を可能にする潜在的な性格」という意味を与えることは混乱を生むおそれがある．そのため本書では，商品の交換性という意味では価値という用語で一貫させる．

　使用価値と対をなすのは，この「価値」である．両者は，磁石の N 極と S 極のように，商品の二要因として等位にたつが，ただ，商品を所有する動機は，もっぱら価値が「ある」からである．その意味で，商品所有者の意識からみて，「価値が商品の積極的要因をなし，使用価値は消極的要因をなす」ということができる．

問題 9

　商品の概念を価値から出発して，使用価値に向かう方向で規定してみよ．

★問題 10

　価値は「交換を可能にする潜在的な性格」であるといわれる．いかなる意味で「潜在的な」という補足が必要になるのか．その理由を簡単に説明せよ．

価値量（価値の大きさ）　商品の価値は，他の商品所有者の目で社会的に評価されたものである．その点で，芸術作品の「価値」のように，主体の個性を直接反映した評価とは異なる．だから，だれが所有していようと，同じ種類の商品なら同じ評価をうける．それは同種の商品を多数の商品所有者が取引する共通の場における評価として，保有する個別主体に属するのではなく，商品種に属する性質として現れる．それはモノの自然的属性とは異なるが，しかし，商品所有者間の関係を基礎にした，共通の社会的評価である．

こうして，価値は，独自の社会的量規定を与えられる．交換性という「性質」に対して，その「量」を一般に**価値量**ないし**価値の大きさ**という．商品の「交換性」を価値というのに対して，価値量は「**交換力**」とよばれることもある．物理的な力のように方向をもった量をベクトルというが，交換性としての価値もこれに似た性格をもつ．価値量は価値ベクトルの大きさであり，価値量が等しくても，「向き」が違えば価値ベクトルが等しいことにはならない．個々の商品は使用価値という固有の顔をもち，主体が異なる欲求をもつ結果，価値ベクトルはさまざまな「向き」をもつ．そのため，同じ価値量をもつ商品も，ただちに交換できるとはかぎらない．

ややラフに日常の現象に引きつけていえば，100 円のジュースと 100 円の菓子パンとは，同じ価値の大きさをもつが，ジュースや菓子パンという顔には好みがある．だれもが拒まぬ平凡な顔もあれば，ある人たちを魅了してやまぬ個性的な顔もある．交換のしやすさには使用価値の制約がつきまとう．価値量が同じだからといって，いつでも自由に直接交換できるわけではないのである．

問題 11

「商品の使用価値に対する価値の規定は，さらに価値の形態と実体とに二重化される．商品の価値は，価格比として価値形態と，それを規定する労働の量関係としての価値実体からなる」という人がいる．このような価値の形態と実体という対概念は必要か．

1.3 価値形態

目に見えない「価値」がでてきて，どうも話が見えにくくなった．「こんなこと考える価値があるのか」って，その「価値」について考えているのだが……．どうしても瞼が重くなって我慢できないようなら，次の文を読んで「わかった」と自己暗示をかけ，1.3.3項か，思い切って2.1節あたりまでジャンプしてしまうのも「有り」かもしれない．「商品の価値の大きさは，他の商品の物量で表現される．この発展したすがたが，貨幣による表現である．つまり，貨幣は特殊な商品なのだ」．

さて，この節はちょっと複雑なので整理しておこう．ふつう「価値形態」というと，1.3.2項にでてくる四つの形態を意味する．ただ，その第1の形態のところでは，商品価値の表現の本質論が説明されている．ここではまず，この本質論をとりだして独自に掘りさげ，つぎに四つの形態について，その内的関連に焦点をあて，最後に簡単にすまされることが多い第4の形態を拡張して，「貨幣は特殊な商品である」という商品貨幣説の意味を追求することにする．つまり，通常の「価値形態」のはじめと終わりの部分をふくらませたかたちになっている．

1.3.1 価値表現

価値量の表現　商品には価値があり，それは一定の量規定をもつ．どのリンネル商品にも，一定量の価値があり，例えば，区別がつかない1ヤールのリンネル片には，みな等しい価値量が内在する．同種同量の商品は，等しい大きさの価値をもつのである．この意味で，価値量は個々の商品個体ではなく，商品の**種**に属する概念である．そして，同種かどうかをきめるのは，有用性ではなく誰の目にも同じように映る自然的属性なのである．

★問題12

「すべての商品には，価値がある．「価値のない商品」というのは，語義矛盾だ．そして，価値がある以上，必ず一定の価値量があるはずだ．価値はあるが，価値量があるとはいえない，などということはありえない」．この主張は正しいか．

だが，価値量はその自然的属性をいくら観察してもわからない．物理的・化学的に計測できるものではない．ある商品にどのくらいの大きさの価値があるかは，何か別の種類の商品の商品体を用いて，その物量で表現するほかない．ある商品の価値の大きさを別の種類の商品体で表現することを，**価値表現**といい，価値表現の形態を**価値形態**という．価値形態は**交換価値**ともよばれる．例えば，「x 単位 の商品 A の交換価値は，y 単位 の商品 B である」という．ただ，交換価値という用語は，同時にまた，商品 A と商品 B の交換比率 y/x と同じ意味でも使われる．単なる交換比率にまで還元されてしまうと，商品 A の価値量が商品 B の物量で一方的に表現されているという価値表現の方向性が見失われる．こうした弊害があるので，本書では価値表現に関しては，交換価値という用語は避け，価値形態で統一する．

価値形態の基本形は，ある一定量の商品 A の価値量が，他の種類の商品 B の物量で表示された形態である．例えば，20 ヤールのリンネルがあり，それは 1 着の上衣に値する，というかたちで，リンネルの価値の大きさは示される．この「値する」すなわち「等しい」という関係を等号で示すことにすれば，リンネルの価値形態は，

$$\text{リンネル } 20 \text{ ヤール} = 1 \text{ 着の上衣}$$

と表記できる．

相対的価値形態と等価形態　　このリンネルの価値形態のなかで，上衣はリンネルの価値量を表現する手段になっている．この場合のリンネルのように，その価値を表現する商品は**相対的価値形態**にあるという．上衣のように価値表現の素材に使われている商品は**等価形態**にあるといい，その商品体を**等価物**という．

> **★問題 13**
>
> といわれても「等価」という日本語はあまりしっくりしない．「等価」などといわずに，「同じ」といえばよいではないか．さて，そこで質問，「等しい」と「同じ」は同じか．

第 1 章 商 品　　33

　ある商品の価値は，他の商品体を等価物とすることで「相対的に」表現される．相対的価値形態におかれた商品は，価値表現における主語であり，等価形態におかれた商品は補語にあたる．表現のもっとも簡単な形態は「A は B である」A *is* B となるわけである．

　等価形態におかれる商品は，明確な量規定をもつ必要がある．定量性のないもの，数量として合算できないものでは，他の商品の価値量を表現することはできない．逆に，この条件が満たされれば，必ずしも有体物でなくても，等価物としての役割を果たすことができる．

★問題 14

　『資本論』では価値という概念が入念に組み立てられている．その含意をほんとうに理解しようとすると一筋縄ではいかない．ここでは，マルクスの概念構成の核心をなすと思われるところに，少しだけふれておくが，興味がなければ以下 3 問はスキップしてよい．

　まず**価値対象性**という見慣れぬ用語について．

　　商品の価値対象性は，どうつかまえたらよいかわからないということによって，寡婦のクックリーと区別される．商品体の感性的にがさがさした対象性とは正反対に，商品の価値対象性には，一原子の自然的素材もはいりこまない．だから，一つひとつの商品を好きなだけひねくり回しても，それは，価値物としては，依然としてつかまえようがないものである．（『資本論』第 1 巻第 1 章第 3 節「価値形態または交換価値」の冒頭）

　この文章で「価値対象性」と同じ意味で使われている用語は何か．また，その対をなす用語は何か．

★問題 15

　次に人間労働も具体的有用労働の側面が捨象されて抽象的人間労働に還元されるということについて．

　　例えば，上衣が，価値物として，リンネルに等置されるこ

とによって，上衣に潜んでいる労働がリンネルに潜んでいる労働に等置される．ところで，たしかに，上衣をつくる裁縫労働は，リンネルをつくる織布労働とは種類の異なる具体的労働である．しかし，織布労働との等置は，裁縫労働を，両者の労働のなかの現実に等しいものに，人間的労働という両方に共通な性格に，実際に還元する．この回り道を通ったうえで，織布労働も，それが価値を織りだすかぎりにおいては，裁縫労働から区別される特徴をもっていないこと，すなわち抽象的人間的労働であることが語られるのである．（『資本論』第1巻第1章第3節2a「相対的価値形態の内実」）

下線部分は，「織布労働も裁縫労働も人間的労働だから，両方は共通な性格をもつ」と言い換えてもよいか．

★問題16

商品体は「自然形態」というようにも言い換えられている．

リンネルの価値関係のなかで，上衣が，リンネルに質的に等しいものとして，同じ性質をもつ物として，通用するのは，上衣が一つの価値だからである．だから，上衣は，ここでは，価値がそれにおいて現れる物として，または手でつかめるその自然形態で価値を表す物として，通用する．ところで，上衣は，上衣商品の身体は，たしかに一つの単なる使用価値である．上衣が価値を表現していないのは，リンネルの任意の一片が価値を表現していないのと同じである．このことは，ただ，上衣はリンネルに対する価値関係の内部ではその外部でよりも多くの意味をもつということを示すだけである．ちょうど，多くの人間は金モールで飾られた上衣のなかではその外でよりも多くの意味をもつように．（『資本論』第1巻第1章第3節2a「相対的価値形態の内実」）

下線部「手でつかめるその自然形態で価値を表す」というのは，

> 何の「自然形態」で，何の「価値」が表されているといっているのか．

「リンネル 20 ヤールは 1 着の上衣に値する」という価値形態は，「リンネル 20 ヤール =1 着の上衣」という等式で表記できるとしても，両辺の意味は異なる．この等式はあくまでも，リンネルの価値を表現しているにすぎない．上衣という商品体は，リンネルの価値表現の素材になっている．だから，上衣の価値を表現するためには，あらためて上衣の等価物を設定して，上衣の価値はその商品体の一定量に値するという必要がある．商品 X の価値を $v(X)$ で表し，その商品体を $u(X)$ で表すなら，「v（リンネル）$= u$（上衣）」が成り立っても，「v（上衣）$= u$（リンネル）」が成り立つとは限らないのである．

> ★問題 17
> X を Y と「表す」ということは，X は Y と「同一だ」ということと同義か．

1.3.2　価値形態の展開

A．簡単な価値形態

価値表現はなぜ必要になるのか．すぐ思いつくのは，「交換するためだ」ということであろう．価値形態は直接には，**「交換を求める形態」**の背後に結果的に現出する．しかし，商品所有者は，自分のもっている商品をすべて，「いま」「すぐ」交換しようとしているわけではない．さまざまな用途のために蓄えられた財産を富といい，このうちとくに市場の存在を前提に保有される富を，**商品経済的富**あるいは簡単に**資産**とよぶ．商品は「交換の手段」であると同時に「資産」でもある．この両面は密接に関連しており，価値表現も商品全体をおおう方向に発展して，最終的に商品経済的富を体現する貨幣を生みだすのである．

ただ，両面の内的関連を解明するには，少しやっかいな問題がある．「内的」というのは，「主体の目線で」という意味である．ここではこの内的関連を，商品所有者の行動動機と，結果としての価値表現を明確に区別し，次のような

手順で説明してみよう．(1)「交換を求める形態」から出発する．こちらのほうが動機としては理解しやすいからである．(2) 商品所有者が交換を求めて，どのような行動をとるか，リンネル所有者になったつもりで追体験してゆく．(3) こうして，交換を求める形態の変形を通じて，資産の価値表現との内的関連を明らかにしてゆくのである．誤解はないと思うが，「追体験」というのをあまり真にうけないでほしい．主体になったつもりで考察するという意味で追体験なのである．貨幣現象を，外部から観察して記述するのではなく，主体の目線で関連づけることが狙いなのだ．

そこで，リンネル所有者が，1 着の上衣を手に入れようとしているという地点からはじめよう．ここでは，等価形態におかれる商品は一つである．ある任意の商品の価値が，他の一種類の商品体で表現された形態を**簡単な価値形態**，個別的価値形態，あるいは偶然的価値形態，という．

これは自分が交換を申し込んでいるだけで，相手がそれに応じるかどうかは，まだわからない．リンネルから上衣に対して向かう関係であるという方向性を ⟶ で表すことにする．「交換を求める形態」はこの矢印で示し，価値表現での等置を意味する等号 = と区別する．リンネル所有者の「交換を求める形態」は「リンネル 20 ヤール ⟶ 1 着の上衣」となり，その結果として「リンネル 20 ヤール =1 着の上衣」という簡単な価値形態が出現する．「交換を求める形態」は，リンネルの上衣への一方的なプロポーズで，逆向きの「上衣 1 着 ⟶ 20 ヤールのリンネル」が成立するのは偶然である．

ここで次の点を明示しておこう．それは，リンネル所有者が保有するリンネルの総量である．少なくともこの総量は，交換に提供される 20 ヤールよりは多いはずである．「交換を求める形態」としての「リンネル 20 ヤール ⟶ 1 着の上衣」は，実際にはリンネル所有者が，20 ヤール以上のリンネルをもっているから可能なのだ．今，この手持ち総量が 100 ヤールあるものと仮定しておこう（図 I.1.2）．

必要と交換　「交換を求める形態」は二つのステップに分けられる．それを説明するまえに，「欲望」と「欲求」を区別しておこう．日常，商品所有者は目に映る，いろいろなモノがほしいと思う．これを**欲望**とよぶ．しかし，実際に交換を申し込むとなると，今「何が」「どれだけ」必要な

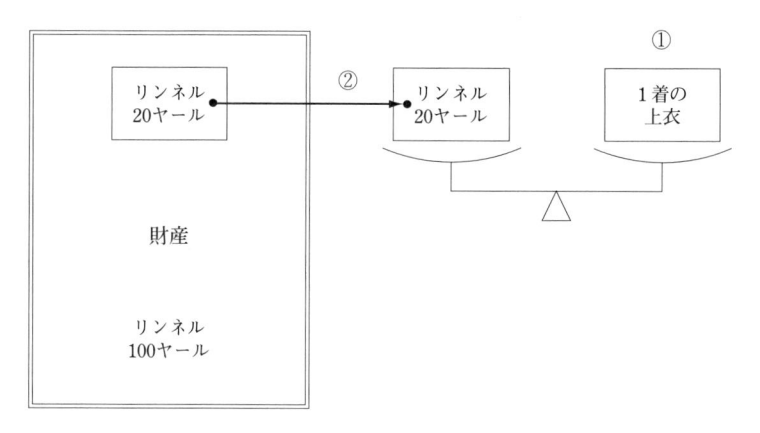

図 I.1.2　交換を求める形態

のか，熟慮する．交換行為を引きおこす必要を，**欲求**とよび，欲望一般から区別することにする．この区別をふまえると，第1のステップは，欲求の対象となる商品Bを必要な分量に絞り，等価形態におくことである．第2のステップは，Bに合わせて，手持ちの商品のうちから一定量のAを相対的価値形態におくことである．次の2点を確認しておこう．

（1）順番の問題は重要である．価値形態としては，リンネルの価値が上衣で表現される．しかし，「交換を求める形態」としては，上衣の量が先にきまって（図I.1.2の①），リンネルの量は後から調整される（同②）．天秤ばかりをイメージすれば，まず，右の皿に，必要な1着の上衣が固定され，次に，左の皿のリンネルの量が調整される．重量を量る場合であれば，リンネルの量が固定されて，上衣のほうが加減される．逆になるのは「交換を求める形態」がリンネルの価値表現を直接の目的とするものではないからだ．リンネルの価値表現は，あくまでも意図せざる結果なのである．

（2）手持ち商品の総量と交換に提供される部分の区別にも注意しよう．このようなステップで，リンネル20ヤールは，1着の上衣と等置される．等式に現れるのは，リンネル100ヤールのうちの20ヤールであり，残りの80ヤールは表面には登場しない．たしかに，100ヤールのリンネルなら5着の上衣に値するということはできるかもしれないが，それは結果的な推測にすぎない．自分の保有するリンネル全体がどの程度の価値があるか，という問題には，さ

しあたり結びつかない．簡単な価値形態は，資産価値の表現という観点からみると，部分的で潜在的な形態にとどまるのである．

B．拡大された価値形態

間接交換　簡単な価値形態は「交換を求める形態」としてみると，自分の欲求の対象となる商品に対して，直接交換を求めるかたちであった．このままで交換が成立するのは，相手が同時に自分の所有する商品を欲求の対象としているという場合に限られる．しかし，多くの商品が存在するなかでは，このように相互に欲求が一致する頻度は低い．偶然の一致に恵まれなかったら，商品所有者は交換を断念するかというと，そう簡単に引き下がることはない．直接交換が不可能な場合には，間接交換を模索するはずである．

いま，リンネル所有者が上衣と交換を求めており，上衣の所有者が茶との交換を求めているとすれば，リンネル所有者は，一度茶と交換して，その茶で上衣と交換すればよいと考える．

$$\text{リンネル所有者：} \quad \text{リンネル} \longrightarrow \text{上衣}$$
$$\text{上衣所有者：} \quad \text{上衣} \longrightarrow \text{茶}$$

という状況から

$$\text{リンネル所有者：} \quad \text{リンネル} \longrightarrow \text{茶} \longrightarrow \text{上衣}$$

という関係が派生するのである．この結果，リンネルの価値は茶という商品体で表現されることになる．

$$\text{リンネル } 20 \text{ ヤール} = \text{茶 } 4 \text{ キログラム}$$

この場合，等価形態におかれる商品は，目的物を獲得するための手段にすぎない．したがって，上衣の所有者の欲求の対象ならば何でもよい．別の上衣所有者がいて，例えば，鉄との交換を望んでいれば，鉄を等価形態においてもかまわない．また，この鉄の所有者が小麦との交換を望んでいれば，回り道は長くなるが，小麦から鉄へ，そして上衣へ，という手もある．要するに，さまざまな種類の商品が媒体として利用できるのである．その結果，リンネル商品の価値は，さまざまな商品体によって表示される．

$$
\text{リンネル 20 ヤール} = \begin{cases} \text{茶 4 キログラム} \\ \text{鉄 1/2 キログラム} \\ \text{小麦 1 キログラム} \\ \cdots\cdots \end{cases}
$$

等価形態にさまざまな商品を並べた価値表現を，商品価値の**拡大された価値形態**または**全体的価値形態**という．

> **★問題 18**
>
> 　拡大された価値形態で，リンネル所有者は，4 キログラムの茶，1/2 キログラムの鉄，1 キログラムの小麦，これら「すべて」と交換を求めているのか．それとも，4 キログラムの茶か，1/2 キログラムの鉄か，1 キログラムの小麦かの「いずれか」と交換を求めているのか．すなわち，拡大された等価物は，*and* の関係で結ばれているのか，*or* の関係で結ばれているのか．

手段に対する欲望　　間接交換が模索されるなかで，自分の必要を満たそうとする直接的な欲求とは異なる，手段に対する欲望が派生する．目的と手段の分離は商品流通によってはじめて発生するのではないが，直接的な「欲求」とは異なる，媒介物に対する特殊な「欲望」が拡大する．「拡大された価値形態」における等価物は，目的から手段が分離され，手段が自己目的化される根因がどこにあるのかを示唆している．

　手段を自己目的化する人間に特有な性向を**フェティシズム**という．市場はフェティシズムを誘発する．貨幣に対するフェティシズムはわかりやすい．貨幣はそれ自身は，いかなる意味でも欲求を満たす有用性をもつわけではない．それは必要なものを買うための手段でしかない．だが，いつでも何でも買えるという状況は，この手段への偏愛を生む．しかし，それは貨幣においてはじめて生じるのではない．その根因は商品そのものにある．「他人のための使用価値」という有用性と所有の捻れに潜んでいるのである．

　フェティシズム自体は，手段を目的から分離できる人間の目的意識的行動の

影のようなもので，人間の欲望のあり方に深く根ざしている．簡単に払拭できるものでもないし，また一概に排除すべきものでもない．ただ，市場はこのフェティシズムを独自の方向に拡張するバイアスをもつ．そのため，資本主義の発展とともに，市場の覆う領域が拡大し，その対象が人間生活の内奥に深化するなかで，人間社会の編成原理として，市場をどう評価し，その深化拡大をどこまで許容すべきか，倫理的な判断がつねに求められることになるのである．

C. 一般的価値形態

拡大された価値形態において，等価形態におかれる商品はどのような使用価値の商品でもよかった．何でもよいということは，単一の商品種に統一されてもかまわないということでもある．商品所有者の直接的な欲求は，特定の指向性を帯びており，代替不可能である．だが，その対象を手に入れる手段であれば，使用価値の違いは形式的な意味しかもたない．拡大された価値形態は，等価物の統一をひとまず許容する関係を含んでいる．また，等価物の統一がもし実現すれば，全体として交換が容易になることもたしかである．すべての商品所有者が，共通の等価物を選んでいるならば，間接交換の経路は最短になる．

しかし，こうした要因だけから，等価物の統一を論理必然的に導きだすことはできない．論理的に説明できるのは，等価物が一つになっても支障がないという消極的な条件と，共通の等価物は交換を効率化するだろうという商品所有者の期待形成までである．等価物の統一を求める一般的な要請は存在するが，問題はどの商品に統一されるのか，という各論にある．どの商品所有者も，自分の商品が共通の等価物になることを望む．だが，対等な個別主体の関係だけでは，等価物の統一は導出できない．

だが逆にこれをもって，共通の等価物は形成されない，という結論を導くことも誤りである．この点は注意しなくてはならない．商品の側からは，共通の等価物を許容するだけではなく，それを絞り込む力も作用している．この点までは商品の分析から導きだせる．ただ，それだけは，共通の等価物が現出する充分条件にはならない．等価物の統一に対する一般的要請が存在するということは，それを実現するために外部の力を引き込む磁力が作用しているということである．この点を確認したうえで，1.3.3項で論じるような，何らかの外的条件によって，等価物が統一された状態を，以下想定することにする．

この状態では，すべての商品が単一の商品体で，その価値量を表示する．この等価物を**一般的等価物**とよぶ．たとえば，茶が一般的等価物になったとすれば，各商品はそれぞれ次のような価値表現をとる．

リンネル所有者：	リンネル 20 ヤール　＝	茶 4 キログラム
上衣所有者：	上衣 2 着　＝	茶 8 キログラム
鉄所有者：	鉄　1 キログラム　＝	茶 6 キログラム
小麦所有者：	小麦 3 キログラム　＝	茶 10 キログラム
・・・・：	・・・・・	

すべての商品の価値が一種類の商品体で表現された形態を**一般的価値形態**という．

> ★問題 19
>
> リンネルの簡単な価値形態「リンネル 20 ヤール ＝ 1 着の上衣」も，一般的価値形態「リンネル 20 ヤール ＝ 茶 4 キログラム」も，等価物が単一だという点で形式は同じである．両者の違いはどこにあるのか．

D. 貨幣形態

資産の価値表現　さて，これまで価値形態を「交換を求める形態」の発展として追跡し，等価物の統一の可能性と要請をふまえて，それが外的条件に依存しながら実現された状況を想定した．こうして，一般的等価物が形成されたとすれば，それを貨幣と定義してもよさそうである．しかし，貨幣には一般的等価物をこえる「何か」がさらに求められる．それは統一の持続性である．交換のためだけなら，等価物はそれぞれの時点で統一されていればよい．これに対して，一般的等価物が時点をまたいで固定されたとき，それを**貨幣**とよぶ．この点で，貨幣は一般的等価物より，もう一段進んだ規定となる．この固定化もまた，商品経済的な力だけでは説明できない．等価物の統一以上に強く外的条件に依存する．ここでも外的条件の具体的内容は後回し（1.3.3 項）にして，固定化が要請される原理のほうをさきに分析しておこう．

この固定化には，次のような意味がある．貨幣形態は，その時点では直接交換されない手持ちの商品全体に関わってくる．一般的等価物が存在する状況では，今すぐ交換する必要がない手持ち商品も，とりあえずそれに置き換えておこうという動機が派生する．つまり，資産全体が「交換を求める形態」に引き込まれる．その結果，資産に内包されていた，交換の瞬間をこえて継続する性質が，等価形態の側に要請される．一般的等価物から貨幣への発展は，期間という概念を不可欠な契機とするのである．

例えば，先のリンネル所有者の場合，1着の上衣を手に入れるためなら，自分が所有する100ヤールのなかから，リンネル20ヤールだけ取り出し，これを等置すればよい．これに対して，一般的等価物が固定されると，交換のための20ヤールをこえて，資産としての100ヤール全体に価値表現が及ぶ．これは資産の全量100ヤールを直接，相対的価値形態におくということではない．相対的価値形態を商品1単位あたりにするのだ．「リンネル1ヤール＝0.8キログラムの茶」という価値表現は，1ヤールしか交換しないという意味ではない．この比率であれば，手持ちの商品全量をすべて交換してもよいという意思表示なのである．商品は，交換を求める側面を陽とすれば，資産としての側面を陰としてもつ．一般的等価物は，その固定化により，商品の交換性と資産性を，同時に表現する貨幣に転化するのである．

価　格　ここで，少し用語を定義しておこう．

このように統一され固定された貨幣には，固有な単位が必要となる．一般に重さや長さなどの単位を**度量基準**ないし**度量標準**という．複数の言語を公認する多言語国家でも，度量基準だけは統一した単位名を強制することが支配権確立の必須要件をなし，貨幣もこれに準じる．貨幣量を示す単位は，ポンドのように貴金属の重量名（重さの度量基準）から派生する場合もあるが，円とか，ユーロとか，貨幣制度により新たに法定される場合もある．いずれにせよ，貨幣量の単位が，**貨幣の度量基準**である．貨幣の度量基準として定められた，ポンド，円，ドルのような単位を，以下，簡単に**貨幣単位**とよぶ．**貨幣名**というのも同義である．ポンド，円，ドルのような固有の貨幣の度量基準を用いて授受される貨幣を**通貨**という．貨幣の単位名は国家の法制度に依存するから，通貨といえば通常は国内で流通する貨幣の意味になる．これに対して，

通貨間の換算単位に用いられる通貨は，**国際通貨**とよばれる．また，19世紀のイギリスを中心とした国際貿易における金塊のように，特定の貨幣の度量基準を用いずに重量で授受される貨幣を**世界貨幣**という．

「1グラムといわれている重さをこれからは1キログラムとよぶ」と定めたため，モノ自体が重くなったという話は聞いたことがない．当たり前である．同じように，貨幣単位を変更しても，商品の価値量にいっさい変化は生じないはずだが，こちらは，ときに錯覚を生む．価値量が重さのようには直接量れないためである．

商品には価値があり，その大きさは他の商品との交換比率，すなわち交換価値のかたちで表現される．**価格**というのは，広い意味ではこの交換価値のことである．したがって，「簡単な価値形態」リンネル20ヤール＝1着の上衣も，すでに「上衣価格」によるリンネル価値の**価格形態**である．この場合の「上衣価格」というのは，「上衣で表現したリンネルの価格」という意味であり，「上衣の価格」という意味ではない．「貨幣価格」というのは，「貨幣で表現した商品の価格」のことである．これを後ででてくる「貨幣価値の大きさ」（60頁）と混同してはならない．通常，断りなしにただ「価格」といえば，上衣価格，鉄価格，茶価格等々ではなく，貨幣価格のことを指す．そして，この狭義の価格の用語法を前提に，「貨幣の度量基準」のことを**価格の度量基準**ともいう．

すべての商品がその価値を，単一の貨幣価格で表現するようになったとき，その価値形態を**貨幣形態**という．貨幣形態というのは「商品価値の貨幣形態」のことである．物品貨幣とか信用貨幣とかいった「貨幣の形態」の意味ではない．このあたりは，用語の混乱を生みやすいところなので注意しよう．

貨幣形態においては，すべての商品が，その価値の大きさを物量1単位あたりの価格で表示する．貨幣はすべての商品に対して，唯一の価値物となり，すべての商品に対して，統一的な価値表現の手段となる．金貨や銀貨，信用貨幣など，異なる貨幣素材が併存することはあるが，価格表現は同じ単位名に統一される．貨幣単位の単一性は，商品流通のもっとも基礎的な条件をなす．

★問題20

「価値は抽象的には同質な量規定をもつが，その貨幣表示は国家，地域において異なる単位名を与えられる．例えば，同じ缶ジュース

の価値が，日本では円で¥100 と表示されたり，合衆国ではドルで$1 と表示される．しかし，どういう貨幣単位で表示されようと変わらない，缶ジュースの商品価値というものの存在は考えられる．これは，同じ質量 m が重力場に応じて異なる重量 mg として現われるのと同じである．質量に対応するのが価値であり，重量に対応するのが価格である」．

さてこの対比は正しいだろうか．

価値形態の最終形態　　商品の価値量は，商品 1 単位あたり何円というかたちで，価格の形態で一律に表示される．商品 1 単位あたりの価格を**単価**といい，アットマーク@を付して，たとえば@1000 円のように表示する．貨幣形態は単価表現の世界である．商品価値の表現である価値形態は，最終的には貨幣形態にゆきつく．

$$
\begin{array}{lll}
リンネル 1 ヤール & = & 100 \text{ 円} \\
上衣 \quad 1 着 & = & 1000 \text{ 円} \\
茶 \quad 1 キログラム & = & 500 \text{ 円} \\
X 商品 \quad 1 単位 & = & x \text{ 円}
\end{array}
$$

1.3.3　商品貨幣

広義の商品貨幣　　商品は，リンネルや上衣という特定の使用価値をもつ．使用価値一般というものはない．商品は，なにかしら「特定の」使用価値をもつため，他の諸商品と交換できるという「一般的」性質を制約されている．逆にいえば，商品には「価値がある」以上，どの商品も潜在的には貨幣たりうる資格，すなわち**貨幣性**をもつ．諸商品に内在する貨幣性を基礎に，貨幣を特殊な商品と考える立場を**商品貨幣説**という．商品の価値形態論は必然的に商品貨幣説に導く．

商品貨幣説にたつ限り，貨幣はあくまで商品のなかの代表選手である．それはさまざまな商品のなかから抜擢され，ノミネートされたにすぎない．貨幣の性格を与えられた商品を**貨幣商品**という．貨幣商品に抜擢されたからといって，それは少しもその商品の価値の大きさを増加させることはない．貨幣商

になろうとなるまいと，1オンスの金の価値量は変わらない．だから貨幣商品が登場しても，商品世界全体の価値量が従来以上に増大するわけではない．

商品貨幣説のポイントは，この価値量の不変性にある．11人のチームで，だれかをキャプテンに選んでも，メンバーが12人に増えるわけではない．また，キャプテンになったからといって，それでスキルがアップするわけではない．キャプテンが特別なユニフォームを着るようになっただけである．ただ，それでパス回しが，かなりスムースになることはあるかもしれないが．

物品貨幣　特定の商品の商品体がそのまま貨幣の素材となった貨幣を**物品貨幣**という．例えば，タバコそのものが貨幣商品「タバコ」になり，茶そのものが貨幣商品「茶」となるような場合である．この場合，貨幣商品は純粋で均質，分割可能な商品体であることを求められる．茶1キログラムといっても，どの1キログラムをとっても同質な茶が，無際限の量で存在しなくてはならない．これは現実には困難なので，標準となる品質の茶をきめて，それで代表させることになる．

この点で貴金属は適合的である．貴金属とりわけ金銀が貨幣素材となるとき，**金属貨幣**という．金属貨幣は物品貨幣の一種であり，金貨幣はその典型をなす．

> **問題21**
> 「『金銀は生まれながらにして貨幣ではないが，貨幣は生まれながらにして金銀である』（『資本論』第1巻第2章「交換過程」）とマルクスはいっている．これはマルクスが，金貨や銀貨だけが本当の貨幣なのだ，と考えている証拠だ」．
> さて，この解釈は妥当だろうか．

しかし，金貨幣の場合でも，完全な純金を精錬するのは技術的に難しく，また，純金であるという事実を証明するのには手間がかかる．物品貨幣は確実そうに見えるが，実は商品体の純粋性の証明に問題を抱えているのである．

このため，物品貨幣は，貨幣本体に対するさまざまなかたちの**代理物**を生みだす．この代理物は二つの意味をもつ．(1) 貨幣本体の品質に関する保証と (2) 貨幣本体に対する所有権の保証である．

（1）物品貨幣の素材が，純粋にその量と質を具えていることは，その所有者がいくら主張しても充分な説得力をもたない．第三者による保証が求められることになる．その商品体には，品質保証のマークがつけられたり，金属に刻印が打たれたりする．国家のような社会的な機関が，こうした保証をおこない，売買の主体はある範囲でそれを信頼して契約を結ぶことになる．さらに，こうした保証は商品体と分離し，例えば鑑定証のようなかたちをとる可能性もある．

（2）同時に，物品貨幣では，貨幣に対する所有権の移転をどう保証するかが問題になる．物品貨幣を手に握っているほど確実なことはないようにみえるが，それだけでは本当に自分の所有下にあることを，第三者に対して証明する根拠としては不完全である．また逆に，貨幣本体を直接に手渡さなくても，貨幣に対する所有権の移転はできる．貨幣本体は安全な場所，例えば金庫に保管しておいて，この貨幣に対する所有者を示す証書などで所有名義を変更することもできる．こうして，貨幣本体とその所有名義を示す証書が分離する．

以上二つの経路で，物品貨幣はその代理物を生みだす．生身の金1オンスはほんとにその純度と重量かどうかわからないが，金証書は文字通り純金1オンスそのものの所有を表している．代理物は，理念的存在として，本物以上に本物なのである．

「電子マネー」というのも，この代理物の一種という側面をもつ．代理物には，古い時代から証書が用いられ，その素材は紙であった．この証書への記帳方式が，電子情報になってもたいした進歩ではない．代理物はもともと一種の情報なのであり，信頼できれば物的媒体による必要はない．極端にいえば，口約束でもよい．貨幣本体とその代理物の分離は，原理的に生じるもので，情報通信技術の発展によってはじめてもたらされたものではない．代理物の素材は，それが表す貨幣の価値とは関係ない．それはあくまで代理であり，価値はそれが指示している本体にある．しかし，しばしば，この区別が曖昧になり，あたかも，無価値な証書自体が価値をもつかのような誤解が生じる．こうなると，商品の価値を離れて，貨幣は創出できるかのような錯覚に陥る．

信用貨幣　　商品貨幣説はしばしば，この物品貨幣あるいは金属貨幣だけを貨幣と考える説だといわれる．しかし，これは商品をモノと同

一視することから生じる誤解である．商品は元来，モノが他人のための使用価値をもった特殊な状態であり，その裏面として必ず価値をもつ．商品貨幣説は，この商品の価値を基礎に，貨幣を説明する理論である．商品価値を抜きに，ただ貨幣の素材が物品である，と主張するものではない．商品貨幣には物品貨幣が含まれるが，それに還元されるわけではない．そして，商品価値は金銭債権のかたちで外化し自立することもある．商品価値が債権のかたちで自立化した貨幣を**信用貨幣**とよぶ．

　信用貨幣をこの段階で規定しようとすると，抽象的な説明が避けられない．ここでは，(1) 商品貨幣説は商品価値が使用価値から自立した形態をとることをもって貨幣と規定する立場である点，(2) 物品貨幣はこの自立化の一方式であるが，唯一の方式であることは論証できない点，(3) 物品貨幣ではない商品貨幣を「信用貨幣」とよぶ点，ここまで確認しておく．そのうえで信用貨幣の説明をひとまず抽象的に与えておき，後の展開のなかで現象に引き寄せてみたい．やや変則的な論法であるが，今日の不換銀行券が商品貨幣説で説明される信用貨幣であることを理解するためにはやむを得ない回り道である．

　信用貨幣は，物品貨幣と同様，出発点の商品集合の価値量に新たな価値量を追加するものではない．その点で，商品貨幣説によって説明可能な概念である．商品の価値は，価値形態の展開を通じて商品貨幣を生みだすが，物品貨幣が支配的になるか，信用貨幣が支配的になるか，また，その実現方式が金貨幣になるか，中央銀行券になるか，などについては原理的に特定できない．理論的に必要な条件は限定されるが，それは単一の純粋なすがたを特定する力はない．このような論理構造になっている領域を，本書では**開口部**とよぶ．ここには，制度や慣習などの外的条件が強く作用し，システムを変容させるのである．

　商品貨幣説に対立する考え方は，**貨幣表券説**である．市場の外部から，商品ではないモノでも貨幣として導入できると考える立場である．表券の素材が紙券であれば，**国家紙幣**であるが，その素材を問わず，広く**フィアット・マネー**（「法令による貨幣」）とよばれている．人々の合意で，貨幣を独自に創出できるという立場も表券説の一種である．

　信用貨幣も国家紙幣も，通例，素材が同じであるため，紙幣として一括され，これら両者と金属貨幣との区別が強調される．しかし，これは貨幣の外見

にこだわった混乱である．金属貨幣を含む物品貨幣と信用貨幣はともに商品貨幣説で説明可能な範疇(はんちゅう)に属する．貨幣表券説をベースにした，国家紙幣を含むフィアット・マネーとは概念的に異なるのである．

$$\begin{cases} 商品貨幣 \cdots \cdots \cdots \begin{cases} 物品貨幣 \\ 信用貨幣 \end{cases} \\ 表券貨幣 \cdots \cdots \cdots フィアット・マネー \end{cases}$$

　等価物の統一と固定化には，国家や制度などが大きな役割をはたす．しかし，貨幣を生みだす基本的作用は商品世界の側にある．この基本作用に逆らって，国家や制度が独自に貨幣を創出することはできない．これらの外的条件は，貨幣素材を認定し，商品間にはたらく一般的等価物の統一や固定を補助するかたちで商品世界の要請に応えるだけである．

問題 22

「金貨のような鋳貨のデザインを見ると，国王の肖像が使われていたり，国名が打刻されていたりする．金塊をつくるのは国家ではないが，それを貨幣にするのは国家である」．この主張は正しいか．

　もしフィアット・マネーが無制限にバラ撒かれるとわかれば，その保有者は早く別の商品に換えようとするだろう．商品世界のうちから，適切な商品を選び，それを保有するはずである．悪貨は良貨を駆逐するというが，裏付けなしにいくらでも増発すると公言すれば，紙幣は購買力を失い，やがてだれも受け取らなくなる．その意味では，市場には良貨を生みだす潜在能力があるわけである．純粋なフィアット・マネーは持続しない．それは，外的条件を追加しても，原理的にその存在を説明できない概念である．

問題 23

「貨幣は人が受け取ると思うから自分も受け取るのだ．それ以外に，貨幣を貨幣たらしめている理由はない」．この主張は妥当か．

第2章 貨幣

2.1 価値尺度

価値尺度という用語　すでに説明したように，(1) 貨幣は，商品に内在する価値を貨幣量で表示する．そして，(2) 貨幣量には，固有の価格の度量基準が与えられる．(1) と (2) は別のことである．(2) の価格の度量基準と区別して，(1) を貨幣の「価値尺度」とよぶのが通例の用語法である．例えば金貨幣であれば，(1) 鉄1トン＝金1オンスかつ，(2) 1ドル＝金1/35オンスゆえに，(3) 鉄1トン＝35ドルとなる．(1) の等号は「表現」，(2) の等号は「定義」で，意味が異なる．

> **★問題24**
>
> イギリスでは1717年から金1オンス＝3ポンド17シリング10 1/2ペンス（このポンドは貨幣単位£で，重量単位としてのポンドlbとは別の単位）と公定されてきた．日本でも1988年までは旧「貨幣法」で，金2分（0.75グラム）＝1円と公定されてきた．このように貨幣単位を金量で与えるのが，もっとも広い意味での金本位制である．これはあくまで単位の定義の問題で，実際に公権力が1ポンド金貨の流通を保証するものではない．
>
> ただ通常，金本位制というときは，より限定された狭義のケースを意味する．すなわち，実際に本位貨幣（金貨）を鋳造し，自由鋳造を認め，この金貨あるいはこれと兌換可能な銀行券を法貨とすることで，金量と貨幣単位が合致する貨幣を流通させる貨幣制度であ

る．

> ところで，現在の日本では，「日本銀行法」で不換銀行券である日本銀行券が法貨と定められ，また「通貨法」も「通貨の額面価格の単位は円とし，その額面価格は1円の整数倍とする」と改められた結果，広義の金本位制の痕跡も消えた．もはや金を「価値尺度」として，金量に貨幣単位名を与えるという二段構えの規定は見あたらない．さて，そこで問題．
>
> 「現実には〈通貨の額面価格の単位〉はこれですんでいるのだから，〈価値尺度〉と貨幣の度量基準を区別する，ということはやはり意味がない」．この主張は正しいだろうか．

しかし，以上の意味での「価値尺度」は，前項で述べた商品の価値形態と重複する．商品サイドから導出した価値表現の最終形態である貨幣形態の内容に相当する．ところが，価値の大きさを「量る」ということ（計量）は，商品の価値を貨幣量として「表す」ということ（表現）とは別のことである．重さや長さのようなモノの自然的属性と，商品価値という社会的属性とでは，この点に大きなズレがある．商品サイドからの価値表現と，価値量の計量とは区別して考える必要がある．価値量の計量には，貨幣サイドに属する独自の要因が加わる．本書では，商品の価値量の表現から計量を区別し，価値量を「量る」ということを貨幣の第一の機能として捉え，これに貨幣の**価値尺度**という用語をあてる．「量る」という意味で「尺度する」などというのはさすがに日常的な用法ではないが，「価値計量機能」というような造語は避けて「価値尺度機能」とよぶ．通例の「価値尺度」と本書の価値尺度が混乱を招かぬよう，表I.2.1にまとめておく．

表 I.2.1　価値表現・度量基準・価値尺度

	通例の語法			本書の用法
レイヤー3		商品の価値の大きさを量る	（計量）	価値尺度
レイヤー2	貨幣の度量基準	貨幣量の単位名の決定	（定義）	貨幣形態
レイヤー1	「価値尺度」	貨幣商品の決定	（表現）	

価値表現と価値実現　　では，商品の価値はどのようにして量られるのであろうか．商品サイドからの価値表現とは区別される

貨幣サイド独自の要因とはどのようなものか，考えてみよう．

　商品の価値は，価格の形式で表現される．それは売り手の側の評価によるものだった．この評価は，もちろん，売り手自身にとっての有用性を基準とするものではない．商品の使用価値は他人のための使用価値である．その他人がだれかは特定できないが，不特定多数の買い手を想定して，買い手の目で自己の商品がどの程度の価値をもつかを吟味しなくてはならない．周囲の同種商品の価格や，さらに異種の商品価格を横目でみながら，値づけはなされる．価格の設定は売り手の主観的評価であるといっても，それはあくまで客観的状況を読んで下すものである．しかし，どんなに第三者的に振る舞っても，やはり個々の売り手の判断をでるものではない．売り手の数だけ「客観」もあるのである．

　その点で，買い手による購買との間には決定的な断絶がある．売り手がつけた価格で購買するかどうかは買い手の主観的な決断である．この買い手の決断が売り手の価値表現を客観的な評価として確定する．売り手にできるのは自己の商品価値を表現することであり，その評価が妥当かどうかをきめるのは，買い手の権限に属するのである．

　売り手の客観は，買い手の主観によって現実になる．価値の価格表現に対して，貨幣による購買はその価格を現実の貨幣に変える．これを「価格の実現」という．「実現」というのは，夢が実現するというのと同じで，「現実になる」という意味である．これは，使用価値という殻のうちに閉じこめられた潜在的な価値が，一定量の貨幣量として確定されるとみることができる．本書では，価値量の確定という意味で，「価格の実現」を**価値実現**とよび，この語を「価値表現」と対にして用いる．

　要するに，商品価値は，売り手の価値表現に対して，買い手による価値実現で量られる．貨幣の価値尺度機能とは，この価値実現の作用をいう．では，その価値実現は，いかにして，どの時点で，なされたことになるのか，もう一歩踏み込んで分析しておこう．ポイントは，売買の不可逆性と買い手のイニシャティブの二点である．

覆水盆に返らず　　まず，売買の不可逆性からみておこう．商品価格はその商品が売られる直前までは，変更可能である．売り手は

状況を見ながら価格を付け替えるし，交渉の成りゆき次第で新たな価格を提示することもできる．しかし，いったん売買がなされると，その価格は確定される．同じ価格であっても，買い手に売り戻す権利はないし，売り手に買い戻す義務はない．「たった今，あなたに100円で売ったばかりだろ．同じ100円で私に売ってよ」と申し出ても，そうできるとは限らない．また，ある商品を100円で買ったと宣言したあとに，同じ商品が90円で売られているのを見つけて，90円しか払わない，といっても「後の祭り」だ．一度買ったら後戻りはできない．この**不可逆性**こそ，価値実現が価値尺度の根幹となる第1の要因である．

> ★問題 25
> 「売買の不可逆性は，諸商品のなかから貨幣が分離することによって生じる」．この主張は正しいか．

> 問題 26
> 「商品の引き渡しと貨幣の受け取りが同時におこなわれるとは限らない．こういうときには，貨幣を実際に受け取るまで，商品価値が実現されたとはいえない」．さて，この主張は正しいか．

買い手のイニシャティブ　価値実現が価値尺度となるもう一つのポイントは，同時にそれが商品と商品との単なる交換比率の決定ではなく，貨幣価格の確定だからである．貨幣は，何でも，いつでも，買えるという全方向性を集中的に有している．その点で，商品に対して絶対的な優位性をもつ．そのため，貨幣所有者の決断は，商品の価値量に承認を与えるうえで決定的な意味をもつ．

商品は貨幣にプロポーズしており，その申し出を受け容れるかどうかの決定権は貨幣サイドにある．商品どうしが互いにプロポーズしあっているのではない．すべての商品が貨幣をプロポーズの相手に選んでいる．一極集中なのだ．どの商品の価値も，一度はこの狭き門をクリアし，貨幣に変身しなくてはならない．さまざまな商品が価値表現をしているなかで，何を，いつ，いくらで受け容れるかについて，買い手のほうが**イニシャティブ**を握っているのである．

ただし，イニシャティブという言葉には注意を要する．言い寄る相手があってこそのイニシャティブである．「いくらで」という申し入れを「慎ましく」受諾する権利である．どんなに言い寄られても「イヤッ」と撥ねつける力である．だが，価値表現自体は，売り手が買い手の下心を読んでおこなうのである．売り手に言い寄らせてこそ，イニシャティブは握れる．この節度を忘れてはならない．

> **★問題 27**
>
> 「商品は価格で価値を表現しているが，その価格で実際に売れなければ，これだけの価値が〈ある〉といってみても，所詮〈あってなき〉に等しい．売れなければ価格を下げなければならない．つまり，貨幣が価値実現のイニシャティブを握っているということは，商品価値の大きさも貨幣の所有者によって左右されるというべきだ」．この主張について論評せよ．

> **★問題 28**
>
> 「100円と値段をつけられている缶ジュースは，同じ100円といっても，100円玉の100円とは交換力が異なる．100円の缶ジュースには，本当は100円玉と同じ価値はないのだ」．この主張は正しいだろうか．

いくつかの前提　先に進むまえに，ここで想定している条件をもう少し明確にしておこう．もちろん，数学のように，すべての前提条件を列挙できるわけではない．自然言語の多義性は，あえて再定義せず，活かせるものは活かす．また「目の前で，同種の商品が，違う価格で売られているなら，安いほうを買う」といったことまで再確認しだすと切りがない．ただ，いくつかの条件は，通常の基礎理論では度外視される点なので明示しておく．これまでのところで，事実上，すでに説明してきた内容であるが，この想定を見逃していると，この先の議論はわからなくなると思う．

(1) 商品の大量性と主体の複数性

ここでは，リンネル，上衣，茶，小麦，鉄，等々，さまざまな種類の商品が，それぞれ大量に存在している状態が想定されている．注意しなくてはならなのは，同種の商品に関して，売り手と買い手が，それぞれ多数存在するという点である．「同種」というのは，混ぜてしまったら見分けがつかなくなるという意味である．「大量に存在する」というのは，この同種概念を基礎にしている．この大量の同種商品が，多数の主体によって分有されている．主体が多数でも，同じような判断をするのであれば，単数で代表させてもよい．ここで「多数」というのは，それぞれ個性をもった主体の存在を意味する．商品価値はすべて「円」という単一の価格単位で表現されるが，その額は，主体ごとの個別的な判断を反映し，同種でも同一にはならない．

(2) 商品の資産性と期間の関係

ここでは，「他人のための使用価値」という性質が徹底している商品を想定している．売れなければ自分で消費してもよい，といった中途半端な商品は存在しない．どうしても売らざるをえないのである．しかし，このことは，商品はすぐ売れなければ価値を失うという意味ではない．商品は，潜在的には，他の商品所有者や貨幣所有者によって求められている「価値ある資産」でもある．商品所有者は，今すぐに，所有する商品全量を完売しなくてはならない，という状況にはない．言い換えれば，売り手には時間をかけて売る余裕があると想定しているのである．もちろん，できるだけ高く売ろう，安く買おうという動機はあるが，それは弾力的な期間のなかで追求される．だから，一瞬のうちに，あるいはある一時点で，すべての商品が一斉に売買されるわけではない．だが，また逆に，期間を無視して，高く売れるまで，あるいは，安く買えるまで，待ち続けるというわけでもない．資産性をもつ商品在庫が，五月雨式に売買されてゆくのである．

(3) 時間と空間の関係

仮に，時間と空間が形式的に分離でき，空間的な広がりとして市場全体を眺めることができるとすると，同種商品は同一価格をもつ．これは瞬間ごとに成り立つが，時点が異なれば，それぞれの一価も変化する．さしあたり，こういってよさそうだ．

これを**一物一価の法則**という．

ところが，よく考えてみるとこれは全体を一瞬のうちに見渡せる主体を暗に想定しているからいえることだ．本書ではこのような超越的な主体は想定しない．市場のなかで，周囲を見回して行動する主体は，だれもが，それぞれの時点では空間全体の一部分しか知りえない．そして，ある地点から別の地点に空間を移動するには，一定の期間がかかる．ある時点の空間 $S_a(t_1)$ と別の時点の空間 $S_b(t_2)$ が，個別主体の目には同一市場に映る．$S_a(t_1)$ と $S_b(t_1)$ を比較することはできないのである．昨日の噂につられてやってきた今日の町は，昨日とは違う．そうした噂を追っかけ追っかけしながら，できるだけ有利な価格で販売しようとしている無数の主体が，ここでは前提にされているのである．

個別的な実現と社会的な尺度

貨幣による購買を通じて，商品価値は目にみえるようになる．さて，それはどのようなすがたで現れるのだろうか．市場には同種商品が多量に存在し，多数の売り手と買い手が入り交じっている．個々の売り手と買い手は，部分をみながら，同種商品全体の価値の大きさを推定して契約を結んでゆく．その結果，個別的に実現される価格には，同種商品であっても変動やバラツキが伴う．市場を外部から鳥瞰することができれば，同じ種類の缶ジュースでも，90 円だったり，100 円だったり，110 円だったりする現象が観察される．

同種商品は同じ価値をもつが，それがどれだけの大きさかを直接に量る方法はない．同種商品に具わっている同じ価値の大きさだが，それは個別的な購買の積み重ねを通じて「量る」ほかないのである．これが社会的な存在としての商品価値の，貨幣による尺度の特徴である．重さや長さを量るのとは，やはり，わけが違う．こうしたバラツキをもつ価格のうちに，同種商品の価値は社会的に計量されるのである．缶ジュースの価値は，90 円でも，100 円でも，110 円でもなく，$(90, 100, 110)$ 円なのである．貨幣の価値尺度機能は，商品価値の大きさを，こうした諸価格の束，セットとして量るのである．

問題 29

「〈同種商品は同じ価値をもつ〉というが，この想定は誤りだ．価格がバラつくのは，同種といっても，それぞれの個体ごとに異なる

〈個別的価値〉があるからだ．同じ缶ジュースでも，90円で売れた商品には90円の個別的価値が，100円で売れた商品には100円の個別的価値が，それぞれ存在すると考えるべきだ」．この主張について論評せよ．

★問題 30

「同種商品はどの時点でもつねに等しい価格で売買される．一物一価は，法則というまでもない自明の理である．現実の市場は，もちろん，この法則通りにはならないだろうが，それは誤差の問題である．純粋な理論では，この法則を前提に，一般的な市場を考察すればよい」．この主張について論評せよ．

2.2 流通手段

商品の流通　　商品が売買され所有者が入れ替わることを**商品流通**とよぶ．商品は流通することで，市場の外部にでてゆき，商品であることをやめる．商品は所有者が変わることで，有用なモノに変わり，さまざまな用途に用いられ消費されるのである．

これに対して，貨幣はその所有者を変えながら，次々に購買に用いられ，多数の商品流通を媒介する．貨幣のほうは，市場のなかにとどまり運動し続けるのである．このように，購買を繰り返す貨幣の運動の軌跡を**貨幣流通**という．貨幣は商品を流通させる媒介手段として機能する．これが貨幣の**流通手段**機能である．

問題 31

「商品も貨幣と交換され，貨幣も商品と交換される．両者はともに交換の一種である．あえて商品流通と貨幣流通を区別する意味はない」．この主張は正しいか．

本書では商品を W，貨幣を G で示すことにする．ともにドイツ語の Ware, Geld の頭文字である．ある商品の販売 W—G には，それに対応する購買

G—W が対応する．商品所有者 $\mathcal{A}$ が，ある商品 W′ を買うために自分の商品 W を売るという通常の売買取引は，W—G—W′ と表すことができる．もし，W′ の所有者 $\mathcal{B}$ が，$\mathcal{A}$ の所有する商品 W を同じ比率で同量，交換を求めていれば，直接両者の間で交換がなされる．これは**直接的生産物交換**，いわゆる**物々交換**で，売買取引ではない．

W—G—W′ において，貨幣は W と W′ の単なる媒介項にすぎず，結果だけをみれば，物々交換 W—W′ とその効果は変わらないようにみえる．しかし，商品流通は，物々交換の単なる寄せ集めではない．物々交換が成りたつためには，主体間の欲求が合致していることが前提となる．物々交換による限り，交換の成立する確率はきわめて低い．すでにみたように，貨幣の分化は，こうした物々交換の限界を打破する「構造」をつくりだす．この構造は，売買の連鎖を図示してみれば一目瞭然である（図 I.2.1）．これによって，直接的な欲求の一致がなくても，商品の持ち手変換は売買を通じて実現されるのである．

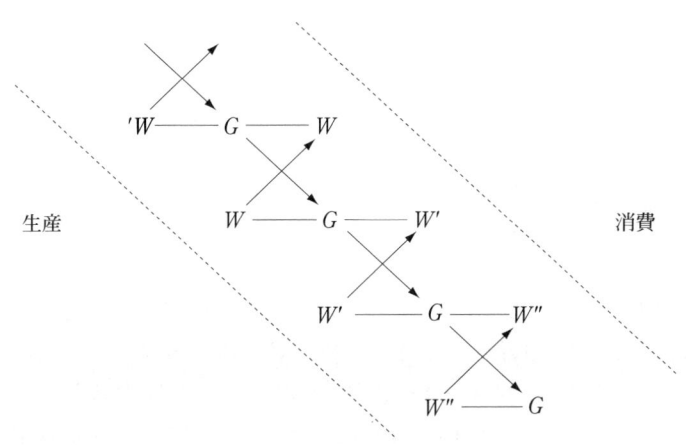

図 I.2.1　商品流通と貨幣流通

★**問題 32**

図 I.2.1 のなかから商品流通に相当する部分を抜きだして示せ．また，貨幣流通に相当する部分を抜きだして示せ．

図 I.2.1 は一見したところわかりやすいので，多くのテキストで採用されている．単独の売買では流通手段としての機能は示せない．物々交換が 2 人の登場人物で完結するのに対して，二つの売買の連鎖と 3 人の登場人物が必要条件となる．商品所有者は，自分の商品を販売し W—G，次にそれで得た貨幣で必要な商品を購買する G—W′ わけである．ただし，これはあくまでも，物々交換 W—W′ の困難が，売買の連鎖で解決される最小単位を模式化したものにすぎない．この図を市場構造の完成された姿と考えたり，標準的な市場像として固定的に捉えてはならない．そして，この構造は後にみるように変形するのである（後掲図 I.3.3）．

> ★問題 33
>
> 「貨幣に媒介された商品交換 W—G—W′ では，商品所有者は他人のための使用価値を有する W を，自分にとって有用な W′ に取り替えている．同じ価値量をもつ商品 W と W′ の交換であっても，効用の面では得をしている．このように，等価交換を通じて，各商品所有者の効用を高めることが，W—G—W′ における主体の動機である」．この主張は正しいか．

販売の連鎖 100 円のジュースを売って，100 円のパンを買おうとしている商品所有者がいるとする．ということは，100 円のパンに対して，これを買い求めようとする欲求，すなわち**需要**は存在している．しかし，100 円のジュースが売れるまでは 100 円のパンが買われることはない．現実の需要としては現れない．100 円のパンに対して，どんなに強い潜在的な需要があったとしても，まずジュースが売れない限り，パンは売れない．パンでジュースを「買う」ことはできるが，そのジュースで好きな商品は「買えない」のである．潜在的需要に対して，販売を通じて購買力となって現れる需要を**有効需要**という．商品の価値実現は，有効需要の形成を意味する．

このことは，もっと拡大してイメージすることもできる．だれでも生きてゆくにはある量の食料が必要である．したがって，一定の人口が存在すれば，必ず食料に対する潜在的な需要は存在する．だから，この必要量の食料は必ず売れるか，というとそうはいかない．失業者は喉から手がでるほど，食料が欲し

いのだが，まず，労働力が先に売れなければ，つまり雇用されなければ，この潜在的な需要は発揮されない．また，資本家のほうも，手持ちの商品である食料が売れたら，それで労働者を雇って生産を続けようと考えている．商品が売れないうちは，雇用は生じない．もちろんこれは極端なイラストだが，いずれにせよ，個別的な売買を通じて，商品の社会的な持ち手変換を実現する市場では，需要と供給とが全体として一致していても，交換が実際に成立するとは限らないのである．

★問題 34

次のように交換を求めている商品所有者 A，B，C が存在する．

A：リンネル 20 ヤール $\longrightarrow$ 上衣 1 着
B：上衣 1 着 $\longrightarrow$ 茶 4 キログラム
C：茶 4 キログラム $\longrightarrow$ リンネル 20 ヤール

1. 各商品の供給量・需要量は一致しているか．
2. リンネル 1 ヤール の価格が 1000 円 であるとする．このとき，交換を成り立たせる 上衣 1 着，茶 1 キログラム の価格は，それぞれ何円か．
3. 「各商品に関して，欲求が直接合致しないのだから，3 人が共通に受け取る貨幣が別に存在しないと交換は成立しない」．この主張は正しいか．

★問題 35

問題 34 で，C がリンネル 20 ヤールではなく，小麦 40 キログラムを求めている場合を考えてみる．すなわち，

A：リンネル 20 ヤール $\longrightarrow$ 上衣 1 着
B：上衣 1 着 $\longrightarrow$ 茶 4 キログラム
C：茶 4 キログラム $\longrightarrow$ 小麦 40 キログラム

1. 各商品の供給量・需要量は一致しているか．
2. 「各商品に関して，欲求が直接合致しないのだから，3 人が共通に受け取る貨幣が別に存在しないと交換は成立しない」．この主張は正しいか．

60　第 I 篇　流通論

貨幣量と価格水準　商品流通の模式図（図 I.2.1）をみると，貨幣量と商品価格の水準に一定の関連が読みとれる．貨幣が一定の期間に平均的に支出される回数を貨幣の**流通速度**とよぶ．この貨幣流通が生みだす購買総額は，(1) 貨幣量 × 流通速度 となる．これに対応する商品流通が生みだす販売総額は，(2) 価格 × 物量 の総和である．そして，両者は結果的にはつねに一致する（(1) ≡ (2)）．ただし，これはあくまでも結果における恒等関係である．この等式は，(1) の貨幣量が (2) の価格水準を決めるとか，(2) の物量が (1) の貨幣量を決めるとか，その他，いずれにせよ，貨幣量，流通速度，価格水準，物量の間に，特定の決定関係を示すものではない．これらは，自由度 3 をもつ「状態量」なのである．

★問題 36

問題 34 において，以下のような仮定を導入する．

1. フィアット・マネーを想定し，貨幣はそれ自身価値をもたない．
2. 貨幣はこの期に，3 回支出されるとする．
3. 商品の物量は貨幣量の増減によって影響をうけない．

さて，このような仮定のもとで，いま，A が 1000 札 2 枚をもっている状態（P）と，1000 円札 4 枚をもっている状態（Q）における価格水準を比較せよ．

貨幣価値の大きさ　貨幣が存在する市場では，商品価値は，たとえば何円といった貨幣価格で統一的に表現される．では，その貨幣自体の価値はどのように表現されるのか．実のところ，貨幣価値は，商品のような統一的な表現をもたない．100 円の貨幣の価値は 100 円であるというのは「表現」にはならない．「A は B である」は「表現」になるが，「A は A である」はつねに正しい分，何も「表現」していないのだ．貨幣価値の大きさは，いろいろな商品が価格表現をするなかで，結果的に現象する．それは，多数の商品の価値を繰り返し実現するなかで，受動的に量られるにすぎない．価値形態に戻って考えれば，貨幣は「拡大された価値形態」止まりで，

「一般的価値形態」も「貨幣形態」も欠く．要するに，貨幣価値は単一の尺度で表示することはできない．それは諸商品の価格の束，すなわち**物価**（価格の複数形 prices）として捉えるほかないのである．

貨幣価値の大きさは，通常，貨幣の「購買力」だといわれている．そして，貨幣の「購買力」ならば，諸商品の価格を通じて捉えることができるとされている．物価の絶対水準を測ることはできないが，その変化なら指数のかたちで規定できる．基準時の物価を 100 として，ある時点の物価を示したものを**物価指数**という．物価指数が上がるということは，貨幣からみれば，購買力の低下，つまり貨幣価値の下落であり，逆なら逆になるとされている．

たしかに，もし，すべての商品価格が一律に変化するのであれば話は簡単である．ところが現実には，商品価格のうちには上昇するものもあれば下落するものもある．こうした状況では，貨幣価値が増大したのか，下落したのか，見極めることは難しい．というのは，物価指数は複数の価格の加重平均であり，その変化は加重のウェートの取り方に依存するからである．サジ加減で，物価は上がったようにも下がったようにもみえるのである．

> ★問題 37
>
> 簡単にするために，商品は 2 種類しかないものとする．昨年の価格ベクトルと販売された商品の数量ベクトルは
>
> $$P_1 = (100\,\text{円}, 100\,\text{円})，X_1 = (100\,\text{トン}, 100\,\text{トン})$$
>
> であった．今年はこれが
>
> $$P_2 = (200\,\text{円}, 50\,\text{円})，X_2 = (50\,\text{トン}, 200\,\text{トン})$$
>
> に変わったとする．このとき貨幣価値は上昇したというべきか，下落したというべきか．

けっきょく，すべての商品は貨幣でその価値を統一的に表現するが，表現の素材となる貨幣は，統一的な価値表現の形態をもたないということに舞い戻る．客観的にいえるのは，貨幣の価値は，価格が上昇した商品を基準にすれば下がったのであり，下落した商品を基準にすれば上がったということであり，それ以上でもそれ以下でもない．貨幣の価値の大きさは，原理的に**不可知性**を

帯びているのである．

2.3 蓄蔵手段

購買のための準備 貨幣が存在する市場では，商品所有者は自分の商品が売れても，すぐ別の商品を買う必要はない．貨幣のかたちで購買力を保持し，必要が生じた時点で買えばよい．できるだけ早く売ろうとはしても，できるだけ早く買おうとはしない．貨幣は購買のための準備という機能をはたす．このような貨幣は通例，**鋳貨準備金**と呼ばれる．

ここで「鋳貨」というのは「流通手段」という意味で，「鋳貨準備金」というのは将来の購買に備えた一時的な「流通手段」の準備ということになる．例えば，高額の商品を買うために貨幣を積み立てるとか，逆に高額の商品を売って少額の商品に徐々に支出するという場合，買うべき商品はすでに定まっており，ただ，金額のズレがあるために，一時的に貨幣が滞留するだけである．W—G や G—W′ という表記は複数の売りや買いを一つにまとめて示したものと考えてよい．W—G—W′ も複数の売買をひとまとめに表したものだと解釈すれば，この G は流通手段として機能すると同時に，鋳貨準備金として存在していると捉えることができる．

> ★問題 38
> 「貨幣の流通速度が低下するということは，鋳貨準備金が増大したというのと同じことだ」．この主張は正しいか．

蓄蔵貨幣 しかし，貨幣の保有は鋳貨準備金だけでは説明できない．貨幣は特定の商品を購買する手段として一時的に積み立てられるだけではない．特定の目的がなくても保有される面がある．100万円の貨幣は，この金額に相当する支出費目がきまっているから溜められたとは限らない．また，100万円の貨幣があれば，この予算の制約のもとで効用が最大になる商品セットを選択しようとすることもない．何でもすぐ買えるという，貨幣の明確で強力な特性には，逆に，何のためにそれをもつのか，という目的を曖昧にさせる．その結果，何かを手に入れる手段であるはずの貨幣が，それ自体で目的

になる．特定の商品の購買から切り離され，自己目的的に貨幣を保有する行為を**貨幣蓄蔵**とよび，この対象となった貨幣を**蓄蔵貨幣**という．

貨幣蓄蔵という概念は，売りが特定の買いと内的に関係しているわけではない点を明示するためのものである．鋳貨準備金の場合には，W—G から G—W′ への転換が，時間的なズレを伴っていても，なお W—G—W′ という一連の流れとして把握できる．W′ を得るために，W は売られたと考えられるのである．蓄蔵貨幣という概念は，この連鎖を切断する．W—G と G—W′ は，あくまで，事後的に結びついてみえるにすぎない．この点で，貨幣蓄蔵は，流通手段と区別される貨幣の第三規定たりうる．これが限定された「狭義の貨幣蓄蔵」である．

このように，販売と購買の直接的対応の欠如，相互の独立性を示す点にポイントがあるとすれば，鋳貨準備金は，狭義の蓄蔵貨幣から分離し，流通手段に含めるほうが適切である．しかし，貨幣所有者の動機からすると，鋳貨準備金と蓄蔵貨幣の両面は分かちがたく結びついている．そのため，蓄蔵貨幣という用語は，この両面を包含するかたちで広義に用いられることが少なくない．購買力を一定期間保持する機能という広義の意味では，**保蔵**という用語が用いられることもある．

> **問題 39**
>
> 「市場に商品を持ち込むと，供給と等しい需要を同時に生みだす．100 万円の商品が売れれば，100 万円の購買力となる．市場全体でみると，供給は同時に需要である．売りは買いであり，商品は必ず売れる」．この主張は成り立つか．

流通手段，鋳貨準備金，蓄蔵貨幣の関係は多少複雑なので，まとめておこ

表 I.2.2　貨幣保有の重層性

		流通手段	鋳貨準備金	蓄蔵貨幣
レイヤー1	行為	手放す	持ち続ける	
レイヤー2	動機	手　段		自己目的的
レイヤー3	構造	W—G—W′	W—G・G—W′	W—G. のみ

う．難しいのは，観点の違いによって同じ貨幣が多層的に現象するところにある．本書ではこれを単純化し，表 I.2.2 の三層に整理した．

> **問題 40**
> 「蓄蔵貨幣の存在が有効需要の不足をまねくのだから，この機能を貨幣から剥奪すれば，供給に見合う需要を確保することができる」．この主張は成立するか．

一般的富　「富んでいる」ということは，有用なモノを「充分に蓄えている」ということである．「充分に」ということは「現在必要な以上に」，つまり「余分に」ということである．必要をこえる余分を**余剰**という．蓄えられた余剰が**富**である．通常，富んでいるということは，例えば，大量の穀物を保有しているとか，多くの家畜を飼育しているとか，広大な土地をもっているとか，ということである．穀物や家畜や土地は実用的な富である．しかし，富の対象は，実用的なモノにとどまらない．美しいモノや珍しいモノなどもまた，財宝として蓄えられてきた．財宝は，周囲の人々の関心を惹きつけ，その持ち主はつねに社会的な注目の的になる．「富んでいたい」「豊かでありたい」と思う気持ちの底には，この捉えがたい社会的なパワーの魅力がある．これはモノを消費することで，その有用性が主体に与える即物的な快感とは異なる．そこには社会的なパワーに対する願望が潜んでおり，そのため富の量には限界がない．もてばもつほど，ますます欲しくなる．際限なく富を求めるよう駆り立てる衝動を**致富**という．

　富という規定自体は，市場に先行してひとまず独立に与えられる．市場が支配的な社会では，さまざまな商品が一定の価値をもつストックとして保有され，商品経済的富を形成する．貨幣が分化すると，それはどのような実用的な富にも，いかなる財宝にも，自由自在に変えられる．その点で，貨幣は商品経済的富を代表する**一般的富**という性質をもつ．ただ，貨幣が一般的富の地位を独占しても，商品が商品経済的富でなくなるわけではない．商品もまた価値をもつものとして，つねに商品経済的富であり，立派な資産なのである．

> **問題 41**
>
> (1) 古くから金塊を貯め込む行動がみられた．これは金が一般的富であることを示す．
> (2) 市場が発達すれば，貨幣を貯め込む行動が発生する．
>
> これら二つの主張は正しいか．

　一般的富に致富衝動が結びつく結果，市場のなかに貨幣蓄蔵の行動が拡大すると理解してはならない．たしかに，商品経済的富はすべて貨幣価格で評価される．しかし，貨幣が一般的富であるという意味はここまでである．致富衝動は，その価値量が不可知な貨幣を貯め込むことでは満たされない．この限界が資本の運動を生む．蓄蔵貨幣の延長線上に資本を位置づけてはならない．

2.4　商品売買の変形

2.4.1　売って買う方式

市場の基本構造　貨幣の基本を，価値尺度（価値量は価値実現で量られる），流通手段（売れなければ買えない），蓄蔵貨幣（売ったからといって買わなければならないわけではない）という三面から規定した．そして，この貨幣の流通を軸に，市場は売って買う関係 W—G—W′ の連鎖として造型された（図 I.2.1）．この売って買う関係は，商品 W を W′ に変換する代表的な手順である．その意味でこれは市場取引の正則をなす．正則によって記述された構造を**基本構造**とよぶ．

　しかし，貨幣は売りと買いを分離するから，この売って買う順序は可変的である．正則に対して，同じ目的を実現する，別の変則がある．能動態を受動態に書き換えるようなもので，これによって基本的な意味が変わるわけではない．変則によって，基本構造は変形し，変位構造をつくりだす．この変形原理を分析することによって，単なる外見の比較ではわからない，異なる取引方式の間の内的関連が明らかになる．……ということで，どうしても急ぐようなら，ここから 3.1 節にジャンプするのも一応「有り」かもしれない．

> **問題 42**
> 先に売って後から買うという手順が正則だというが，逆に，先に買って後から売るというほうが正則だということはできないか．

在庫としての商品　基本構造の変形を生みだす因子は，商品在庫の存在と販売の偶然性である．まず，在庫という概念から説明する．

貨幣でなら何でもすぐに買えるのは，すべての商品が貨幣の量でその価値を表示し，買い手を待ちうけているからである．商品はみな，その表示価格でならいつでも売ると宣言し待機している．このような商品の集合を，広く**在庫**とよぶ．在庫という用語は，通常，商品生産のための原材料や倉庫に保管された製品などを限定的に指すが，本書では商品として存在するものすべてを含む総称として用いる．市場がこのような在庫で満たされているから，貨幣にいつでも（即効的）何でも（全面的）買えるという性質（交換性）が生じるのだ．仮に在庫がすべて捌けてしまったとすれば，次の売り手が登場するまで，買い手のほうが待機しなくてはならない．貨幣の即効的で全面的な交換性は消失するのである．

> **問題 43**
> どのような商品でも価格を下げれば，すぐ売れるはずである．それなのに在庫が存在するのはなぜか．

市場では，同じ種類の商品が多数の売り手によって在庫として保有されている．それぞれの売り手は，他の売り手より，少しでも早く売ろうと，臨戦態勢にある．列をつくって，順番に売るといったルールがあるわけではない．逆に，こうした状況だから，買い手は慌てて買おうとはしない．必要なときに必要な量の商品を買えばすむ．この結果，売り手からみると，自分の商品がいつ売れるかには偶然性がつきまとうことになる．

販売期間のバラツキ　商品が在庫として市場に滞留する期間を**販売期間**とよぶ．販売期間は，同種商品の間でも，個々の商品ごとにバラツキがみられる．在庫の存在と同様に，この現象も，売り手が同種の商品には同じ価値があると考え，その価値を実現しようとするために生じる．同種の商品には，みな同じ価格がついているなら，買い手はだれから買っても変わりない．けっきょく，だれがいつ売れるかは確率の問題になる．

価値を実現するために在庫というかたちで，市場に滞留し，ランダムにピックアップされてゆくという状況は，一つの箱に同種の球が多数入っており，そのなかから，球を取りだしたあと，新たな球を補充し，かき混ぜてまた取りだす，という操作を繰り返すのに似ている．取りだす球の量と補充する球の量が違えば，箱のなかに入っている球の量は変動する．しかし，販売期間がバラつくのは，この変動のせいではない．この点は注意する必要がある．箱のなかの多数の球は，球の出入りの影響を緩和するバッファの役割を果たしている．外部からのショックを全体として和らげるバッファの副作用として，個別の球に期間のバラツキが生じるのだ．ある球に着目すると，こうした操作によって，一定の確率で取りだされる．ただ，それがいつになるかには，いつまでたっても取りだされないという極限も含めて偶然となるのである．

> ★**問題 44**
>
> 　箱に球が 10 個入っている．そこから 1 個を取りだし，同種の球を 1 個足してかき混ぜる．取りだす操作を需要，補充する操作を供給と見なせば，需要と供給とはともに 1 個で合致している．箱のなかの球を在庫と見なせば，その量は 10 個でつねに一定である．新しく入った球に注目すると，この球が何回目で拾いだされるかが販売期間に相当する．さて，この球が 10 回目の操作までに拾いだされている確率はどのくらいか．

販売期間は，個々の商品が価値実現に要する期間であると解釈することができる．商品には，ある大きさの価値があると考え，すぐにはその価格を引き下げず，その価値に相応しい価格で売ろうとする，だから販売期間はバラつくのだ．逆に，商品には価値などないから，バラつくと考えてはならない．

売買のための資財と活動

商品が市場を通過するとき，そこにさまざまな摩擦や抵抗がある．市場は真空状態ではない．重い媒体である．同種多量の商品が在庫を形成するなかで，個々の商品個体は販売期間のバラツキを伴いながら，この媒体を通過する．そのため，商品の販売には独自の資財や活動が必要になる．

例えば，在庫の保管のためには，倉庫や品質管理が欠かせない．自分の商品がふつう，どのくらいの価格水準で売られているのか，その価値を実現しようと思えば周囲の価格の状況を調べる必要がある．また，どこで売るのが有利なのかを判断し，別の場所で売ることにきめれば，輸送の手段や労力の支出を覚悟しなくてはならない．市場で自動的に値がつき，その価格で商品が貨幣に労せず変わるわけではない．商品を売るためには，売られる商品とは別に資財や活動が不可欠なのである．

このような資材や活動の必要性自体は，市場の基本構造を分析すれば，そこから理論的に導きだすことができる．しかし，それらはまだ，売買される商品価値と内的関連をもつものではない．この関連は，次章「資本」のところではじめて説明可能となる．この点は，資本という概念を理解するうえで一つの重要なポイントとなるのでメモっておこう．

値引き販売

このように，売り手も買い手も列を破るのが公然と認められている無規律な市場では，一定期間，待てば必ず売れるという保証はない．同じような価格をつけていても，たまたま早く売れるものもでてくるし，なかなか売れないものもでてくる．無規律な市場では，運よく売れ続け，購買の予定のない貨幣を多く保有することがある一方，緊急の必要がありながら，なぜか手持ちの商品在庫が捌けず，そのため必要な購買が思うようにできない事態に遭遇することもある．

同種の商品が並んで売られている市場では，価格は相互に連鎖し，その商品価値を示す一定の水準が形成される．これを**相場**とよぶ．買い手は相場の価格を払う気になれば，何でもすぐに買える．貨幣が直接的交換力を発揮できるのは，あくまで「相場の価格でなら」という話である．

こうしたなかで，今すぐ貨幣を必要としながら販売の困難に直面している売り手 a は，自分の保有する商品 W に対して，相場よりも低い価格を設定し

て販売するという行動が考えられる.相場が総額100万円の在庫商品を,他の追随を許さない,例えば90万円といった価格に値引きして売り切るのである.たしかに思い切った値引きをすれば,しないよりは早く売れるだろう.この自力救済が,個々の売り手自身でできる,いちばん手っ取り早いやり方である.

こうして,多くの売り手が商品価値を実現しようと相場を維持するなかで,一時的に値引きを試みる売り手が部分的に出現する.ある商品種の価格現象は,市場全体を鳥瞰すると,相場の下に,突発的・散発的な値引きが観察されることになる.このような価格帯の形状を,本書では価格の**下方分散**とよぶ.ただこれは価格現象の変化であって,売ってから買うという手順が変更されたわけではない.取引方式自体は,依然として正則手順 W—G—W′ にとどまっている.

このような値引きは,その事実を不特定多数の潜在的な買い手に伝達せねばならず,それに追加的な資材や労力を投じる必要がある.また,そうしたとしても情報の伝達に時間がかかる以上,即座に売れるという保証はない.しかも,まわりの売り手たちが一時的に同じように対抗してくれば,せっかくの値下げも元の木阿弥となる.多少の値下げでは,思うほど簡単に貨幣が入手できるわけではないのである.

2.4.2 信用売買

後払いで買う動機　売り手 $\mathcal{A}$ が値引きして売り急ぐのは,特定の商品 W′ を今すぐ買うためであった.相場が100万円の商品 W をあえて90万円で売ろうとするのは,その90万円で商品 W′ を今すぐ買う必要があるからなのである.

しかし,$\mathcal{A}$ が W を売り急いでいることを買い手に見透かされると,多少の値引きですぐに売り切るのは難しくなる.$\mathcal{A}$ は,値引き以外に別のよい手はないか,思案するだろう.そこで省みると,$\mathcal{A}$ に必要なのは,貨幣それ自身ではない.貨幣は即座に支出される媒体にすぎない.とすれば,そのためにはもっと別のやり方があるはずである.

例えば,商品 W を投げ売りして,現金90万円で商品 W′ を買うかわりに,90万円以上でも後払いで買うという手がある.4週間後に100万円支払う約

束で，必要な商品 W′ を先に手にいれて，4 週間の間に自分の商品 W を 100 万円の相場で売り捌けばよい．これはあくまで 𝐴 の思惑の話であり，実際にその通りになる保証はない．また両方式で細部に効果の違いも生じる．それでも 𝐴 はどちらが得か，天秤にかけてみる気になるだろう．

後払いで売る動機　ところで，𝐴 が購買を急ぐ商品 W′ の売り手たちのほうを見回してみよう．そのなかには，この売り手 𝐴 の場合とは逆に，思いのほか早く自分の商品が売れてしまって，手元に現金の余裕のあるものも存在するだろう．このような売り手 𝐵 は自分の商品 W′ をより早く売るよりも，より高く売ることを望む．したがって，条件次第では 𝐴 の要望に応じる．例えば，手元の現金で必要なものは買い，商品 W′ を 90 万円より高く売るほうが得だと考えるかもしれない．ただこれもまた，𝐵 の思惑の範囲をでるものではない．

この場合，売り手 𝐵 は，買い手 𝐴 の所有する商品 W の価値がたしかに 100 万円あり，それは 4 週間以内には販売されるという，将来の可能性を信じれば，後払いに応じるだろう．将来における貨幣の入手を信用した後払いの取引を**信用売買**とよび，そのときの価格を現金価格に対して**信用価格**という．本書では，現金価格が 90 万円，4 週間後払いの信用価格が 100 万の商品 W′ を，$\frac{100}{90}^{(4)} W'$ と略記する．

> **問題 45**
> 現金価格と信用価格の価格差はどのようにきまるのか．

もし信用売買の余地がないとすれば，値引きによる価格の下方分散はずっと大きなものになるだろう．信用売買は現金価格の下方への分散を抑制している．𝐴 の W—G—W′ において，W の値引きによる下方分散は W′ の信用価格による上方分散によって緩和されるわけである．ただし，次の点は注意する必要がある．これは，𝐴 と同様な立場におかれた多数の売り手のもとでの複合効果である．例えば，リンネルと上衣といった，特定の種類の W と W′ の間で，直接的に信用価格の上昇と現金価格の下方分散が対応するわけではない．上衣の信用価格は，綿布だけではなく，さまざまな種類の商品価格の下方

分散を総合的に抑制する．また，この上衣商品にも，販売に窮した売り手がいる以上，その現金価格にも下方分散が観察される．

信用売買では，まず商品 W′ が買われ，次に商品 W が売られる．つまり，「買ってから売る」という手順に変化している．これは，「売ってから買う」W—G—W という正則に対して，変則をなす．信用売買の基礎をなすのは，商品 W に内在する 100 万円相当の価値量であり，4 週間という，一定期間内におけるその価値実現を $\mathcal{B}$ は信用するのである．相手の将来の支払に信用を与えることを簡単に**与信**，信用を受けることを**受信**という．

> **問題 46**
> 与信者とは信用売買における売り手のことであり，受信者とは買い手のことである，といってよいか．

> **問題 47**
> 信用売買の論理的展開は，価値形態論と比べて，どのような特徴をもつか．

債権・債務関係　信用売買は，信用価格に相当する金銭債権を生みだす．これは債権・債務関係の一種である．しかし，債権・債務関係自体は商品売買によってのみ発生するわけではない．他人のモノを壊してしまったり，他人の心身を傷つけたりしたことが原因で発生することもある．そして，何をもって弁済に充てるかも，さまざまなかたちが考えられる．ただ，市場が発達している社会では，多くの場合，債権・債務は価額で表示され貨幣で弁済される．「目には目を，歯には歯を」ではなく，「目にも歯にも貨幣を」というかたちである．いずれにせよ，債権・債務関係は商取引以外の原因でも発生すること，そして，それが金銭債権のかたちをとるようになることは，市場がモノの領域だけではなく，社会的な人間関係を処理する局面に浸透してゆくテコとなる．

金銭債務を最終的に消滅させることを**決済**という．通常，貨幣の支払手段機能とよばれているのは，この決済機能のことである．ただ，今ここで問題としているのは，こうした広義の金銭債権一般ではなく，市場における売買を通じ

て発生する信用売買のみである．このように，金銭債務とその決済は，商品売買以外の社会領域を広くおおうものである以上，価値尺度，流通手段，蓄蔵貨幣と同じ次元で，貨幣の一機能規定として，支払手段を追加することは妥当ではない．

金銭債務は，何を渡したら消滅するのか．100万円の商品 W を渡しても，100万円の金銭債務を消滅させることはできないが，100万円の貨幣なら消滅させられる．100万円という同じ価値量をもっていても，商品には一般的な決済能力はないが，貨幣にはある．法律上，決済機能を与えられた貨幣を**法貨**という．貨幣の**強制通用力**というのは，この法貨規定を背景に，金銭債権を解消させる作用である．国家は法貨による支払を債権者が受け容れるように強制する．この強制は既存の金銭債権に対する作用であり，一定の価格での販売を強制する力ではない．強制通用力を貨幣の全面的で即時的な交換性と混同してはならない．

問題 48

「法貨を定めるのは国家である．ということは，けっきょく，国家が貨幣をきめるのだ」．この主張は正しいか．

2.4.3 貨幣貸借

信用売買の代替　　信用売買は，さらに次のような取引形態へと変形する．商品の売り手 A は，4週間後に100万円を返すという条件で，C から直接に現金90万円を借り受け，その現金で目的の商品 $_{90}^{100(4)}W'$ を先に買うという方式を思いつく．そして，4週間以内に自己の商品 $_{100}W$ の価値を実現し100万円返済すれば，B から信用買いするのと，A にとっては同じことになる．

では，この借り入れの要望に応じる貨幣所有者は存在するであろうか．販売が遅れた A とは逆に，予想以上に順調に販売が進んだ売り手のなかには，ただちに支出する予定のない貨幣が滞留する．このような当面支出の予定のない貨幣が，一定期間，貸し出される．B が信用売りできたのも，手持ちの貨幣に余裕があったからである．その点では B も潜在的には C のような貨幣の貸

し手になる性格を具えているのである．

貸借と売買　貸借は，売買の場である市場が，社会的関係を包摂してゆくうえで重要な役割をはたす．ここで貸借と売買の関係について少し整理しておこう．借りたモノは返さなければならないが，それは必ず対価を伴うというわけではない．また，対価を伴う場合でも，それは貨幣の形態で支払われるとは限らない．収穫物や労役などで対価が支払われることもある．何で支払われようと，対価を伴う場合を広く**賃貸借**といい，対価を**賃料**という．

> **★問題 49**
> 貸借と売買の包含関係を示せ．

商品流通が発展すると，対価が貨幣で支払われ，賃貸借はモノの利用，すなわち用益が売買される一般的な形態となる．「貸借」は，貸されるモノ R の用益 $u(R)$ の「売買」だと，市場のタームに翻訳される．貸されるモノ R 自体は，契約期間が満了すれば返される．R の所有権が移るわけではないから，R が売買されるわけではない．ただ，一定期間の用益 $u(R)$ が，派生的な商品として売買されると見なされ，用益の価格が賃料として貨幣で支払われる．土地や家屋を一定期間貸すことで，その用益が売られ，貨幣地代や家賃が支払われる．レンタル料を払ってレンタカーを利用するのもこれと変わりない．

> **問題 50**
> 今あなたが読んでいる「この本」に関して考えてみよう．この本は，何をどのようなかたちで売買しているのか．

このように，賃料を伴う貸借は，貸されたモノを一定期間，自由に利用させることで，そのモノが借り手に与えるサービスを売買する形式である．そのかぎりでは，貨幣貸付も賃貸借の一種である．貨幣 G で商品を買うことはあっても，その貨幣そのものが売られるということはありえない．貨幣 G が賃貸されることで，その用益 $u(G)$ が売られる．この貨幣の用益を，**資金**とよぶ．

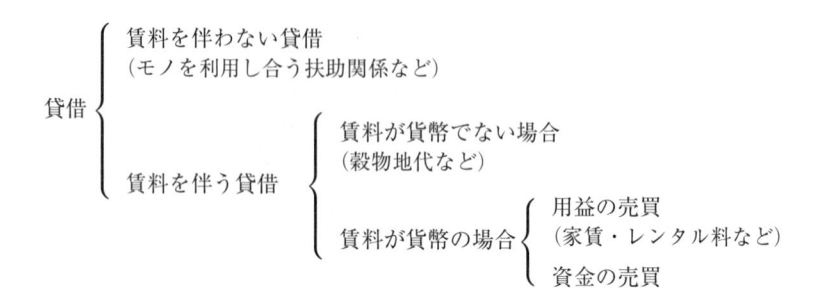

```
        ┌ 賃料を伴わない貸借
        │ (モノを利用し合う扶助関係など)
貸借 ┤
        │                    ┌ 賃料が貨幣でない場合
        │                    │ (穀物地代など)
        └ 賃料を伴う貸借 ┤
                             │                        ┌ 用益の売買
                             └ 賃料が貨幣の場合 ┤ (家賃・レンタル料など)
                                                      └ 資金の売買
```

賃料と利子　貨幣の貸借には,もう一つ特徴的なことがある.それは,貸借されるモノと支払われる対価が同じ貨幣の形態をとる点である.しかし,この同一性自体は,必ずしも貨幣貸借に限られるわけではない.例えば,ある量の穀物を貸して,それより多い穀物を返させるという場合もある.毎年ほぼ一定の収穫が見込まれる農業生産を基礎とする社会では,広く観察される現象で,日本でもすでに律令制のうちに出挙として制度化されたことがある.この同一性は,貨幣を前提とするわけではない.対価を伴う貸借と同様,必ずしも商品売買に起源をもつものではないのである.

貸借されるモノと対価が同じ素材である場合,貸借されるモノを**元本**,その賃料を**利子**とよぶ.両者は同じ計量単位をもつから,利子を元本で割った比率で,対価の大きさを示すことができる.この値を**利子率**という.小麦の種子1トンを貸して,収穫後に1.1トンの小麦を返却させる場合,小麦利子は0.1トンであるが,利子率は無名数で10%と表示される.同様に,貨幣100万円を貸して,1年後に110万円の返済を求める場合には,貨幣利子は10万円であるが,利子率はやはり10%と表示される.

貨幣Gの貸借を通じて資金$u(G)$が売買される.この資金の価格gが**貨幣利子**である.以下,本書で単に「利子」という場合は,「貨幣利子」を意味し,「利子率」という場合は「貨幣貸借における利子率」g/G,すなわち**金利**を意味する.利子率表現をとることで,貨幣はそれ自体でふえるような外観を呈し,「貨幣は貨幣を生む」などといわれる.しかし,理論的に分析すれば,貨幣の貸借は資金の売買であり,利子はあくまで価格の一種である.

> **問題 51**
>
> 「信用売買とは，商品を貸して，約定期間後に貨幣を返すという賃貸借の一種である」．この規定は正しいか．

> **問題 52**
>
> モノではなく，商品を貸借するということは，理論的に考えられるか．

信用売買と貨幣貸借　　以上のように整理すれば，貨幣貸借の内実は資金売買となる．そこで，この資金売買と信用売買の関連に戻って考察を続けよう．商品 W の売り手 $\mathcal{A}$ の立場からみると，信用売買と貨幣貸借とはともに値引き販売に代替する取引方式である．すなわち，原理的には等位にたつものである．

では，貨幣に余裕がある主体の立場からみると，信用売買と貨幣貸借との関係はどうなるのか．$\mathcal{B}$ は商品 $^{100(4)}_{90}\mathrm{W'}$ を 4 週間後の後払いで販売することで，現金で売る場合に比べて 10 万円の利得を追求する．これに対して $\mathcal{C}$ は，90 万円を $\mathcal{A}$ に直接貸し付けて 10 万円の利子を求める．その意味では，$\mathcal{B}$ と $\mathcal{C}$ は $\mathcal{A}$ をめぐって競合する立場にたつ．

$\mathcal{B}$ は，W' が今どうしても必要だという $\mathcal{A}$ の状況につけ込んで，信用価格をつり上げるわけであるが，これに対して，$\mathcal{C}$ は直接貨幣を貸し付けるかたちで，「信用価格 − 現金価格」に相当する額を，利子として取得しようとする．$\mathcal{A}$ は $\mathcal{B}$ が信用価格をつり上げれば $\mathcal{C}$ に頼る．$\mathcal{C}$ が利子を引き上げれば，今度は $\mathcal{B}$ に頼るのである．「信用価格 − 現金価格」の額と利子は，このような多数の個別主体が駆け引きを繰り返すなかで，バラバラに動きながら，結果的にある幅に収まる．

2.4.4　販売代位

貨幣貸付の変形　　貨幣貸付には，貸し手 $\mathcal{C}$ の目からみると，なお，もどかしさがつきまとう．貸した貨幣は，すでに借り手 $\mathcal{A}$ に使われてしまって，もうない．返済は，$\mathcal{A}$ による $_{100}\mathrm{W}$ の販売にかかってい

る．貸し付けた後は，相手の活動に依存する受動的な立場を強いられる．C が利子を諦め，$_{100}W$ を 90 万円に値下げして，元本だけでもはやく回収しようと思っても，A にかわってそれを断行する権限はない．$_{100}W$ の販売という肝心な局面には，いっさい関与できないのである．

貨幣貸付のこのような限界は，はじめから商品 $_{100}W$ を安く買い取って，相場で売りぬくことで回避できる．こうして，貨幣貸付は，販売代位に変形する可能性がある．C は商品 $_{100}W$ の価値実現を引き受けて，自らの才覚で追加的利得を追求する積極的な主体 D に発展するのである．D は販売を急ぐ A のような主体を探しだし，現金価格が 100 万円相当の商品を 90 万円に買いたたき，それをある期間かけて 100 万円という現金相場で売り捌くかたちで，貨幣貸付の受動性をこえようとする．それとともに販売のための資財や活動もまた，直接的な売り手 A から，販売を代位する D の負担となる．

問題 53

販売代位は，貨幣貸付の限界を解除する，より発展した取引方式であるといってよいか．

買って売る主体の交替　　ここで D と A との関係を考えてみよう．信用売買や貨幣貸付において，すでに先に買って G—W′ 次に売る W—G という変則がみられた．しかし，その主体は商品所有者 A であった．A は，W が売れるまえに，W′ を買っているのである．これに対して，販売代位では A は，まず W を売って次に W′ を買う正則に戻る．それは，A に関していうと，はじめの値引きと同じ次元に戻るだけである．しかし，それは D による買って売る G—W—G′ という運動によって実現されている．売るために買うことを**転売**とよぶ．この語は，しばしば中古品や不用品などに限って用いられるが，本書では G—W—G′ を広く意味する．転売のかたちで，変則は A から D に転写されている．それとともに，値引販売の場合，W の買い手が得ていた値引きのメリットも，D の利得として目にみえるかたちで現れるのである．

第 2 章 貨　幣　　77

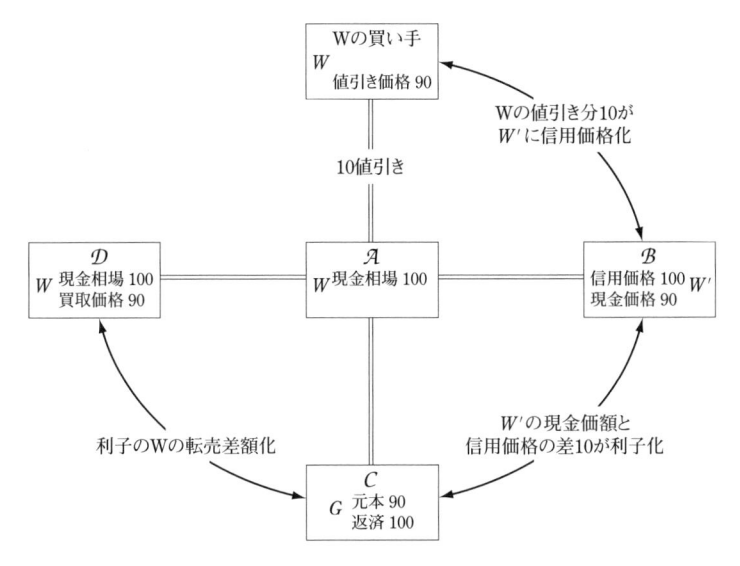

```
                    ┌──────────────┐
                    │   Wの買い手    │
                    │ W 値引き価格 90 │
                    └──────┬───────┘
                           │           Wの値引き分10が
                           │10値引き    W'に信用価格化
                           │          ╲
    ┌──────────────┐ ┌──────────────┐ ┌──────────────┐
    │ D            │ │ A            │ │ B 信用価格 100│
    │ W 現金相場 100│─│ W 現金相場 100│─│        W'    │
    │   買取価格 90 │ │              │ │   現金価格 90 │
    └──────┬───────┘ └──────────────┘ └──────┬───────┘
           ↑                                   │
           │                                   │
   利子のWの転売差額化           W'の現金価額と
                              信用価格の差10が利子化
                    ┌──────────────┐
                    │ C  元本 90    │
                    │ G  返済 100   │
                    └──────────────┘
```

図 I.2.2　基本構造の変形

問題 54

「転売がなされると，同一商品に対して買値と売値とがつく．このことは，同種商品の価格を分散させることになる」．この主張は正しいか．

　この節で用いてきた例では，$\mathcal{A}$ の値引き額 10 万円が，そのまま，信用価格と現金価格と差額となり，資金の価格となり，販売代位の売値と買値の差に転じるとしてきた．もちろんこの一致は，基本的な変形関係をみやすくするための単純化である．条件を厳密にすれば，変形の特殊効果はそれぞれ理論的に究明できる．しかし，過度に量的対応関係にこだわると，かえって本質を見誤ることになる．問題の基本は，不確かな過程に対する主体間の見込みに左右される現象にある．このことに留意したうえで，最後に基本構造の変形を図式化しておく（図 I.2.2）．

第3章　資　本

3.1　資本の概念

商品流通をこえる運動　市場構造の変形の最後に登場したG―W―G′は，W―G―W′とは異なる論理次元に属する．W―G―W′は，仮に価値量に何の変わりもなくても，使用価値の面でメリットがある．持ち主にとって効用のないWが有用なW′に変わるからだ．だから，G―W′でピリオドが打たれる．これに対して，G―W―G′はG′で完了することはない．違いは，売りと買いの順序が逆だというだけではない．それはエンドレスに繰り返す．だから，形式としては……W―G―W′……として描くこともできる．部分的なかたちは同じにみえても，資本はその動機において異次元の運動なのである．

　これまでみてきたように，市場は単に商品が瞬間的に通過する空っぽの場ではない．貨幣や商品のかたちで，商品経済的富が蓄えられる場でもあった．たしかに，この富の大きさは，一般的富としての貨幣の額で評価される．しかし，商品経済的富を蓄えるという観点からみると，貨幣は究極のすがたではない．貨幣は何でも買えるという直接的交換性を独占しているが，それは貨幣自身の価値の不可知性という代償を伴う．貨幣価値は，価格が上昇する商品に照らしてみると，減価の危険にさらされている．商品経済的富を保有するには，変動し分散する価格をにらみながら，転売を繰り返し，できるだけ価値量をふやしてゆく以外ない．使用価値を目的としたW―G―W′という商品流通の次元をこえて，市場が商品経済的富を保有する場となると，そこには転売を繰

り返す新たな運動が発生する．こうして現れる「自己増殖する価値の運動体」を**資本**とよぶ．この資本概念は以下の考察でカギとなるので，その基本をなす(1)自己増殖，(2)価値増殖，(3)運動体，の三面を厳密に規定しておこう．

自己増殖 　資本の概念規定は，増殖する母体を確定することからはじまる．100万円の貨幣をもっている主体が，だれかから10万円贈与されれば，その主体の財産は110万円に「増加」するが，これは100万円が110万円に「増殖」したわけではない．増殖というのは，100万円が原因となって，この100万円が110万円に変化するのである．体重がふえるというのには，身体という不可分な有機体が前提となる．いくら厚着をしても体重がふえたとはいわない．上衣は自分の身体ではないからだ．増殖するには，母体となる「自己」が必要になる．つまり，単なる増加と区別される増殖は，つねに**自己増殖**なのである．

したがって，自己増殖運動を開始するためには，まず主体は自分の所有する資産全体のなかから，増殖の母胎なる部分を分離し確定する必要がある．この分離と確定を**資本投下**（投資）といい，資本の**前貸**ともいう．

> **問題 55**
> 「資本投下は必ず貨幣を支出するかたちをとる．資本の運動は，貨幣ではじまって貨幣で終わる」．この主張は正しいか．

資本額の確定は，資本の概念規定にとって第一歩をなす．資本投下する主体は，次に資本の価値を増殖するために売買を繰り返す．投下する主体と運用する主体が同じ人格である場合，その主体を**個人資本家**とよぶ．個人資本家に対する概念は，**結合資本**である．複数の主体が資本を投下して，単一の資本として運用する形式である．古い時代にみられた匿名組合や今日の株式会社は，結合資本の具体的な現象形態である．

個人資本家の場合，彼の財産全体と投下資本の区別は曖昧となる．家産と資本とはしばしば混同される．資本としての商売がうまくゆかなくなると，家産である家屋敷までも犠牲にするというような行為は，投下資本額の確定が資本家の頭のなかで分けられているだけだから生じるのである．この点で，モノ

の貸借関係は貸借の対象をはっきりさせる．資本自体はけっして貸借されるものではないが，「前貸」という日本語には，自分が自分に貸すというかたちで，投下額を何とか確定しようという含みがあるのかもしれない．それだけ，投下額を厳密に確定にすることは，個人資本家の場合，難しいのである．

　結合資本の場合，資本投下の範囲は客観的に明瞭となる．結合資本のもとに資本を投下することを**出資**という．出資によって，結合資本として管理運用される部分と個人の財産との境界は，第三者の目にもはっきりする．この点では，結合資本のほうが，個人資本家以上に，資本の自己増殖という概念には適合的である．しかし，結合資本には資本の運用における意思決定の側面に，固有の困難がある．結合資本も，単一の資本として，他の経済主体と取引をおこない契約を結ばなくてはならない．そのためには，出資者の間で，意思が統一される必要がある．一般に，出資額に応じた票決権を与えるのが合理的だろうが，投票による決定は実質的な一致を意味するわけではない．これは，自ら投資し自ら運用する個人資本家には，考えられない困難である．

問題 56

「純粋な資本のすがたは，個人資本家であり，結合資本は資本の概念に抵触する」．この主張は正しいか．

価値増殖　　増殖の対象となっているのは，貨幣量ではなく，貨幣価格で表現される価値量である．この点でいえば，商品も潜在的な交換力として価値をもち，貨幣も一般的な購買力として価値をもつ．このことを価値を主語にいい換えれば，価値は商品のすがたをとったり，貨幣のすがたをとったりするということができる．価値のすがたを**価値の姿態**という．価値の姿態は，商品か貨幣か，いずれかである．資本は価値の姿態を取り替えながら，その量を増殖させようとする運動，すなわち価値の**姿態変換**と規定できる．価値を主語にもつ**価値増殖**（「価値が増殖する」）という規定は，価値の姿態変換という考え方が前提となる．なお，この主語におかれる価値のことを価値の「実体」とよび，実体の対として価値の「形態」という用語を拡張して，「姿態」と同義に用いる人もいる．しかしこれはすでに述べたように（問題 11 の「解説」をみよ），混乱の原因となるので，本書ではこの意味での「実

体」「形態」の用語は避ける．

> **問題 57**
>
> 「〈価値の姿態〉は，『価値形態の展開』（1.2.2 項）で単純な価値形態，拡大された価値形態，一般的価値形態，貨幣形態として説明した〈価値形態〉と同義である」．これは正しいか．

姿態変換は**変態**ともよばれる．変態というのは，本来，チョウなどの昆虫が，卵から成虫になる過程で，カラダを大きく変化させることを指す．似た用語に**転化**があり，「変身」という訳語が当てられることもある．これは主として，爬虫類(はちゅうるい)が鳥類に進化したり，あるいは小説のなかで人間が昆虫になったりする，異次元のものへの転換を含意するときに用いる．商品と貨幣は，価値を主語にして「価値が商品の姿態をとり，貨幣の姿態をとる」というように，互いに「変態」する．しかし，商品や貨幣が資本に「変態」することはない．貨幣は資本に「転化」するのであり，後に述べるように，商品も資本に「転化」する．

> **問題 58**
>
> 「価値には，商品と貨幣という姿態のほかに，もう一つ，資本という第三の姿態がある」．この主張は正しいか．

運動体 投下された資本の運動は，一度の売買で終わるわけではない．$G—W—G'$ という図式はあくまで象徴である．投下された資本は，一定期間に何度も売買を繰り返す $G—W—G'$ の束である．販売代位を意味する単一の姿態変換 $G—W—G'$ とは違うのだ．資本は，単独の売買とは次元を異にする存在である．この束ねられた姿態変換の総体を**運動体**とよぶ．資本の概念には，運動体という要因が欠かせない．

例えば 100 万円の投下額で資本が投下されており，簡単にするため，それがすべて貨幣の状態にあるものとしよう．この 100 万円の枠のなかで，40 万円で W_1 を買い 50 万円で売り，同時に 40 万円で W_2 を買い 60 万円で売った．この簡単な例でも，資本が運動体であるという意味は明らかである．資本は運

動体として，これら個別の取引をすべて括弧に収め「100万円から130万円にふえた」と総括する．

さらに，商品 W_1 や W_2 を売買するためには，情報を集めたり，売れるまで保管したり運搬したりする必要がある．このような売買のために支出される費用を**流通費用**とよぶ．このために，20万円がかかったとしよう．これらは流通費用として，投下資本100万円のなかから支出される．これは，商品 W_1 や W_2 自身の価値量に関係のない支出である．流通費用20万円は，資本の価値増殖にとって必要な費用ではあるが，買われた商品の価値を20万円高めるわけではない．流通費用は商品価値に含まれないが，運動体としての資本には包括される．資本レベルでは，流通費用もカウントにいれて「100万円から110万円にふえた」と計算するのである．この例では，流通費用の支出で，資本の増殖分が減ったようにみえるが，もし，この20万円を投下しなければ，実は商品 W_1 や W_2 は40万円といった価格では買えなかったかもしれない．資本は「損して得取る」活動である．流通費用は資本の価値増殖に欠かせないが，それ自身は姿態変換する価値には含まれない．運動体としての資本は，商品自体の価値とその実現のための費用の矛盾を解決する．

このように運動体としての資本は，複数の姿態変換を束ねるだけではなく，姿態変換しない流通費用もこれに統合する．運動体としての資本が中核になることで，売買に固有のコストがかかる市場ははじめて機能するのである．

利潤　以上で「自己増殖する価値の運動体」という資本概念の説明は終わった．次にここから派生する利潤概念について考えてみよう．資本の増殖分を**利潤**という．投下された資本は，姿態変換する本体部分と，この過程で消費される部分とから構成される．これに対応して，利潤も二重に規定される．姿態変換が生みだす増殖分を**粗利潤**といい，運動体としての資本の増殖分を**純利潤**という．

まず，粗利潤のほうから説明する．資本は売買を繰り返すことで，つまり姿態変換を通じて増殖する．この姿態変換には期間を要する．だから，増殖分である利潤も，1ヶ月とか1ヶ年とかいう，一定の期間に対応した量である．

ある時点で投下された資本は，商品や貨幣という価値姿態をとる．購買すると，貨幣の価値は商品のそれになり，販売すると商品の価値が貨幣のそれ

になる．商品が販売されると，「売値単価×販売数量」が売上高として計上される．ある期間における，さまざまな売上高を合計したものが，売上総額になる．販売を繰り返すことができるのは，販売のために商品が次々と仕入れられるからである．仕入れには貨幣が支出され，仕入値が資本の販売する商品の**取得費用**となる．一定期間の仕入値×数量が仕入総額として計上される．粗利潤の大きさは，基本的にこの二つの総額の差となる．

$$粗利潤 = 売上総額 - 仕入総額$$

> **★問題 59**
>
> 次のようなケースを想定してみる．投下された資本は 100 万円で，それははじめ 100 万円の貨幣からなっていた．この 100 万円で売買を繰り返し，トンあたり 100 万円の価格で小麦を合計 5 トン仕入れ，トンあたり 110 万円の売値で 4.5 トン販売したところで，1ヶ月経過した．さて，このとき，月間粗利潤の額はいくらか．

販売する商品1単位を取得するのに要する費用を**原価**という．小麦を仕入れてそのまま転売するという場合には，仕入値がそのまま原価になるが，ディスプレイやキーボードなどを本体と別に仕入れて，コンピュータ・システムとしてまとめて売るという場合には，各パーツの価格の合計が原価となる．原価の計算は，実務上は複雑な問題を生むが，原理的に重要なのは，最終的に売られる商品がはっきりしており，1単位あたりの費用が算定できることである．売値から原価を引いた差額，すなわち商品1単位に含まれる利益を**マージン**といい，マージン÷売値をマージン率（利益率）という．100円の商品を売ったときに，何円の儲けになるか，という比率である．これによって，総額ベースで規定した粗利潤を，価格ベースの要因と数量ベースの要因に分解して捉えることができる．

$$粗利潤 = 売値 \times マージン率 \times 販売数量$$

次に純利潤率について説明する．資本の運動には，増殖の本体をなす商品の取得費用のほかに，姿態変換を維持，促進するための流通費用の支出が不可欠

である．粗利潤から，さらにこの期間に支出された流通費用を控除した差額が純利潤である．流通費用は，総額ベースでは算定できるが，それを商品 1 単位に割り当てることはできない．いい換えれば，原価計算処理にのらない費用が流通費用として処理されるのである．市場調査に要した費用や，販売のための宣伝費などは，そもそも個々の商品単位に帰属させることに無理がある．1 単位売ることで何円儲かるかを見積り，それに数量をかけて，まず粗利潤を算定した後，そこから総額としての流通費用をまとめて控除し，純利潤を確定するという手続きが不可避となる．この純利潤が運動体としての資本の増殖分に相当するのである．

利潤率 資本の増殖関係を示す比率が**利潤率**である．利潤率の分子には，一定期間の利潤額が，分母には出発点の資本額がくる．

$$利潤率 = 一定期間の利潤額 \div 資本額$$

これはフローの差額をストックで割った値である．フローとストックという区別は，経済現象における量の把握に古くから用いられてきた．フローというのは，一定期間の累積値であり，期間を前提とした概念である．これに対して，ストックというのはある時点における存在量であり，期間から独立した概念となる．

例えば，トラックを 10 人の選手が 10 周するレースを考えると，棄権者がでなければ，スタートラインを通過する人数はレースの期間を通じて延べ 100 人になる．この延べ数がフローの量である．しかし，参加者は 10 人しかいない．これがストックの量である．ストックの 10 人が 100 人のフローを生みだすのである．

> **★問題 60**
> ストックとフローの関係は，すでに解説したところにもでていた．問題 36 の解答にでてきた $Mv = \text{PT}$ において，ストックとフローはそれぞれ何に当たるか．

ストックとしての資本額 100 万円が姿態変換を通じて，1 ヶ月間に 500 万円

の仕入総額と510万円の売上総額というフローを生みだしたとしよう．この間に商品在庫の増減がないとすれば，月間利潤率はこのフローの差額10万円をストックの100万円で割った率となる．この10%の利潤率は1ヶ月という期間概念と不可分である．期間が1年になれば，例えば120%などの値に変わってくる．500万円とか510万円とかいうフロー量は，どの時点をとってみても実在しない．それは帳簿上の累計値である．ただ，この差額である10万円の利潤は，1ヶ月後には，価値の姿態は貨幣であったり商品であったりするとしても，価値量として実在していなければならない．ストックとしての資本の増加分として，利潤もストックとして形成されているのである．

ある期間（例えば1年間）の売上総額を資本額で割った値を，資本の**回転数**ないし回転速度という．これに対して，この期間（1年間）を回転数で割った値を，資本の**回転期間**という．ただし，回転数の計算に用いられた，分母の資本額のうちには在庫や設備など，その期間にすべてが売買されるとは限らない要素も含まれている．回転数や回転期間は，姿態変換の平均的な速さを示す指標でしかない．この値は事後的に平均計算で与えられる結果値にすぎず，価値増殖の効率を理論的に説明するものではない．

> ★問題61
>
> 純利潤率は，マージン率（商品1単位あたりの利益率）と違った値を示す．この違いを生みだす要因を挙げよ．

3.2 資本の多態化

多態性　価値増殖のための運動体という基本概念に照らせば，資本は利潤率という単純な数値に集約される．個々の資本は，この率をできるだけ高めようと活動する．しかし，目指す目標が同じ利潤率の増進だということは，いかにしてそれを達成するかという増殖の方式が単一である，ということを意味するものではない．増殖の方式自体は多様であり，また一つの資本が複数の増殖方式を併用することもある．資本は，同一の目標をもちながら，限りなく多様なかたちを創出する．このバイタリティこそ，資本の身上をな

す．……ということで，簡単にすませたいなら，最後に図 I.3.3（96 頁）に関する説明を読んで，第Ⅰ篇を終える手もある．が，それでは名所見物をせずに帰るようなものだ．

さて，このような資本の多様性は，しばしば，増殖根拠の違いによって，「商人資本的形式」「金貸資本的形式」「産業資本的形式」という三つの資本形式に分類されてきた．すなわち，商品の価格差を利用する形式，貨幣を貸して利子をとる形式，および，商品をより安くつくる形式，という区別である．しかし，このうちの一つ，自分の貨幣を貸して利子をとるという方式は，資本の概念規定に照らして，そもそも資本とはいいがたい．姿態変換を通じて価値増殖しているわけではないからである．また，「安く買う」ことと「安くつくる」こととは，原理的には連続している．この意味では，考えられる形式は，実はすべて「商人資本的形式」に帰着する．従来，「資本の三形式」とよばれてきた分類は，歴史現象としての資本の多様性を類型的に記述したものにすぎず，資本概念から論理的に導出されたものではない．本書ではこの資本形式論は採用しない．

ただこれは，増殖の方式を区別する必要がないということではない．自己増殖する価値の運動体という資本概念に戻って考えると，そこから論理的に導出されるパターンが存在する．利潤率を高めるという同じ機能が，異なる方式で達成されるのである．それらは，資本の基本概念の変形を通じて相互に関連づけられる．これを，現象として多様性と区別し，資本の**多態性**とよぶ．この多態性は，原理的に三つの基本パターンをとる．もちろん，多態化はこの基本パターンで終わるわけではない．異なる外的条件に反応して，二次，三次の多態化が枝分かれし，現象レベルの多様性に近づく．ただ原理論では，このうち第1次のパターンだけを扱う．

投下された自己資本は，姿態変換する部分と，この変換の過程で消費される部分で構成される．資本が自己増殖を遂げるためには，(1) 姿態変換を通じて価値増殖し粗利潤をふやすと同時に，(2) 姿態変換の過程で消費される資材や労力を費用化し，粗利潤から控除されるコストを相対的に節減する必要がある．こうして，資本の増殖方式は，姿態変換型と流通費用節減型とに大別される．姿態変換型は，さらに，(a) 同種商品が同じ価格で売買されるという一物一価を想定するか，あるいは，(b) 同種商品の価格分散が存在すると考

えるか，によって二つの型に分かれる．

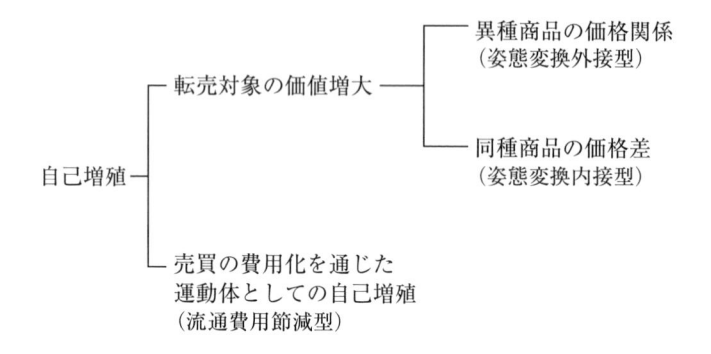

```
自己増殖 ─┬─ 転売対象の価値増大 ─┬─ 異種商品の価格関係
         │                       │   （姿態変換外接型）
         │                       │
         │                       └─ 同種商品の価格差
         │                           （姿態変換内接型）
         │
         └─ 売買の費用化を通じた
            運動体としての自己増殖
            （流通費用節減型）
```

3.2.1 姿態変換外接型

まず，第1のタイプの姿態変換による増殖方式について説明しよう．この資本は，複数の独立した価格体系の間で，商品の売買を繰り返す．ここで独立した価格体系というのは，それぞれの市場の内部では同種商品に均一の価格が成りたっているという意味である．実際には同種商品の価格にもバラツキがあろうが，この方式の資本はそれを利用するのではない．資本は異なる価格体系をもつ市場を巡回するかたちで，その運動の内部に余剰を吸収する．この余剰がどの交換比率で生じたのかは特定できない．ただ，複数の異種商品間の交換比率に不整合な関係があり，この全体の関係が巡回する資本の増殖の根拠となるのである．

3種類の商品を取引する三角貿易で例解してみよう．例えば，西アフリカ，アンティル諸島，イギリスという異なる市場に，図 I.3.1 のような取引が含まれているものとする．

綿布も奴隷も砂糖も，各市場では同一価格で売買されていることを前提に，この資本は価値増殖する．ここに示された交換比率は，物々交換 W—W′ を意味するわけではない．いずれも，各市場の内部では W—G—W′ という売買がなされる．西アフリカでは綿布100メートルが，1バールの貨幣に対して売られ，この貨幣で奴隷1人が買われる．アンティル諸島では，奴隷1人がWとして10ドルのGに対して売られ，そのGでW′として砂糖50ポンドが買われる．イギリスでは，砂糖50ポンドが100ポンド・スターリングで売

```
            イギリス
           ↗      ↖
  綿布100メートル＝奴隷1人    砂糖50ポンド＝綿布200メートル
        ↙                    ↖
   西アフリカ  ──────→  アンティル諸島
              奴隷1人
              ＝砂糖50ポンド
```

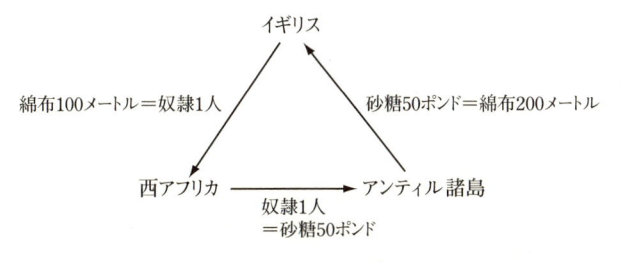

図 I.3.1　三角貿易

られ，その貨幣で綿布200メートルが買われるのである．このような三角貿易では，各市場間を流通する主要な商品が存在する．それらは**世界商品**とよばれる．この例では，綿布と奴隷と砂糖が世界商品である．

このような交換比率を想定すると，資本は交易を繰り返すことで，自己増殖を遂げることができる．イギリスで商人の傭船に積み込まれた綿布100メートルは，西アフリカで奴隷1人となり，アンティル諸島で砂糖50ポンドに変わり，ふたたびイギリスに戻ってくる．このような取引を一巡すると，イギリスでは綿布200メートルにふえる．

このような増加は，これら三つの交換比率の間に，$ax = by$, $by = cz$ なら $cz = ax$ という関係が成り立っていないために生じるのである．今，イギリスにおいて綿布100メートルの取得に要する砂糖の量を考えてみよう．砂糖50ポンド＝綿布200メートルなのだから，綿布100メートルとの交換に「投下」された砂糖は25ポンドにあたる．ところが，この綿布100メートルが交易を通じて「支配」できる砂糖の量は50ポンドである．砂糖を尺度にとると，100メートルの綿布に「投下された砂糖量」と，その綿布を通じて「支配できる砂糖量」との差，25ポンドの砂糖が増殖分をなすのである．

問題 62

「イギリスの資本が交易を通じて増殖できる基盤は，奴隷狩りと奴隷労働からの収奪にある」．この主張は正しいか．

問題 63

「外接型の資本が，いつまでも余剰を吸収し続けることはできな

い。それは吸収される側の経済を崩壊させる。だから，この運動は自立性をもたない」。この主張は正しいか。

3.2.2 姿態変換内接型

安く買って高く売る　　姿態変換する部分に価値増殖の基礎を求めるもう一つの型は，同じ商品を安く買って高く売る方式である。この場合，資本の運動に取り込まれる商品 W は，買いと売りで異なる価値評価を受ける。同じ商品が，$\overset{買値=}{80\,円} W \overset{売値=}{100\,円}$ という二重価格をもち，この価格差が商品1単位あたりの利益となり，その累積が粗利潤として現れる。

二重価格が生じるのは，市場が無秩序な商品売買の場であるためである。この構造が，同種商品の間に価格の下方分散を引き起こす。通常，同じ商品を人より高く売ることは難しい。相場でなら売ることできるが，ただ，どれだけ待たなければならないか，わからない。それまで，商品の保持には資材や労力の負担を必要とする。だから，販売が滞り，その負担に耐えられなくなったり，購買の必要に駆られる売り手が部分的に発生する。相場を下回る価格での投げ売りは，市場には付きものなのだ。人並み優れた能力はなくても，他人の弱みはすぐに気づく。「安く買って高く売る」というが，人より高く売るのはたいへんでも，安く買うチャンスならけっこうものにできる。姿態変換内接型の価値増殖の重心は，安く買うほうにかかっている。

安く買う買い方　　とはいえ，商品を安く買おうとしても，ただ，相場での販売に耐えきれない売り手の到来をまちわびるのでは限界がある。商品が市場に入ってくる入口へ，そこからさらに市場に現れる以前の段階へ，と遡（さかのぼ）ってゆくことで，チャンスは広がる。

例えば売り手に対して，買い値をきめて注文をだし，販売の困難を最初から免除してやるという方法が考えられる。さらには，資本が主たる原材料を買い与え加工させるという方法もある。この場合，加工の手間賃を原材料費に合算した値が買い値にあたる。さらには，自ら作業場を設けて，原材料や生産手段をすべて買い揃え，労働者に賃金を支払って生産させるという方式もある。資本にとって「安く買う」ことは，けっきょく「安くつくる」という方向に拡張

する．つまり，生産の局面に進出することにつながるのである．

このように，安く買う買い方には，さらにさまざまな変種が派生するが，原論の課題は，具体的に観察されるさまざまな変種を分類し記述することにはない．こうした変種を生みだす多態化の基本原理を明らかにすることにある．運動体としての資本による，購買過程の拡張が，この原理の一方の因子である．しかし，多態化はこれだけでは説明できない．資本が浸透してゆく先には，労働や生産という対向的な因子が作用するからである．後の因子については第II篇「生産論」で分析する．

商品流通に基礎をおく資本の運動が，購買過程を生産過程の方向に拡張してゆく傾向は，「生産過程の流通過程化」と呼びならわされてきた．このような利いた風な用語にたよって，感覚的にわかった気になることは薦めないが，内接型の原理を理解するヒントにはなる．資本にとっては，最終的な売り物である W' をできるだけ低いコストで調達することが唯一の目的なのである．だから，自分で加工したほうが有利なら部品から内製化するが，買ったほうがもっとコスト削減になれると思えば外注にまわす．生産は安く買うための手段として，資本の「流通過程」に取り込まれるにすぎないのだ．

問題 64

購買過程の拡張ではなく，販売過程の拡張という意味で，「生産過程の流通過程化」を考えることはできないか．

労働力の売買　　「安く買う方式」は「安くつくる方式」へと，自然に深化するが，そのためには，ただ原料や機械などの生産手段が市場で購入できるだけでは充分ではない．それらを生産の目的にあわせて使いこなす人間の能力も市場で入手できなくてはならない．この条件の，厳密な考察は第II篇にゆずり，ここではとりあえず個別資本にとって，労働力も商品として部分的に与えられているものと想定する．資本は，Wをできるだけ安く手に入れるという観点から有利であれば，生産手段だけではなく，労働力も商品として購入する．この型の資本の増殖にとって，労働力の商品化が不可欠であるわけではないが，また逆に，特段の抵抗があるわけではない．労働力が商品として与えられていれば，個別資本として，それを有利な範囲で利用すると

いうことにつきる.

> **問題 65**
> 「労働力を商品として売買することには,一般の商品の場合とは異なる特殊な問題が随伴する.それは,生産物が商品として売買される領域を扱う流通論ではそもそも論じることができない」.この主張について論評せよ.

3.2.3 流通費用節減型

費用化と節減　姿態変換型はいずれも,商品や貨幣の価値変化に増殖の基礎を求めるものであった.流通費用節減型は,この姿態変換型と概念的に区別され,それに還元することはできない.売買を通じて姿態変換する (1) 本体の価値が増大しても,それはただちに運動体レベルでの価値増殖にはならない.この過程で支出された (2) 流通費用を控除しなくてはならない.流通費用部分の縮減に,価値増殖の基盤をおく方式が,流通費用節減型の資本である.(2) は (1) が前提となっているのであり,両者は併置するのは奇妙に思えるかもしれないが,この関係を理解するためには,流通費用に関して,次の二つの次元を区別する必要がある.商品売買に伴う資財や労力を貨幣支出として計上し,費用として集計し,貨幣収入から回収する,という「費用化」の次元と,それを相対的に節減するという次元である.費用化が前提となって節減も意味をもつのだから,その点では費用化が根本をなす.

商品所有者や貨幣所有者も,市場での取引に資財や労力を消費することは,すでに指摘した (68 頁).これらのうちには,市場で買われるものも含まれている.しかし,資財や労力への支出は,売買される当の商品の価値の大きさを高めるものではない.売り手が販売にどれだけ費用を支出したとしても,買い手からみれば,同種商品は同じ価値をもつ.売り手が販売に手間暇をかけたからといっても,それに高い価格を支払おうという奇特な買い手はいない.市場での取引には,商品本体に対する支出のほかに「何か」が必要だ.それはわかるが,そのうち「どれだけ」が本当に必要だったのか,決め手はない.それを費用として,商品価値と結びつける枠組がみあたらない.それはけっきょく,

売り手の財産からの支出として処理するほかないのである．

　資本は，このような市場取引に要する資材や労力を費用として処理する枠組を提供する．資本投下は，投下額を財産一般から分離し確定するものだった．売買に要する資財や労力は，この資本によって支出された費用として計上され，粗利潤から回収される．資本は，売買に関わるさまざまな資財や労力を費用化し，明示的に計算・管理するフレームを与える．この点こそ，単なる売買の主体を超える，運動体としての資本の本領なのである．

　費用化について，図解してみよう．商品と貨幣を対象とする理論領域で明示的に扱われる関係は，図 I.3.2 における左側のボックスにおける実線の内部である．資本は，このW—G—W′を姿態変換 G—W—G′として取り込む．それと同時に，取引の過程で消費される資財・労力も費用として内部化する．資本は市場のスコープを拡大するのである．

具体的形態　流通費用の内容に応じて，この型もさまざまな変種を生む．保管費を例にとって説明してみよう．売り手自身が，保管をおこなうのであれば，保管という用益に対する支出がなされる．この用益の価格は，ふつう，期間を単位に売買される．販売期間が延びれば保管費は増大し，売り手自身の負担がふえる．同じ種類の商品であっても，販売期間はまちまちである．売れた段階で，その特定の商品の保管費はきまるが，すでに述べたように，長く保管したからといって，それだけ高く売れるわけではない．

　今問題にしているタイプの資本は，保管という用益を，独立した商品として

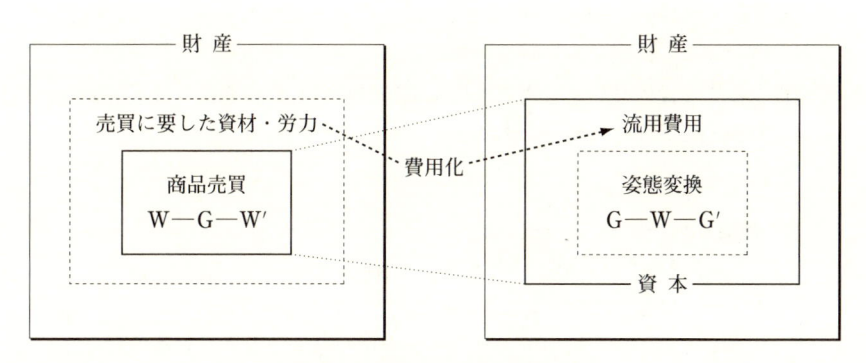

図 I.3.2　資本による市場の費用化

売るのではない．保管費を変動するものとして引き受けるのである．そのためには，商品そのものを買い取る必要がある．最終的にいくらかかるかわからない，販売のための費用そのものを，販売される商品と切り離して取引することはできないからである．この資本は，商品を相場以下で買い取ることで，保管の用益を費用化する．そして，姿態変換の過程に活動を集中し，費用を節減するのである．例えば，商品自体は 100 万円相当の価値をもつが，販売までの保管費に 4 万円かかると見込んでいる売り手から，98 万円で買い取る．この資本は保管費を 2 万円以下に節減することで利潤をあげる．一般に，このような費用の節減は，一対一の関係では難しい．多数の商品所有者から商品を買い取り，売値と買値の差から，まとめて費用を控除するのである．

輸送費も同じように考えることができる．目の前に，同じ種類の商品が複数並んでいるとしても，それをそこに運んでくるのにかかった費用はまちまちである．保管期間の場合と同様，個体として区別ができないかぎり，輸送距離は商品価値の大きさに影響しない．資本は，このような資材や労力を費用化し内部化するのである．

商品の販売には，目にみえにくいところにも，多くの費用がかかる．例えば，同種の商品がどこでどの程度の価格で実売されているのか，市場の状況を調査する必要がある．このような情報を確実に手に入れることは，価値実現にとって避けて通れない．しかし，売り手が，日常生活のなかで知ったことと，そのために特別の活動をして知ったことの境界ははっきりしない．一定の資材や労力を要したかもしれないが，どこまでが情報をえるためのものだったか，当の主体にも正確にはわからない．資本は，こうした情報を得るための資材や労力も費用化する．商品の売買に情報は不可欠だが，情報そのものを商品として売買することは難しい．費用をかけて個別に獲得した情報は，商品の販売において実践的に活かすほかないのである．

問題 66

「価値増殖というのは，あくまで，本体をなす商品や貨幣の価値が，まずはじめに増殖するのである．そして，姿態変換のために支出される費用は，姿態変換する本体の増殖分から控除されるのである．だから，基本は姿態変換型で，費用化型の資本は派生態であ

る」.この主張は正しいか.

3.3　市場の軸心

資本なき商品流通　　市場のすがたをイメージさせるものとして,図I.2.1はたしかに簡明である.だが,これを標準にすると,等価交換を通じて持ち手を換え,価値の面では損得はないが,使用価値の面ではだれもが得をするというのが,市場本来のすがたにみえる.そして,価値増殖をめざす資本は,生産者と消費者の間の直接的売買 W—G—W′ に介入し,中間利得をあげようと本来の市場に侵入する外来種ということになる.このような「資本なき商品流通」は,**単純な商品流通**とよばれ,一般的な市場像として定着している.

　ところが,歴史をふり返ってみると,多少とも発達した市場では,つねに**商人の活動**がみられる.商人というのは,商品の転売を専業とする資本家である.この活動なくしては,市場は市場として機能しない面がある.本章で強調してきたようにその活動は,売買される商品だけではなく,売買に必要な資材や労力を,運動の内部に取り込んで総合的に管理する.市場が拡大し,商品の種類がふえ,使用価値が複雑になれば,それだけ,取引に必要な有形・無形の資材や労力は増大する.それらは単にムダな消費というより,市場が社会構成の一部を担ううえで不可欠な経費なのである.こうした売買のための間接的消費を,価値の姿態変換と統合して処理するフレームとして,商人は重要な意味をもつ.資本は,W—G—W′ の連鎖で構成される単純な商品流通の補足物ではない.市場を市場たらしめる必須の軸心なのである.理論的に再構成してみても,商品流通は,単に貨幣を媒介に,他人のための使用価値を自分にとって有用な使用価値に転換する場では終わらない.単純な商品流通は,市場としてはなお不完全な状態にとどまるのである.

資本に売り資本から買う　　第Ⅰ篇の考察をふまえてみると,「資本なき商品流通」という市場像は転倒してみえる.この篇も終わるので,資本の運動によって統合される市場像についてまとめておこ

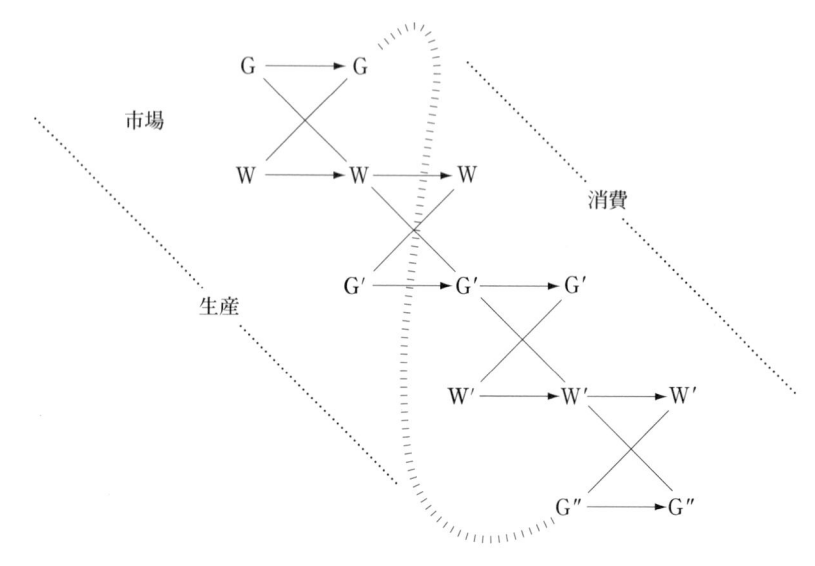

図 I.3.3　資本を中心とする市場

う．

　この最終的な市場像のもとでは，資本が軸心をなすことで，市場は外部から余剰を吸収するシステムとなる．そのうえで資本は，市場での取引に要する資材や労力を流通費用として投下資本のうちに内部化し，外部から吸収される余剰の一部でそれを賄う．生産手段であれ，生活物資であれ，売り手はこのような資本に売り，買い手もこのような資本から買う．完成した市場像は，図 I.2.1 に換えて，図 I.3.3 のようなすがたでイメージするほうがよい．

　図 I.3.3 で，例えば商品 W は左下の生産から市場に入ってきて，いったん資本に売られる．資本はこの W を G′ に対して販売するのだが，この G′ もその買い手が資本に別の商品を売って得た貨幣である．そして，W を売って得た貨幣 G は，G″ のところに移って，別の商品 W′ を資本から買うかたちで，右上の消費の領域に抜けてゆく．図 I.2.1 に似せてつくったので，若干無理はあるが，要するに「資本に売って資本から買う」というのが，市場の基本的なすがたであることが理解できればよい．

> ★問題 67
>
> 　　図 I.3.3 では，同じ資本に対して売って買うかたちになっている．これは変ではないか．

　市場の完結性　　第I篇では，商品の概念規定を前提としたうえで，市場という場を理論的に再構成しながら，資本の概念に到達した．そして，この資本の運動のなかで，出発点で抽象的に前提した「他人のための使用価値」という商品の性格が，予告通り具体的なすがたで現象している．商品，貨幣，資本と展開してきた諸関係は，出発点の前提を自分で説明するかたちで終わる．資本が存在すれば，その運動のなかにある商品は，「他人のための使用価値」という性質を純粋に具えている．この純粋な商品から出発すれば，第I篇でたどった道筋で，資本に戻ってくる．このように，より豊富化された内容を伴って出発点に再帰する構造は，市場が一つの閉じた系であることを示している．だから，市場の基本原理を説明するためには，生産とか消費とかいった外部の領域を直接持ち込まなくてもすむ．その意味で，市場の原理は自己完結的な体系なのである．

　この完結性は，単なる形式論理の問題ではない．ポイントは，資本が自己増殖というかたちで独自の動機づけの契機をもつ点にある．市場における売買は，必要なものを生産しそれを消費するという，市場の外部にある目的に動機づけられておこなわれるのではない．資本の転売活動 $G—W—G'$ に主導されて，市場における売買 $W—G—W'$ は結果的に繰り返される．市場がいったん成立すると，外部からはたらきかけなくても，資本の自己増殖というエンジンで，商品流通はどこまでも動きつづける．形式的な完結性は，市場の自立性を示しているのである．

　システムとしての市場　　しかし，この基本原理の完結性を，市場が生産や消費の領域から独立し，内的に閉じた領域であると勘違いしてはならない．繰り返し説明してきたように，市場は商品が一瞬で通過する中空の場ではない．市場の中心を流れる資本の運動は，増殖という動機に支えられている．資本は内接型にせよ外接型にせよ，外に広がる世界から余剰を吸収する運動を展開する．その結果，資本を軸心とする市場は，商品経

済的な富を内部に取り込んでゆく場となる．たまたま余剰物が生じたから交換したというのではない．資本を軸心とする市場が主導的な原因で，結果として余剰物は外部から汲み上げられるのである．

このように資本を中心とした市場像を構成してみると，そこには外部と内部の独自の重なりあいがあることがわかる．市場は，形式においては閉じているが，内容においては，外部とのモノのやりとりが不可欠なのである．それは，ちょうど生物のカラダが，外界と境界を画すことのできる内部構造をもちながら，生存のためには外的環境との物質代謝が欠かせないのと同じである．生物のように外的環境との物質代謝をおこないながら，自己の内部構造を維持する存在については，すでに一般的に説明した．メカニズムとは区別される，生命体に固有なシステムとしての特徴である．市場はこの生命体とよく似たシステムとしての性格をもっているのである．

第 II 篇
生産論

　商品から出発して資本で終る第Ⅰ篇の展開は，市場が一つの完結したシステムであることを示す．しかし，最後に登場する資本は同時に，市場の外部に浸透する性質を具えていた．
　では，この外部とはどのような世界なのか．実は，資本に取り込まれる側もまた，固有のシステムをなしている．ただそれは，個別的な利得追求の原理で構成された，分散型の市場のシステムとは対照的な別の原理で構成されている．このシステムを分析するのが第Ⅱ篇の課題である．本論に入る前に，側面からポイントを指摘しておこう．
　第1のポイントは，労働の生産からの分離である．通常，労働の結果が生産であるというように，両者は表裏一体をなすと見なされている．だが，厳密に考えてみると，労働のない生産もあるし，生産でない労働もある．とはいえ大半の人は，「そんな労働なんて，あるにしたって，たいした意味をもたない」と思うだろう．しかし，市場に取り込まれてゆく今日の多様なすがたの労働を理解するには，労働の概念をもっと深化させておく必要がある．何かエネルギー源のような単純なイメージで労働力を捉えるだけでは不充分なのだ．従来の原理論では，「商品」に関しては抽象化が徹底され，綿密な概念が構成されてきたが，これに比べて，「労働」のほうはなぜか，理論としては実に素っ気ないものになっている．人間の労働をミツバチの活動と比

較してみれば，その特徴は一目瞭然，それ以上，一般的な説明は必要ないと考えられてきたのだろう．これに対して，本書では「商品」を扱ったのと同等の抽象レベルで，「労働」を概念化してみた．「何でそんなことをする必要があるのか」と思う人には，とりあえず，「市場システムがどのように労働を変容させるかを考えたいからだ」と答えておき，あとは本論で説明しよう．

　第2のポイントは，生産に対する構造論的なアプローチである．ここでは，「社会的再生産」の内部構造を基礎的なレベルから順次積みあげて，全体を多層的に再構成してゆく．これによって，どのレベルで何がどう余るのか，はっきりするだろう．必要と余剰の相対的区別を，ここでは同じ数値例を使いながら説明してゆくので，簡単な計算を自分でやってみるとこの区別の差が実感できると思う．

　第3のポイントは，労働力商品と労働市場に関する注意だ．結論をいっておくと，本書では，労働力商品に関して，生産とか再生産とかいう概念を適用しない．これも通例に反することで，すぐには合点がいかないだろう．はじめから反発を感じる人も少なくないだろう．「労働力商品の価値は一般商品と同様，その再生産に必要な労働時間できまる．この点が『資本論』の搾取論のコアだ．それを否定してしまうとは何と無謀な！」と思うのももっともである．しかし，労働力の再生産といわなくても，資本主義における搾取の問題は分析できる．しかも，これによって，労働市場の理論化ははじめて可能になる．本篇の後半では，社会的生活を通じて形成・維持される労働力商品という観点を基礎にしながら，労働市場の特性の分析に照準が向けられる．ちょっとこのあたり，あらかじめ予告しておかないと，なぜこんな大事なところに手を入れるのだ，と違和感ばかりが募ると思う．

　ということで，まずは，あまりお目にかからぬ「労働」の抽象理論からスタートしよう．

第 1 章　労　働

1.1　労働過程

自然過程　もう一度，出発点に戻って，モノと主体の関係についてふり返っておこう．主体を取り囲むモノの層で，いちばん基底を構成していたのは，「自然的属性」であった（図 I.1.1）．モノは他のモノと自然的属性のレベルで関連をもち，互いに反応し変化する．ここでは自然科学によって解明される自然法則が支配している．主体はこのような法則を認識し，モノどうしの間に一定の因果関係をみいだすのである．

　主体は，さまざまなモノに囲まれながら，そのなかの何かに関心を抱く．この関心は，「有用性」というモノの第 2 層に結びついている．そして関心の対象が絞られると，その対象を中心に，モノの世界を秩序だてて認識するようになる．主体はさまざまな外的な世界の複雑な反応を，(1) 特定の出発点とその帰結に分割し（過程の認識），(2) 原因と結果が対応した繰り返しとして（法則性の認識）理解する．**過程**というのは，現実には複雑で連続的な変化を，有用性の観点から，始点「●」と終点「○」とに二分する認識方法である．●——○ の —— が過程である．**法則性**というのは，始点から終点が必然的に導きだされるという主体の認識である．このようにして理解された，モノとモノとの反応を**自然過程**とよぶ．主体の身体や，おそらくある範囲までは，心も自然過程のうちにある．

　例えば，食料として有用な小麦に関心がある主体は，種子として播かれた小麦がやがて多くの実りをもたらすことを認識し，次のように記述するだろう．

小麦 20 kg　●　──→　○　小麦 30 kg

　ただし，これはあくまで，主体の認識レベルにおける記述である．自然過程は，「自然」を主体がトリミングした「過程」である．自然界の複雑な反応そのものではない．

> ★問題 68
> 　自然過程では，始点と終点で要素の数に違いが現れる．通常，始点が複数で，終点が一つである．なぜ，こうなるのか．

　自然過程において，始点を構成するモノのセットを**投入**，終点となるモノを**産出**という．投入と産出を比較して，増大している場合を**生産**とよび，減少している場合を**消費**とよぶ．上の小麦の自然過程は生産である．もし産出の小麦の量が 20 kg 未満なら消費ということになる．しかし，これは投入も産出も同種という単純な例である．始点も終点も複数のモノの集合からなる場合には，生産かどうかの判別は少し厄介になる．この点を考慮した厳密な生産概念は次章で与えるが，これまでのところで，生産と消費がモノの増減に関わる概念であることはわかる．では，人間はこの自然過程に対してどのように関わるのか，みてみよう．

目的意識的活動　　動物のカラダはモノの反応過程という性格をもち，人間もこの面を共有している．しかし，人間の活動には他の動物にみられない特徴がある．内的な欲求というレベルでは，人間も他の動物と大差ない．しかし，人間は何を欲しているかを意識し，対象として自覚する．空腹感の充足は，生肉にかじりつくようなかたちで充足されるのではなく，何かしら特定の料理のかたちを経由する．欲求は目的として客観化され，その目的を実現することで満たされる．

　このような欲求の対象化・客観化は，(1) 個々の主体の間で，目的の共有や調整をはかることを可能にする．これには，人間が広義の言語を発展させ，弾力的なコミュニケーションの能力を具えていることが深く与っている．さらに，(2) 欲求を意識することは，目的と手段の分離を促す．この分離は，何

層にも深化する．目的に対する手段もまた目的化され，その実現のための下位の手段が生みだされ，さまざまな手段は複雑な連鎖をつくりだす．両効果は，後に述べるように，(1) 協業と (2) 分業という労働組織の座標軸をきめる．

このように目的を設定し，それを意識的に追求し達成することを，**目的意識的**とか，**合目的的**とかいう．他の動物では，このような目的と手段の分離は明確ではない．刺激と反応という，本能的行動に支配されている．むろん人間の活動にもこうした側面はある．人間も睡眠中や休息時には，目的を意識することから解放される．授業中など何となくボーッと過ごしていることもある．しかし，1日24時間，これで過ごせる幸せな人はいないだろう．ただ，目的が労働主体の欲求と直結している場合には，その目的は必ずしも強く意識されない．自分の食欲を満たすために，調理し食事をする活動では，何をつくり，どう食べるかなど，いちいち考えなくてもすむが，お客様をもてなすとなるとこうはゆかない．目的意識的な活動は，直接的な欲求から距離のある手段を生みだす場合に強く求められる．不測の事態に備えて食料を備蓄する場合には，直接的な欲求なしに，将来の状況を想像して活動する．こうした場合に活性化する，人間に特有な目的意識的な活動を**労働**とよぶ．

> **問題 69**
>
> 「労働は緊張や疲労を伴う．面倒でつらい〈煩労〉である．だから，生産力が高まり，モノが豊かに生みだされるようになれば，労働などしなくてすむユートピアが実現する」．この主張について論評せよ．

モノは (1) 労働の目的であると同時に，(2) 欲求を満たす手段でもある．欲求充足と労働は，モノを媒介につながっている．資本主義のもとでは，(1) 商品となるモノを目的として労働はおこなわれ，(2) 商品として買ったモノを手段として消費することで欲求は充足される．両者は，売買で切断される．経済学もおおむね，この切断を自然なものとみなして，欲求の充足の領域には深入りしてこなかった．しかし，原理的に考えると，モノの消費にも労働は深く関与している．

> **問題 70**
>
> 「人間は自己の直接的欲求から離れて，目的を追求できる．これは人間労働の重要な特徴だ．欲求と労働がまったく切断されたものではないとしても，資本主義における労働を考える限り，欲求の充足に関わる労働は考察の外におくべきである」．この主張は妥当か．

生産と労働 「労働の結果が生産である」といわれるが，モノの自然過程に対する人間主体の活動を整理すると，生産と労働はそのような直接的な対応関係にないことがわかる．生産の対は消費であり，労働の対は休息や遊びのような，非労働と一括するほかない不定型な活動である．論理的には，両者は図 II.1.1 のような直交関係にある．ただし，この図の縦軸と横軸は，2×2 の組合せを示すための区画線である．非労働はマイナスの労働量だなどと誤解しないでほしい．「労働の結果が生産である」というのは，その一象限をなすにすぎない．

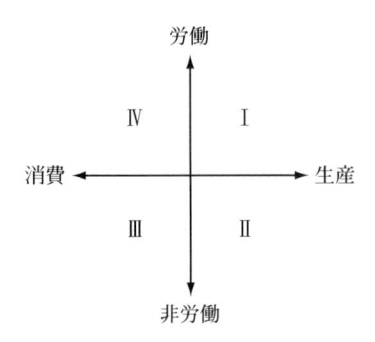

図 II.1.1　生産と労働の直交関係

> **★問題 71**
>
> 図 II.1.1 の第 II 象限，第 IV 象限は，それぞれどのような世界か，具体例を挙げよ．

一般的に経済学は，第 I 象限に視野を限ってきた．しかし，今日の経済現象

を捉えるためには，もう少し抽象レベルを上げ，理論の射程を広げておく必要がある．資本が増殖運動を目的に市場の外部に進出するときまず手をつけるのは，モノの増加をもたらす自然過程，すなわち図 II.1.1 における右方向に位置する生産にある．すでに述べたように，資本は安く買うことの延長として，第 I 象限の労働を取り込み，生産の効率化をはかる．

　他方，資本の進出はこれだけではない．図 II.1.1 の左方向に広がる消費の世界にも独自の拡張がみられる．この場合たしかに，資本は非労働をそのまま自己の運動のなかに取り込むことはできない．資本にできるのは，人間の活動一般のなかから目的意識的な労働を分離して取り込むことである．本来，資本は，過程としての性格をもち法則性が認められれば，それが物的な意味では消費であっても，姿態変換のなかに位置づけることができる．そしてもともと，合目的的活動は，消費にも潜在的には含まれている．資本は消費の世界においても，合目的的活動の分離を加速させ，これまで非労働の世界で営まれてきた，育児・保育，医療・介護，教育・研究，社交・娯楽などの領域を分解しながら，そこに深く浸透している．睡眠という非労働そのものは，資本もさすがに直接販売することはできないが，睡眠を誘導する労働は，資本によるサービスのかたちで提供可能となる．

　第 IV 象限の労働が資本の運動のなかに取りこまれるときには，本来は物的な意味での消費であっても，それに「サービスを生産している」という擬制が加えられる．「労働であれば，必ず何かを生産しているはずだ」という通念にしたがって，第 IV 象限から第 I 象限へのシフトがはかられる．産業廃棄物を処理する労働は，自然過程の観点からみれば「モノを減らす」という意味で，消費のための労働である．ところが，資本のもとではゴミ処理サービスが生産され，それが売買されるとみなされる．資本の姿態変換においては，「何か」が売買されたと考えるほかない．そのためにサービスという商品が登場し，このサービスを生産する労働として，消費のための労働が位置づけなおされるのである．

労働力　　資本との関連については後に詳述することとして，ここではまず，以上の意味で生産と概念的に区別された，労働そのものの内部構造を徹底的に分析してゆこう．目的意識的な活動としての労働は，所定

の目的に向けて，さまざまな変化を制御してゆく．労働のコアは，自然過程に対するコントロールにある．コントロールの直接的な対象は，自分の身体である．制御の基本原理は，人間の意志による身体の制御のうちに埋め込まれているのである．

この制御は，物理的な外界への作用に関しては自明だが，同じことが知的能力に関しても成り立っている．計算したり，整序するという作業は，もちろん，紙に書いたり，モノを動かして並べるといった身体活動を伴うが，同時に知能を目的に向けて駆使している．また，身振りにせよ，発話にせよ，他の主体とのコミュニケーションもまた，身体の制御を媒介にする．

ポイントは，「制御するもの」と「制御されるもの」が分離されることにある．ここでは両者を，それぞれ**意識**と**身体**というよぶ．むろん，人間の心身の制御構造は複雑で，この二分法ではとうてい間に合わない．しかし，労働が商品として資本の運動に組み込まれる仕組みを明らかにするためには，ひとまず，意識はいきなり外部の世界に作用するのではなく，まず身体の制御を介して，間接的に外部の対象に作用することさえ明らかになればよい．この内的に閉じた最小の制御ユニットが**労働力**である（図 II.1.2）．

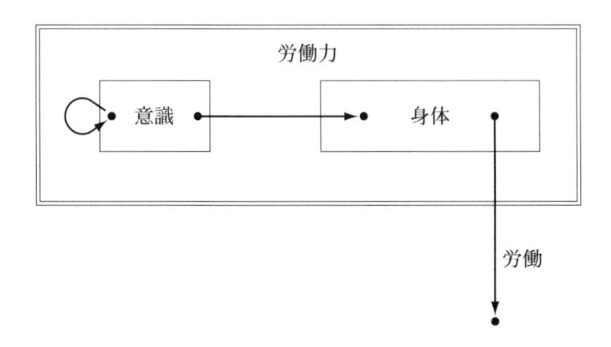

図 II.1.2　労働力

労働の同質性　　制御する側の意識は，自律性をもつ．それは外部から制御されることなく，特定の目的の実現のために，さまざまな指令を出し続けることができる．この制御は一定期間にわたって持続的に身体を制御する．そして，意識は，同じ身体を異なる目的にあわせて制御すること

ができる．労働力はこの汎用性において，他のモノでは代替しがたい特性を発揮する．目的意識的というのは，言い換えれば，汎用的な多目的性のことである．

労働力というと，エネルギーのようにイメージされ，熱量のような同質性を考えるかもしれないが，これは正しくない．労働力はたしかに同質性をもつが，それは汎用性をもち変幻自在に変化するために同質なのである．どの労働もみな同じ力に還元されるから同質なのではなく，トランプのジョーカーのように，特定の値をもたないから同質なのである．

$$目的意識的 = 汎用性 = 同質性$$

という同値関係が成りたつ．

なお，この労働の同質性を，「抽象的人間労働」とよび，これに対して労働が目的に応じて異なる形態で現れる異質性を「具体的有用労働」とよぶことがある．人間労働は二重性をもち，これが価値と使用価値という商品の二要因となって現れるというのである．しかし，このような労働の二重性という理解は，上の3項の同値関係を不明確にする．また商品価値の大きさの説明としても不必要である．したがって，本書ではこの用語は用いない．

このような主体内部の自己制御を介して，身体は外界に一定の直接的効果を生みだす．意識と身体の制御能力は，主体のうちに不可分のかたちで埋め込まれている．労働力は労働として現れる潜在的な能力である（図II.1.2）．

過程としての労働 　外界におけるモノの反応が，自然過程として捉えられる以上，これにはたらきかける労働も持続性をもった過程となる．この過程において，身体の直接的作用は多様なかたちで現象するが，それらは主体の意識によって統合されている．汎用的な労働力は，さまざまな作業を切り替え，組み換えながら支出される．分節化された諸作業が一つの目的に沿って有機的に結合されたまとまりを**労働過程**とよぶ．自然過程が，単独の始点と終点で構成されているのに対して，労働過程はそれらを組合せ調整する複合的な性格をもつ．

労働過程で主体は，はたらきかけるモノに対して，さまざまなモノを手段として使用する．前者は**労働対象**，後者は**労働手段**とよばれる．意識からみ

れば，身体は手段であるが，身体は労働手段とはいわない．労働手段というのは，意識と身体がセットとなった労働力ユニットからみた手段である．例えば，水中の魚が労働対象で，それを捕るための漁網は労働手段であるとか，綿花は労働対象で，紡錘は労働手段であるとかいう．

労働手段を労働対象から区別することは，労働過程の構造（図 II.1.3）を理解するカギになる．自然過程では，始点にさまざまなモノが並ぶ．しかし，主体は，モノすべてに同等にはたらきかけるのではない．これらはモノどうしで反応するのであるが，そうしたモノのうちには，それを操作することで反応全体の流れを制御できるポイントがある．モノのうち，そこから他に作用が及ぶポイントが労働手段なのである．主体は，労働手段をテコにして，モノどうしの複雑な反応に介入する．モノどうしの反応過程には自然法則に基づく自動性がある．労働力の介入ポイントの数が絞られれば，自然過程の自動性が顕著に現れる．ここに自動装置としての機械に発展する萌芽がある．

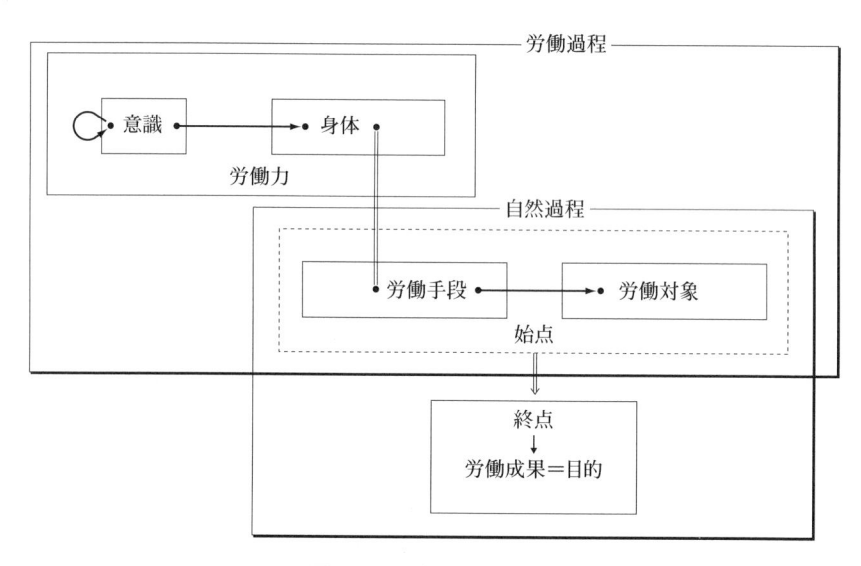

図 II.1.3　労働過程の構造

このような労働過程の構造は，合目的的な活動という労働の本質から生じるものである．主体は，目的を実現するために，始点を労働手段と労働対象に分解する．これは，一段階で終わるものではない．中間的な目的を定め，多段

階で最終目的に到達するかたちになる．それとともに，労働過程における労働は，多様な作業の束という性格をもつことになる．

他人のための労働　労働概念のコアに位置する意識は，最終目的を主体の直接的欲求に基づいて設定するだけではない．他人によって逐一指図されなくても労働を継続できるのは，意識が自律性をもつからであるが，自律的に追求される目的自体を，意識は外部から受け取ることもできる．直接的欲求と切り離して，目的そのものを意識的に追求できるという労働の特性は，他人との関係において強く現れる．その意味で，相手の意図を理解するコミュニケーション能力は，労働に欠かせない．(1) 自然過程を分節化して制御する能力と，(2) 直接的欲求という刺激なしに，中間目的を独立に追求できる能力とが結びつくことで，労働力には他人の目的を自分の目的として引き受けて自主的に遂行できるという独自の特性が生じる．

このような目的の受容は，他人の構想内容を直接聞き取り，それを主体的に追求するというかたちで実現されるだけではない．目的となる完成品を示して，これと同じモノをつくれと命じるというかたちでも可能である．さらに，労働の内容を具体的に特定するためには，労働手段や労働対象を与え，このなかで労働力を支出させるというかたちもある．労働力は自律性をもつが，それは主体を取りまくモノの世界で発揮される．モノの世界を条件づければ，そこで発揮される労働の内容もそれによって方向づけられる．労働の環境が，労働の様態を指示するのである．とりわけ，主体が内的自然たる身体を外的自然に接合する労働手段は，指示力に卓越する．金槌は叩く動作を，包丁は切る動作を無言のうちに指示する．このため多くの場合，(1) 主体に最終目的を明確に伝え，(2) 労働の場を設定すれば，外部から逐一指示を与えなくても，労働力は所期の労働となって現れるのである．

問題 72

　商品は「他人のための使用価値」をもち，労働力は「他人のための労働」として発揮される．さて，この二つの「他人のため」は，どのように関連するのか，述べよ．

1.2 労働組織

労働過程を分析してみると，そこには複数の主体間の連鎖を生みだす要因が潜んでいるのがわかる．その根幹をなすのは，「目的意識的」という特性である．意識は，外部から直接刺激を受けない状態でも，自律的に身体を制御し，さらに自然過程を制御する．しかし，意識は単なる閉鎖回路ではない．外部から情報を得たり，さらには他の主体と交信したりする連結装置でもある．外部から追求すべき目的を取り込むと同時に，それを主体的に追求することができる．

このような労働力ユニットは，バラバラに作動するものではない．その内部構造からして原理的に，独自のシステムを構成し，相互に連鎖して機能する．一般にこの労働力の結合構造を指すと思われる適当な用語が見つからないので，本書では**労働組織**とよぶ．「生産様式」という用語もあるが，1.1節のように労働と生産の関係を整理してみるとスコープが狭すぎる．労働組織とほぼ同じスコープを覆う用語に，「経営様式」という用語もあるが，これは経営主体が外部から労働過程を管理支配する場合の規定で，労働の特性から組織性を考察するには適さない．

なお，「生産様式」という用語について補足しておく．この用語は，奴隷制的，封建制的，資本主義的などの修飾を加えて，歴史的な諸社会を区別するのに使用される．個々の生産過程の編成方式という狭義の用法に対して，広義の用法である．人間社会の歴史的な発展は，生産力と生産関係の矛盾を基礎として，段階的に進むと考える，いわゆる「唯物史観」では，生産力と生産関係を併せて生産様式とよぶ．この生産様式は社会の「土台」あるいは「下部構造」ともよばれ，これがそれに対応した政治や法体系，社会制度や文化・芸術などの「上部構造」を規定するとみるのである．さらに**資本主義的生産様式**という用語は，単に労働過程や生産過程の編成様式だけではなく，流通過程も含めて，資本によって編成される経済社会総体を含意する場合がある．本書では，今日の経済社会全体を指す場合には，資本主義経済あるいは簡単に資本主義とよび，資本主義的生産様式という用語も用いない．

1.2.1 協業

協力・合体の原理　多数の労働者が，同じ目的を意識し直接に労働力を結合させる労働組織を**協業**という．「直接に」というのは，労働力と労働力の間に商品売買のような別の結合原理がいらないという意味である．協業は，自営農民や独立手工業者のような単独労働と対をなす．

協業という用語は，しばしば，古代社会で奴隷がガレー船を漕いだり，多くの漁師が網を引いたりするような，単純な同一作業を大勢で一斉におこなう状況をイメージさせる．とくにこのようなタイプの協業を明示するときは，**単純協業**とよび，これに対して，異なる作業を同時におこなう場合は**協業に基づく分業**とよんで区別することもある．分業については次項で説明するが，協業の基本概念は，両者に共通する一般的な協力の原理である．単純協業に限定してしまうと，その本質を見そこなう恐れがある．かといって，協業に基づく分業で考えると，協業の本質をこえた過剰な要因を持ち込むことになる．目にみえる具体的なイメージは，いずれも基本概念に対して，過少か過剰かなのである．

そこで，人間労働の特性から生じる独自の協力関係とは何か，あらためて原理的に考察してみよう．すでに説明したように，主体はいったん目的を定めると，そのあと自律的に目的を追求するが，目的設定の際には回路を開き，外部との交信を通じて受容する．複数の主体が，明示的に目的を統一して，そのあと回路を閉じて自律的に労働するということで，外部からは一体化した運動を生みだすことができる．10人の個別主体が，あたかも1人であるかのようにみえる結合である．

それは昆虫の世界にみられるような固定的な一体性ではない．ゴールを目指して自在にフォーメーションをつくり変える，例えばサッカーなどチーム型の球技をイメージするほうがよい．協業の核心は，人間労働に特有な意識回路にある．目的設定における開閉自在な回路を有することで，個々の労働力がもつ内部構造と同じ構造が，複数の主体が構成する組織に再生される．外側から観察されるのは，広義の身体的な一体性だが，それは目にみえにくい意識面の協力が生みだす現象である．

労働力は，意識と身体という両端に入出力系をもつ（図II.1.4）．次に述べる

分業が出力系の外的延長から派生するのに対して，協業は意識という自律性を具えた入力系の同調による．その点で，協業は分業に対して，原始的な未発達な労働組織であるわけではない．ただ知的な労働においては，協力意識の形成に不可欠な目的の明示化が難しいため，現象としては単純協業のような側面で，協業の効果が目につきやすかっただけである．情報通信技術の発展は，知的労働における協業の可能性を拡大する意味をもつ．

協力という基本原理から，集団力と競争心という二系統の特性が導出される．

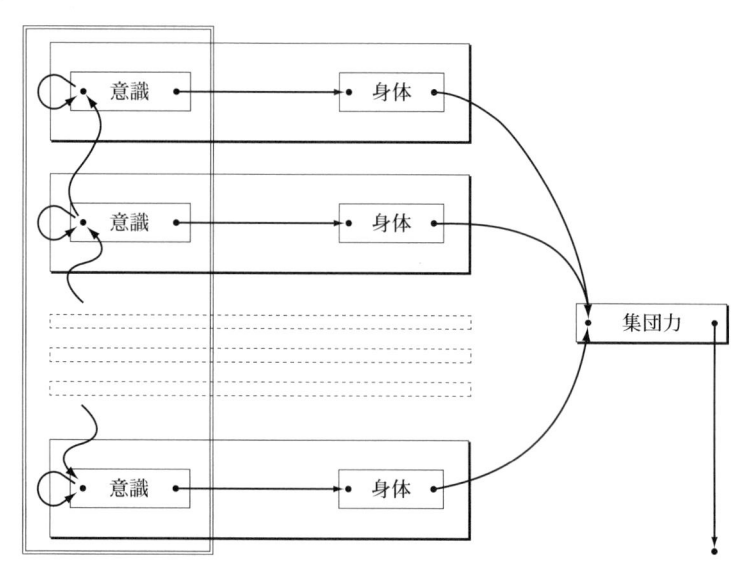

図 II.1.4　協業の基本原理

集団力　協業は，個別労働力の単純合計に還元できない，固有の作用を生む．労働力の結合による新たな効力の創出である．この分解不可能な作用を**集団力**とよぶ．集団力はしばしば $1 \times 10 > 10$ という増強効果のかたちで説明されるが，個別の労働力と異なる次元に属する概念で，本来，両者を量的に比較することはできない．集団力は，チームに固有な，新たな種類の力であり，個人の労働力が強められたものではない．したがって，その効果を個人に帰属させることは，論理的に無理がある．

集団力の概念は，個と全体の関係という根本問題を考えないと完全には規定できないが，ここではこれ以上立ち入らない．ただそれでも，歴史的にさまざまな結合原理で集団力が形成されてきたこと，個人に対して，社会的な力の実在を意識させることはわかるであろう．

　集団力の内部構造は複雑であるが，分析的に捉えれば，それは二つの結合原理を基底にもつ．(1) 同時点における集中と，(2) 異時点の同調である．その区別は，とりあえず，単純協業を例に考えてみると理解しやすい．

　(1) 集中の原理は，例えば，1トンの岩を10人がかりで押すケースなどによく現れる．物理的な力としては，10人の力の合力かもしれないが，同時に一点に集中し，一つの方向に押すということで，その力には新たな効果が生じる．この岩を1人の主体が10時間押し続けても動かない．また，10人の主体が，1人1時間ずつ交替で押しても同じである．だが，10人が協力してヨイショ，ヨイショと力を入れるタイミングを一致させながら，1時間押せば，岩はある距離，移動する．時間に換算すれば，同じ10時間でも，集中は独自の効果を生むのである．同期した複数の出力を並行させることをパラレルという．集中は協業のパラレル効果とよんでもよい．

　(2) 同調の原理は，例えば，10人が1列に並んで，水の入ったバケツを次々に手渡して運ぶバケツ・リレーの例などを考えてみるとわかる．ここでのポイントは，リズムにある．次の主体が受け取れる体勢にはいったタイミングを見計らって渡してゆく必要がある．それには，自分も同じようなタイミングで受け取って，一定の時間内で相手に手渡す体勢に入る必要がある．列を構成する主体は，それぞれ，同じようなタイミングで同じような動作を繰り返す必要がある．これを外側から観察すると，列を構成する主体の動きは一定のリズムで同調して連続的なバケツの流れが生みだされているようにみえる．10人がそれぞれ水の入ったバケツをもって10メートル歩いて運ぶのに比べて，バケツ・リレーが効率がよいのは，列の内部に同調の原理がはたらいているためである．複数の出力を時系列的に連続して流すことをシリアルという．同調は協業のシリアル効果とよんでもよい．

★問題73

10人がみな，1人2秒でバケツ・リレーをする場合，バケツ1

つを端から端まで運ぶのには 20 秒かかる．もし，10 人のなかに 3 秒かかるものが 1 人混じっていたとする．このとき，バケツ 1 つを運ぶのには何秒かかることになるか．

集中と同調を，大勢で岩を押す場合とバケツ・リレーで，具体的にイメージしてみたのであるが，労働力を結合させる基本原理は，複雑な現象のうちに貫いている．それは，分業に基づく協業を分析する際にも一つの基準を与える．さらにこのような基本原理は，知的な労働の場でも作用している．例えば，ディスカッションを通じて，問題の所在を明らかにし解決策を探るというケースも，一種の協業をなす．この場合，身体とは，コミュニケーションに関連するさまざまな器官であり，知覚・思考能力である．そして，参加者が共通の問題意識をもって，ディスカッションのテーマに集中することが不可欠であり，相手の考えを受けとめて，自分の発言をつなげてゆくことが求められる．こうした場を通じて，個別主体が別々に考えたのでは思いつかないようなアプローチが生みだされるのである．

競争心　意識的な協力は，労働組織に属する主体の間に形成される相互評価によって支えられる．同じ目的を意識的に追求する集団の内部で，主体は周囲から自己の活動が観察されていることを感じる．相手がそう明言しなくても，チームワークを乱す行動をとり続ければ，周囲から非難を浴びているような圧迫感を覚える．共通の目的意識は，個別主体に無言の圧力，ストレスをかける．作業場には独自の緊張感があり，職場には怠けにくい雰囲気がある．労働主体には，同じ人間として感じる，目にみえない社会的意識，傍目を気にする心性がはたらく．協業の内部において，主体が周囲の視線を感じ，他者と張り合う心性を**競争心**とよぶ．

問題 74
　協業に現れる競争心は，利潤率をめぐる個別資本の競争と，どこが異なるのか．

競争心は，優劣に関して非対称にはたらく．周囲に遅れをとっていると感じ

たときに，とりわけ高まる．他人よりも優れているということは，協業の効果を高めないが，劣ることはその効果を大きく削ぐ．バケツ・リレーで，みんながほぼ2秒で受け渡すなかで，1人だけ3秒かかることは全体の遅れを生む．だが，1人だけ1秒でできたからといって全体が速まることはない．周囲についてゆけないということはストレスを高め，競争心を刺激する．仲間が全力で岩を押しているときに，自分ひとりが力を抜くことは，それが隣人に見透かされはしないかという不安を生む．各自の寄与度が別々に現れないだけ，目にみえない監視の目がかえって主体の心の深部に及ぶ．

　競争心による相互規制は，労働力の同質化を生みだす．とくに，仲間に劣ると感じた主体は，周囲を見まわして理由がどこにあるか知ろうとする．隣の人をやり方をみて遅れる原因がみつかれば，すぐにそれをまねるだろう．競争心は，模倣による学習を集団内に根づかせる．この結果，同じ作用は同じような効果をもつものに自然と均される．もちろん，作業の継続のなかから，新しい技法が工夫され，その結果，主体間の労働効果に格差が生みだされる面も考えておかなければならない．しかし，それが，模倣学習による同質化を凌ぐことはない．平均以下の領域では，平均以上の領域に比べて，バラツキが縮小する傾向が強まるのである．すでに述べたように集団力は個別の労働力に還元することはできない．それを構成する主体に帰属させようとすれば，全体の成果を人数で割るかたちで擬制するほかない．しかし，平均計算による見かけの同質性というだけではなく，競争心によって実質的な同質性が育まれる．労働の同質性が協業を成りたたせるのではない．逆に，主体がお互いを意識して労働する結果，同質化するのである．

> **問題 75**
>
> 「多数の労働主体の労働を集中させたり同調させるには，集団に向かって指図する指揮者が必須だ．指揮監督労働が存在しない限り，集団力は発生しない」．この主張について論評せよ．

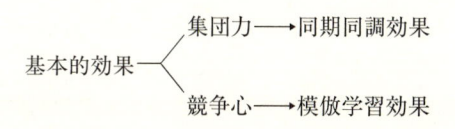

$$\text{基本的効果} \begin{cases} \text{集団力} \longrightarrow \text{同期同調効果} \\ \text{競争心} \longrightarrow \text{模倣学習効果} \end{cases}$$

生産手段の共有　そのほかにも，協業の効果とみなされてきたものがいくつかある．労働手段や作業場の共同利用によって，単独の労働力の場合より節約が進む．相対的に節約できることを「経済的」だともいう．「経済」という言葉にはもともとこうした意味がある．協業の節約効果は，広い意味で，「規模の経済」の一種とみなすこともできる．

しかしこの効果は，原理的に考えると，労働組織が生みだす効果とは異なる．労働がなされようとなされまいと，規模を膨らませることによって正確な比率が実現される．100 グラム単位で分包されている薬品 A と B を 3 : 7 の比率で混合して薬品 C をつくるとする．このとき，1 キロ未満の小単位でつくろうとすれば，無駄がでる．薬品 C は大量に一度につくることで，無駄が省ける．協業における規模の経済は，これに通じる効果である．

後に述べる，分業におけるバベッジ的効果と同様，この節約効果は，労働の組織原理にとっては付随的な効果である．しかし，このことはこの効果が量的にみて無視できるとか，重要でないとかということを意味するわけではない．副次的効果のほうが，実効性においては，はるかに勝ることもある．資本が手に入れる労働編成上の優位性の多くは，規模の経済のほうにあり，この協業の副次的効果の延長に資本蓄積による集中・集積の意義も位置する．

1.2.2　分　業

分割・合成の原理　協業は労働力の入力系である意識の連合をコアにする労働組織であった．これに対して，出力系の連合をコアにした，別種の労働組織の存在が考えらえる．労働力は広い意味での身体を介して，外部に広がるモノとモノとの反応過程に作用する．主体は自然過程を認識し，作用因子となる労働手段に身体を連接させることで，自然過程を目的にそった方向にコントロールする．

この場合，自然過程は，切れ目のない単調で連続的な流れではない．ある自然過程を分析すると，その内部は下位の自然過程の連鎖が現れる．さらにこの下位の自然過程を分析すれば，同様の連鎖が現れる．逆に，はじめの自然過程も，より上位の自然過程を構成する部分であることがわかる．部分と全体が同型の関係の繰り返しで形づくられる構造を「入れ子」構造という．ある過程の終点は，次の過程の始点となるかたちで結ばれて，自然過程はその内部に複数

の結節点をもつ．主体は，過程全体を結節点にそって分解し，最終目的に到達する手順を整えてから，下位の過程に順々にはたらきかける．

　手順がきちんと整った後は，主体は最終目的のことは忘れて，下位の過程に専念すればよい．入力系の意識のループは内部に向けて閉じ，出力系の制御に集中するわけである．こうして，同じ主体の意識も，下位の過程のなかで分割される．意識の分割は，下位の過程を異なる主体が遂行したとしても，所定のモノが結果として生みだされていれば，最終目的は全体の連鎖を通じて実現される．このように，モノを媒介に，異なる主体の労働力が連鎖する労働組織を**分業**とよぶ（図 II.1.5）．

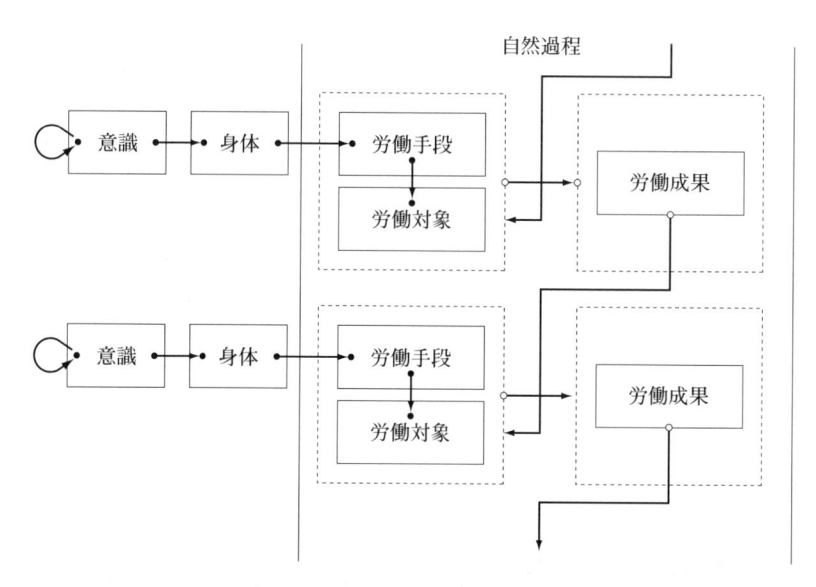

図 II.1.5　分業の基本構造

　分業 division of labour は文字通り，「労働の分割」であるが，単一の主体が異なる作業をおこなうだけでは通常，分業とはいわない．複数の労働主体が分割された部分労働を分担することが前提となる．分割された部分過程の枠内で，個々の主体は他の主体を意識することなく，相対的に独立して自己の目的だけを追求する．その点で，他の主体の意識を通じて結びあう協業と，対照的な，分割・合成原理を基礎にしている．ターゲットを限定し，意識が向かう先

を，モノだけに集中させるだけで，主体による制御の精度は上がる．これが分業による効率化の基本である．

考察方法上の注意　　分業がどのような効果をもたらすのか，考えてみよう．この問題に対して，さまざまな分業の具体例を思い浮かべ，そこに観察される効果を列挙するだけでは答えにならない．それはある具体的な分業の形態に依存した特殊な効果にすぎず，分業であれば必ず発生する本質的効果であるかどうかはわからない．理論的な概念規定が不充分なまま，多様で複雑な諸現象に分業というラベルが貼られてきたため，この用語は濫用の弊害が著しい．この点，ちょっと注意しておく．

> **問題 76**
>
> 　アダム・スミスは，ピン生産の仕事場を例に挙げ，そこでは今，18 工程に及ぶ労働を 10 人が分業でおこなうことにより，1 人あたり 4800 本ほど製造しているが，10 人が別々にはたらいたとすると，20 本はおろか 1 本もつくりだせないであろうという．そして，分業がこのように効率化をもたらすのは，一般に，(1) 技能の増進，(2) 作業転換に要する時間の節約，(3) 労働を促進・短縮し，1 人で多くの人の仕事ができる機械の発明，によるとまとめている．よく知られたこの議論について，考察方法の面から問題点を指摘せよ．

作業場内分業と社会的分業　　特定の目的のもとに統合され特定の主体によって管理されている分業を，**作業場内分業**ないし**工場内分業**という．この場合の作業場内という用語は，空間的な場所として想起させるかもしれないが，複数の作業場であっても，管理主体が単一性をもてば，作業場内分業の範疇にはいる．また，工場内といっても製造業に限定されるわけではない．これに対して，複数の管理主体で構成されている分業を**社会的分業**とよぶ．作業場内分業に対して，作業場間に形成される分業という意味である．

　二つの分業範疇の判別基準は，管理・統合主体にある．単一の主体によっ

て，目的に沿って事前に計画され，合理的に設計されているのか，あるいは，全体を管理する主体が存在せず，事後的に再調整されるかたちで編成が維持されるのか，という区別である．事後的調整の典型的方式は，市場における競争によるものである．社会的分業は事実上，市場を媒介とした分業を含意する．

協業とともに「労働組織」のもつ一つの軸をなす「分業」は，労働主体の観点から捉えた規定で，作業場内分業に限られる．これに対して，「社会的分業」は複数の作業場内分業で構成された大きな編成体である．これは労働組織としての「分業」を労働主体からみるか，管理主体からみるか，といったレベルをこえている．社会的分業は，国際分業といったかたちで，さらに拡張される．しかし，ここで「労働組織」に限定して，分業という用語を使用することにする．

基本的効果　分業の効果を原理的に考察する際にポイントとなるのは，「労働過程」で説明した「過程」という概念である．一連の労働が複数の部分作業，すなわち工程に分割できるのは，自然過程自体が分割可能性をもつためである．

> **問題 77**
> 過程の分割は，自然過程によってきまるのか，それとも，主体の能力に依存するものなのか．

労働の分割は，自然過程に依存する面と，主体の能力に依存する面がある．本書では前者を**技術**とよび，後者を**熟練**ないし**技能**とよぶ．工程分割のポイントは，始点と終点の間に，ある安定した期間の存在が想定できることにある．例えば，針金を3センチの長さに切断するのに，12秒かかることも8秒ですむこともあるが，たいていは10秒だという場合，この期間は針金の特性や測定・切断に使う道具の性能などによって，自然過程として規定される．だがそれは，正確に一定不変だというわけではない．1回ごとに変動する要因が隠れている．状況に応じて主体は，こうした要因をコントロールする．自然過程を客観的に分析し，それを構成するモノの世界に対する知識が正確になれば，より的確な工程分割に改めることで，各工程に要する期間は安定性を増すだろ

う.「技術」の進歩の成果である.しかし,工程分割を動かさず,同じ作用を同じ主体に繰り返させることで安定性が高まることもある.主体が工程に慣れ,変動をコントロールする能力を身につけるからである.こちらは「技能」の発達の成果である.

技術と熟練は複雑に影響しあうが,原理的には分離可能な概念である.図II.1.5において ○—○ で示した,モノがつくりだす自然過程内のタテの流れ（技術）と,これを目的意識的に制御する労働過程の ●—● で示したヨコの流れ（熟練）である.分業の効果は,この交叉する二つの軸に即して分析できる.

習熟効果　労働力の出力系にみられる熟練ないし技能は,分割された個別過程の特性に基づく.それぞれの分離独立された作業工程には,なお未知の変動要因が潜んでいる.この変動要因は明示できないが,労働力は自然過程に身体を挿入し変動に身をさらすことで,注意力を発揮し,過去の経験に照らしながら,目的に向かって過程をコントロールする.

労働力が意識と身体と命名した,「制御するもの」と「制御されるもの」のユニットであることが,ここで重要な意味をもつ.意識は,まず自分で自由にできる装置として身体をもつ.身体操作については,意識は習熟している.自分の手足は,あえて意識しなくても思い通りに動かせる.ここにいう身体は,手足に限るものではない.労働力の出力系を包括する広義の身体である.例えば,意識の出力系には,話すことや字を書くことも含まれる.計算をしたり,並べ替えたりする,といった知的作業も広義の身体に埋め込まれている.こうした行為は,「どうやってやったのか」とあらためて問われると説明に窮するが,それほど自然にできてしまう.さらに,声でも身振りでも,他の主体と交信する媒体を広義のモノとして自由に操作することができる.要するに,労働力は,その内部に,自由に制御できる身体という装置をもつ.熟練のコアはここにある.

このように身体は,労働力ユニットの内部に属すると同時に,自然過程にも組み入れられている.主体はこの身体をコントロールすることで,自然過程をコントロールする.ただ,身体と,その外部に広がるモノの世界との間には,大きな溝がある.手足と同じように道具は動かない.両者のつなぎ目に,経験

的な情報が動員されるのである．広義の身体の延長線上に位置するものとして，この種の熟練は属人的な性格をもつ．

　しかし，熟練の属人性は，成果の属人性を意味しない．「どうやったのか」はその人にしかわからなくてもよいが，できたモノを「どう使うか」は，だれにでもわかる必要がある．とくに，分業において求められる熟練では，成果の匿名性が決定的な意味をもつ．他の主体が受け取れば，それは説明ぬきに理解できるモノでなくてはならない．熟練という言葉は，しばしば名人芸のような，その主体にしかわからない秘伝の類を連想させる．しかし，分業における熟練では，相手がイメージしているモノを正確にコピーすることが第一義となる．一定の期間でそれを繰り返しこなす標準化が，労働編成に必要な習熟効果の基本をなすのである．

自動化効果　モノとモノの反応を観察し分析することで，自然過程の認識は進む．労働過程を通じて，自然過程に関する知識が深まることはあるが，すべての自然過程に対する知識が，労働過程から生じるわけではない．自然過程は，モノとモノとの間にはたらく相互作用である．これは，実験や観察を通じて，独自に解明される自然科学的知識でもある．科学技術はその応用として，労働過程の外部からもたらされる．歯車の運動は，労働力ユニットを分析しても，そこから連想できるわけではない．電力エネルギーの開発は，人間労働の分析から派生するわけではない．

　しかし，対象を操作可能なインプット・アウトプットの関係に単純化して捉える工学的アプローチは，自然科学的な対象だけではなく，労働過程にも応用可能な面をもつ．人間の身体の工学的分析は，道具や機械の開発の基礎になる．さらに，知的活動の周縁にも，同様な関係が存在する．これはコンピュータの発展にみることができる．基礎となる過程の認識は，半分は自然過程に因子をもつが，残りの半分は主体の関心に依存する．目的を設定して，そこにいたる道筋を分析し，因果性のあるプロセスの組合せとして人為的に設計するアプローチは，分業に不可欠な手順化の手法と共通なのである．

　再現性のある過程が認識できれば，その過程を労働力による制御から解き放ち，広義のモノとモノとの反応過程に置き換えることができる．意識が制御しているようにみえても，最後はモノどうしの反応である．ただ未知の要因が潜

むために，身体という制御自由なモノを通じて体感で制御するのが熟練であった．再現性のある過程への分割と設計は，制御過程をモノどうしの連鎖に還元する．自然過程に内在する自動的な反応を純粋に抽出し，部分過程の組合せとして再現する．習熟に対するもう一つの分業の効果が，この**自動化**なのである．

> **問題 78**
> 穀物，金属，撚糸の生産過程を例に，自動化の概念を説明せよ．

このように自動化効果は，習熟効果と対極的な性格をもつ．熟練が属人性を示すのに対して，自動化をもたらす技術は，だれにでも通用する匿名性を有する．装置そのものであれ，設計図やプログラムであれ，それは基本的に複製可能な性格を具える．分業の基礎をなす，自然過程の分割による手順化は，習熟効果と同時に，自動化効果を生みだす．こうして分業は，対抗的な二系統の制御を内包することになる．

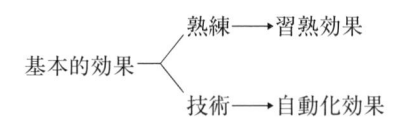

```
                  熟練 ─→ 習熟効果
    基本的効果 ─┤
                  技術 ─→ 自動化効果
```

1.2.3　資本主義的労働組織

理論構成の再確認　さて，第１章ではこれまで，人間労働の特性と労働過程の構造を明らかにし，そこから労働組織の編成原理について考えてきた．これによって，どのような社会形態にも通じる労働の基本原理はほぼ明らかになった．そこで，第Ⅰ篇の末尾に戻り，資本が労働をどのように組み込むのか，分析を進めてゆく．まず次の２点を確認しておこう．

　第１に確認すべきは，当面の課題が，労働力と労働組織におかれているという点である．労働は生産と密接に関連するが，生産をはみだす領域にも及ぶことは，この章のはじめで述べた．ここでは，商業や金融なども含めた広義の労働過程に対する，資本に固有な組織化の原理が考察の対象となる．

　第２に確認しておきたいのは，ここでの課題が個別資本が部分的に内包す

る労働力とその組織化の解明に限られていることである．協業にせよ，分業にせよ，いずれも個別資本の枠をこえた，社会全体の編成原理につながる面をもつ．しかし，個別資本の行動は，直接こうした社会全体の編成をめざすものではない．社会全体との関連は次章の課題である．

労働力の商品化　資本主義的労働組織の考察には，「労働力の商品化」という外的条件を導入する必要がある．労働力が商品として資本の前に立ち現れるのは，特殊な歴史的状況である．むろん，労働力の商品化が発生したから，資本が受動的に労働過程に進出したわけではない．資本は，商品を安く買う過程の延長として，労働過程を部分的に取りこもうとする性質をもつ（91頁「生産過程の流通過程化」）．また，労働力には商品となる可能性が潜んでいた（109頁「他人のための労働」）．しかし，労働主体が実際に自己の労働力を商品として販売するかどうかは，別の問題である．それは，労働主体が自己の労働力を用いて生産と消費を営むことができないという条件があって，はじめて現実となる．

「労働力の商品化」は，『資本論』にしたがって，通常「二重の意味で自由な労働者」の形成として説明される．「二重の意味で」というのは，第1に，身分関係に縛られることなく，労働者が自分の労働力を自由に売買できるという積極的な意味の自由と，第2に，労働手段も労働対象も所有していないという消極的な意味の自由のことを指す．第2の意味の「自由」は欧米語に固有なもので日本語の語感からはズレるが，いずれにせよ，労働者が自立した市場の主体となるとともに，労働力が労働者自身にとって直接使いものにならない「他人のための使用価値」をもつことが必要だというのである．労働力は，このような売り手の条件が加わってはじめて商品化するのである．

本書では，「労働力の商品化」という外的条件を二段構えで導入する．はじめに，(1)個別資本の観点からみて必要とされる範囲で，労働力が商品として与えられているという条件を追加する．この条件は，次に追加する，(2)どの産業においても労働力が自由に調達できる条件とは別である．全社会的な規模で大量の労働力が商品化されているという，(2)の条件は，第2章において生産との関係を考察するときに追加する．

さて，ここから，市場に起源をもつ資本が，外部に広がる労働と生産の世界

124　第II篇　生産論

に及ぼす作用に考察の舞台は移る．この章の残りの部分では，労働過程に個別資本が，どのように結びつくかを考察する．分業と協業との関係を整理することからはじめよう．

協業と分業の交叉　　人間労働の特性を基礎に，その組織原理を分析してみると，協業と分業という対抗軸が検出できる．両者は，どちらか一方に還元することもできないし，どちらが基本かも決定できない．つまり，直交関係にある．両者は，図II.1.6のように図示することができる．協業の基本原理は，目的を共有する意識の協力であり，それは結果において労働力の集積を生む．労働力は，直接互いに意識レベルで接触・交信する必要があるからである．これに対して，分業の基本原理は労働の成果を媒介にした間接的な結合である．モノどうしの反応過程が整合的に編成され，それに即して個々の労働力は明確に分割される必要がある．

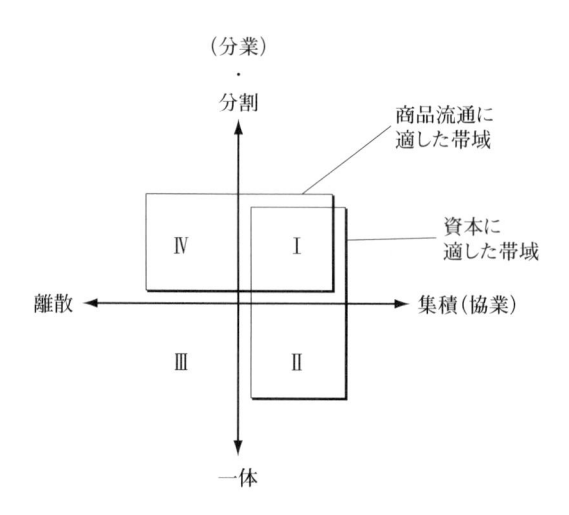

```
            (分業)
              ·
             分割
              ↑
      ┌───────┼───┐  商品流通に
      │   ┌───┼─┐ │  適した帯域
      │ Ⅳ │ Ⅰ │ │
      │   │   │ │  資本に
      │   │   │ │  適した帯域
離散 ←┼───┼───┼─┼→ 集積(協業)
      │   │   │ │
      │ Ⅲ │ Ⅱ │ │
      │   └───┼─┘ │
      └───────┼───┘
              ↓
             一体
```

図II.1.6　協業と分業の交叉

★**問題79**

　図II.1.6における4つの象限に対して，それぞれ具体例を挙げよ．

> ★問題 80
>
> 　図 II.1.6 に即して，もう一度，作業場内分業と社会的分業の区別を考えてみよう．
>
> 　次の命題は正しいか．
>
> (1) 作業場内分業が存在しなければ，社会的分業は形成されない．
> (2) 社会的分業が存在しなくても，作業場内分業は形成される．

資本と労働組織　　さて，図 II.1.6 に示された関係を基礎に，労働の世界に第 I 篇で考察した市場がどのように重なりあうのか，考えてみよう．単なる売り手・買い手という経済主体から，資本という活動主体を明確に区別することが，ここでのポイントである．資本は安く買う手段として，労働過程に浸透する性質を具えていた．そして，資本が労働に対して発揮する最大の効果は，多数の労働力を「買い集める」ことができるという点に現れる．資本の額に応じて，労働力の結合を拡大し，協業の効果を自らの増殖の基礎にすることができる．だから，資本の優位性は，労働組織の座標軸上の第 I 象限と第 II 象限を覆う帯域において発揮される．それは，単なる分業一般ではなく，集積効果に特徴的に示される．「資本に適した帯域」が独自に存在するのである．

　これに対して，資本に先行する商品流通の世界でも，売り手・買い手の背後に労働過程の連鎖は存在していた．それが社会全体のなかで，部分的・周辺的であるとしても，独立小生産者の存在を否定することはできない．多様なモノが商品形態をとって売買されるということは，モノを通じて分割された労働が，市場を通じて結果的に連結されることを意味する．商品流通一般が覆いうる帯域は，第 IV 象限から第 I 象限に及ぶことになる．資本概念に先行する「単純な商品流通」（図 I.2.1）の次元で，市場はすでに分業という労働組織と親和性を示す．これが，図 II.1.6 における「商品流通に適した帯域」である．

> 問題 81
>
> 　「商品流通に適する帯域」と「資本に適した帯域」のズレは何を

意味するか.

市場と労働組織の結びつきは，現実には多様なかたちを呈しながら歴史的に変化する．こうした現象に対して，人間労働の特性から労働組織にいたる原理は分析の枠組を与えるのである．

資本主義的労働組織の二重性　第Ⅰ象限における資本による労働編成は，協業が基本となる．しかし，分業自体は，独立小生産者でも可能である．資本と独立小生産者を分かつのは，協業の集積効果にある．資本は労働力を商品として買い集め，集団力を取り込むことで，分散的な独立小生産者に対する優位性を確保してきた．資本は，労働力を「協業に基づく分業」というかたちで編成するのである．

しかし，その編成様式は一つに収斂するわけではない．その内部に異なる方向性を抱えている．この多型化を生む直交軸を，「マニュファクチュア」と「機械制大工業」という既存の用語を再定義して区別する．本書はできるだけ造語は避ける方針である．その分，ややくどくなるが，ここでも用語に関する注意を与えておこう．

まず，マニュファクチュアといえば，ふつう，製造業全般を意味するが，ここにいう**マニュファクチュア**はもっと限定されたものである．**工場制手工業**とも訳され，労働組織ないし経営様式の一つの型を指す．ただし，マルクス経済学や経済史においては，さらに，歴史的に特殊な現象を含意させる用例が定着している．また，「機械制大工業」という用語も，『資本論』で最長の章のタイトル「機械と大工業」を，後代の解説者が縮約した造語である．多くの場合，19世紀中頃のイギリス綿工業の労働組織を念頭におき，理論的な定義を明確にせぬまま，用語だけ一人歩きした観がある．すでに述べたように，本書では，これらも理論的範疇として，その構成要素を分析し定義を明示する．

このような観点からいうと，**工場制**というのは，分散的な独立生産者に対して，一つの作業場に多数の労働主体が集められた協業を意味する．**大工業**という用語も，規模が相対的に大きいことが示唆されているが，工場制と基本的には同じく協業を意味する．規模の大小は副次的要因と考えれば，工場制と大工業は同義（工場制 ≒ 大工業）であり，ともに資本主義的労働編成の基本が協業

であるという意味になる．

したがって，両者の違いは手工業か機械制かという区別に集約される．**手工業**という用語は，組織編成の基盤が習熟効果を伴う「熟練」であることを意味する．他方，**機械制**という用語は，この対をなす自動化効果を生む工学的な「技術」を意味する．労働力を取りこんだ資本の内部組織は，協業という同じ基底のうえに，マニュファクチュアと機械制大工業という分岐軸を張る．表 II.1.1 に整理した通りである．

表 II.1.1 労働組織の組成

商品流通	資本主義的労働組織	マニュファクチュア	機械制大工業
		協業（≒ 工場制 ≒ 大工業）	
	独立小生産者	協業なき分業	
商品流通と無縁な労働組織（協業や分業は存在可能）			

ただし一般には，マニュファクチュアは，技術面では独立小生産者と同じ手工業に基礎をおく．そのため，マニュファクチュアは，独立小生産者と機械制大工業のキメラに見える．しかし，理論的に整理してみると，基本的な分岐線は，独立小生産者と資本主義的労働組織の間にあり，マニュファクチュアと機械制大工業は資本主義的労働組織の二類型を構成するという結論がでてくる（表 II.1.1）．以下，本書では「独立小生産者 ⟶ マニュファクチュア ⟶ 機械制大工業」という歴史的発展も論理序列も想定しない．これらは理論的な推論の外部に広がる歴史的現象であり，経済原論を基礎に独自に分析されるべき課題である．本章のこの後の部分は，資本主義的労働組織の二重性ないし二面性を分析する装置として，マニュファクチュアと機械制大工業という対概念を組み立てる作業に当てられる．

マニュファクチュアの基本概念　　まず，マニュファクチュアの概念のほうから確定してゆこう．出発点は，分業における基本効果の二重性，すなわち習熟効果と自動化効果であった．このうち，習熟効果による熟練の格差から，マニュファクチュア型の労働組織は導出される．機械制大工業型の労働組織は，自動化効果から導出されるわけである．

多数の労働力が商品として購入できる状況のもとでは，習熟効果による熟練に，独自の効果が派生する．組織化による実質的な効率に変化がなくても生じる付随効果である．結果だけ取りだすと同じにみえるが，どのような社会形態のもとでも，分業組織から直接生じる基本的効果とは原理的に区別しておく必要がある．資本が労働力を商品として購入できるという要因が加わると，分業における熟練度の相違が独自の効果をもたらすのである（「分業 ─→ 基本的効果」であるのに対して，「分業＋市場的要因 ─→ 付随効果」）．

分業は労働主体の熟練度を高め，一定期間に生産される物量を飛躍的に増大させる．アダム・スミスが『国富論』冒頭で印象的に描いてみせたこの効果を，本書では分業の**スミス的効果**とよぶことにする．この効果は，個々の労働主体の熟練の格差によるものではない．各主体が一様に熟練度を高めたとしても，スミス的効果は発生する．これは，結果として効率化が生じたのであれば，過程のどこかで何らかの習熟が進んだはずだ，という推論なのである．

しかし，スミス的効果がまったく生じなくても，分業が効率化をもたらすことがある．分業の前と後で，労働主体の習熟がみられず，一定期間の生産量に変化がなくても，分業から効率化が派生することがある．各労働主体が完成品にいたる全工程を一人で担当するとすれば，全員が全工程のうちでもっとも難易度の高い工程をこなせなければならない．しかし，工程を分割すれば習熟者を困難な作業だけに専念させ，その他の容易な工程は補助者に分担させることができる．もし熟練の程度によって賃金に格差があれば，生産に必要な賃金の総額は節減できる．

不熟練な補助者の導入は，全体としてみると熟練度が下がったとみなすことさえできる．スミス的効果のベースとなる，労働主体の熟練度の上昇はどこにもみられない．したがって，一定期間の生産量も変化しない．しかし，全体を細分化し，習熟者の数を減らし部分的に補助者を導入することで，単位あたりの労働経費は削減できる．本書では，この原理を明確にしたバベッジ（Babbage, Charles 1791-1871）に因み，**バベッジ的効果**とよぶ．

これは分業と賃金格差の複合で生じる付随的な効果である．この効果は，熟練の水準の絶対的な高低ではなく，熟練度のバラツキの程度に依存する．一見複雑にみえる作業でも，それをよく観察すれば，単純な作業を分離できる．ここに低賃金労働を導入することでコストは削減できる．マニュファクチュアのコ

アを構成するのはこの効果である．

> **★問題 82**
>
> 　ピン生産の仕事場で 10 人の職人が 1 日に 48000 本のピンを生産している．しかし職人の仕事を観察すると，ピン生産には多くの工程があり，そのうち，材料の針金を運んできたり，製品を包装したり，後片づけをしたりする工程は職人でなくてもできる．職人がやっていたこれらの工程は 8 人の補助労働者にまかせれば，職人を 4 人に減らしても 1 日 48000 本のピンが生産できる．職人の日当は 4 シリングだが，補助労働者の日当は，2 シリングである．職人だけのケース A と，職人と補助労働者によるケース B を比較して，次の問いに答えよ．
>
> (1) 1 人あたりの 1 日の生産量はどちらが多いか．
> (2) 1 本あたりの日当はどちらが多いか．
> (3) 熟練度はどちらが高いか．

マニュファクチュアの展開形態　　一般にマニュファクチュアは，労働者の熟練に依存した，歴史的に古い労働組織ないしは経営様式であると考えられてきた．しかし，以上のように原理的に推論してくると，資本が労働組織を編成するときにとる一極を構成することがわかる．その現代的な展開は，労働と生産の交叉関係を念頭におくと一層はっきりする．資本は生産における労働を組織するだけではない．効率化の面で優位性が生じれば，資本は労働一般の領域に進出する．図 II.1.1 における IV の領域である．

　この事態は，実はすでに，市場自体のなかで，資本そのものの内部に発生している．商人のケースを考えてみよう．個人で商店を営む資本家は，商品の仕入から陳列まで，値付けから帳簿勘定まで，接客から配送まで，すべての過程をおこなわなければならない．商人のおこなうこれらの活動は，目的意識的な人間労働の性格を具えており，**商業労働**とよばれる．

　このような複雑な内容すべてを 1 人で取り仕切ることには，デメリットもある．多少とも資本規模が大きくなれば，商人はこうした領域に労働組織を導

入する．この場合，資本家としての商人自身と同じく全過程をこなせる複数の労働者を雇う必要はない．陳列・配送，帳簿勘定などの，定型的な活動から手伝いを導入するであろう．商業労働における分業は，こうして，マニュファクチュア型の労働組織を形成する．熟練を要する中心的な労働の周辺に，マニュアル化された不熟練労働が，何層にも配置される典型的な労働組織である．製造業を意味するマニュファクチュアという用語を，商業労働にかぶせて使うことは，語義的には矛盾するが，組織原理としては合致するのである．労働組織を取り込み効率的に商業労働をこなす大商人は，個人商店主を打ち負かす公算が高い．だが個人商店主は，逆に新たなニッチを開拓するかもしれない．産業資本と独立小生産者の葛藤の雛形である．

資本は，このようなマニュファクチュア型の労働組織を駆使して，人間社会の諸領域に浸透する性格をもつ．この組織原理は，労働を通じてモノを生産し，そのモノを消費することで欲求を充足という媒介をとらない対人サービスの領域などに資本が進出するときに，強力に発揮される．医療，教育，法律・行政サービスなど，私的な消費生活とは区別される独自の社会的活動の領域である．

> **問題83**
> 医療活動を例にとって，マニュファクチュア型労働組織の特徴を説明せよ．

こうした領域では，資本の進出とは相対的に独立した分業組織が形成される．資本は単にその分業組織をそのまま踏襲するのではなく，賃金格差という要因を追加することで，マニュファクチュア型の労働組織に再編する．そのポイントは，工程を細分化し明確にランク付けすることである．客観的にははかりにくい実質的な熟練能力の差違が問題なのではなく，一体的な過程を複数の主体に分割するための明瞭な境界線が重要なのである．マニュファクチュア型の分業で，今も昔も相変わらず，必要とされるのは，職種の等級化であり，さまざまな資格検定である．ここには，次節の賃金制度が深く関係する．バベッジ的効果は，現代においても，企業がアウトソーシングをおこなったり，補助作業への派遣社員導入で正社員を削減したりする場合にはたらいている．

どうやらここで，理論的展開の開口部に到達したようである．ここから先に興味深い問題が潜んでいるが，残念ながら原理論の守備範囲をこえる．それぞれの現象の特殊性の分析が焦点となる領域である．原理論の課題は，ここにいたるまでの論理をさらに掘りさげ，多様な歴史的現象の意味を統一的に理解する枠組を構築することにある．

機械制大工業の基本概念　機械制大工業の基本概念に移ろう．これは分業の自動化効果に基礎をもつ．自動性はもともと自然過程のうちにある．一定の結果が再現されるように，自動性を集積した自然過程を**機械**とよぶ．機械の自動性は，労働の目的意識性と対をなす．

機械は，労働主体がその内部に干渉しなくても，特定の成果を自動的に生みだす．自動性を機械に結晶させるには，二つの手法がある．第1の手法は，変動要因を特定し消滅させることであり，第2の手法は，変動要因を外部に押しだし制御の手続きを確定することである．炉内の温度は，燃料の品質や炉の構造を工夫すれば安定するが，温度変化を燃料の量だけで外部から調整可能にする手もある．機械部品の精度を上げれば動作のブレはなくなるが，ブレを調整するポイントを一つのレバーに集中し外部から制御可能にするやり方もある．

第2の手法では，変動要因が集中され，労働力に結びつけられる．この調整のための労働にも一定の熟練が必要となる．しかし，それはどんなに習熟しても機械の精度という壁をこえることはできない．また機械が変われば，それとともに無用になる従属的なものである．機械を前提としたこの種の熟練は，労働者がそれを商品として独立に販売しにくいものにする．ここに機械制大工業が，資本主義的労働組織として有する第1の効果がある．機械によって作業が単純になるというだけではない．むしろ，このようなかたちで熟練の意味が変質するところに，機械による労働の単純化の本質がある．

しかし，機械制大工業は資本にとってより根本的な効果を有する．単独の機械ではなく，機械体系が発揮する効果である．労働主体による調整なしに，機械どうしが結びついたものを**機械体系**という．機械体系の役割は，機械と機械の間の関係を，労働主体による管理から自動制御に移すことにある．複数の過程が別個に運動するなかで，ある過程が行きすぎれば抑さえ，遅ければ加速す

るというフィードバックが，生命体では恒常的にみられる．フィードバックによる自己調整である．この問題は，すでに，メカニズムとシステムの違いとして一般的に説明したが，機械は文字通りメカニズムであり，機械体系はシステムである．分業は，モノを媒介にした労働力の連鎖であった．この連結部分における労働主体の目的意識的な調整作用が，自然過程化されるのである．機械体系による脱労働化である．

機械制大工業のコアは，メカニズムとしての機械と労働力の単なる代替関係にあるのではない．システムとしての機械体系によって労働組織を置換することこそ，そのコアなのだ．単独の労働主体の身体活動が機械にコピーされるのではなく，労働組織が自然過程化されるのである．情報通信技術の発展は，この意味における機械制大工業の形成に決定的な意味をもつ．労働主体の間の広義のコミュニケーション活動を，機械体系に外部化する基盤となるからである．

機械制大工業の展開形態

マニュファクチュアが旧式の労働組織であるとみなされてきたのとは反対に，機械制大工業は資本主義にもっとも適合的な労働組織として理念化されてきた．機械制大工業のプロト・イメージは，マルクスが『資本論』第1巻で明らかにした，19世紀中頃のイギリス紡績工業に基づく．そこでは，自動化された紡績機と，それを補助する不熟練労働者の結合状態が克明に描かれている．しかし，大量の不熟練労働者が自動機械と併存する状態が，安定した一つの型をなすと考えることには原理的に無理がある．機械体系が全面的に普及すれば，労働力は排除されるはずだからである．

事実また，今日の観点からふり返ってみると，マルクスが描いた機械制大工業のすがたは，当時の繊維産業の特殊性に大きく依存している．それは原料である綿花栽培はもとより，機械製造や縫製加工などの関連産業のすべてを支配するものではなかった．これらの関連産業では，同時にマニュファクチュア型労働組織が深化したのである．これは資本主義の発展がまだ不充分だからで，やがては全体が機械制大工業に収斂するというものではない．これまでの考察をふまえるなら，資本主義的労働組織は，原理的にマニュファクチュアと機械制大工業という二つの軸を基底に，本質的に多態性を帯びて現れる．両者はと

もに，労働そのものの本性にその基礎をもち併存するのである．

> **問題 84**
>
> 「純粋な資本主義であれば，機械制大工業が一元的に支配するはずである．原理論はこの状態を想定して展開されるべきだ．協業，分業，機械制大工業はワンセットの理論で，同じ資本主義的労働組織を多層的に説明しているにすぎない．マニュファクチュアと機械制大工業という二つの労働組織が並立するなどというのは，論理的必然性を説くべき原理論に相応しくない」．この主張について論評せよ．

> **問題 85**
>
> 「資本主義が発達するなかで，熟練は機械体系に置き換えられ，やがて消滅する」．この主張について論評せよ．

1.3 賃金制度

賃金制度の基本概念　「賃金」には，もともと，賃貸借に対する「賃料」という意味があり，労働に対する賃料が労働賃金すなわち**労賃**となる．しかし，ここでは賃金という用語を，通例通り，労働力商品の価格という意味で使ってゆく．

ただ，それでも労働力を商品売買のかたちで処理することには固有の問題がある．すでに述べたように，労働力は主体の目的意識を核に発揮される能力である．それは，主体によってコントロールされる広義の身体だけではなく，思考や判断，共感や交信といった，それをコントロールする意識面も取り込んで，商品として売買される必要がある．家畜を使うためには，労働者がつねに命令し監視する必要がある．だが，労働者を使うには，資本家が絶えず命令・監視し続けなくてはならない，というわけではない．労働者は，目的を示せば，その実現をめざして自ら労働する．労働者は，目的意識的に家畜を働かせることができるが，家畜に労働者を働かせることはできない．このギャップを**主体性**と呼ぶ．家畜は主体的に労働するものではないが，労働者は主体的に労働することができる．この主体性を，どのようにして商品売買によって取り込

むかが問題となる．

さらに次のような問題が重なる．資本は個々の労働力を別々に使用するのではない．資本が独立小生産者と本質的に異なるのは，複数の労働力を商品として「買い集める」ことで，労働組織の優位性を我がものとする点である．しかし，労働組織に必要な統合は，労働力商品の売買における個別的な利益追求と整合的ではない．自分だけの賃金に関心がある労働主体に，労働組織のメリットをいかにして追求させるのかという問題が発生するのである．

意欲や協力，熟練などの主体的要因を効率的に商品売買の形式で処理するために，賃金の支払方法にさまざまな工夫が施される．これを**賃金制度**とよぶ．ここにいう制度は，条文法や契約書のようなかたちで明文化されたものだけでない．黙約や社会慣習のかたちで了解されるものも含まれる．労働主体の意識に深く関わる不可視の契機を処理するには，明文化されたものの根底にある暗黙の合意のほうが規定的な力を発揮する．こうした広い意味での賃金制度は，多様な現象形態をもつが，ここでは賃金形態と支払方式という二つの基軸で解析する．

賃金形態 賃金の支払単位を何に設定するかによって，**賃金形態**は分かれる．伝統的には，時間賃金と出来高賃金という区別がなされてきた．

時間賃金というのは，労働時間を単位に支払額を定める形態である．時給や日給のような，単位時間あたりの賃金額を**賃金率**という．賃金率といっても，賃金額と別の価額の比率ではない．何パーセントというかたちで表示される比率ではなく，円/時 などの単位で示される，一種の交換レートである．賃金率を w，労働時間を t とすると賃金額は $w \times t$ となる．賃金率が事前に定められていれば，労働時間に比例して賃金額はきまる．ポイントは，労働時間が売買当事者の評価に依存しない外形性を具えている点である．一般の商品売買でも，価値評価は価格に反映され，取引数量は客観的にきまる．時間賃金の場合，労働力の賃金率は価格であり，労働時間は数量である．1ヶ月の生活費が20万円だとしても，それは賃金率1000円で1月8時間/日 × 25日 = 200時間労働にも，800円で1月10時間/日 × 25日 = 250時間労働にも対応する．一定の賃金額は，高賃金率・短時間労働でも，低賃金率・長時間労働でも実現

される.

> ★問題 86
>
> 次の二つのケースは，外形は同じにみえる．(1) リッター 100 円のレギュラーガソリンを 2000 リッター売って $100 \times 2000 = 20$ 万円 という場合．(2) 1 本 100 円のバナナ 2000 本売って $100 \times 2000 = 20$ 万円 という場合．しかし，その内容には次のような違いがある．(2) の 2000 本のバナナは大きさが不揃いだったり，なかには腐っているものが混じっているかもしれない．それらを選り分けるのは，けっこう手数がかかる．だから，歩留まりを見込んで全部で 20 万円という額を先にきめ，簡単に数えられる 2000 本で割って，平均 1 本 100 円という単価が算出されている公算がある．これに対して，(1) の 2000 リッターは均質であり，バナナのような見なし計算の余地はない．さて，時給 1000 円で 1 月 $8 \times 25 = 200$ 時間 はたらけば $1000 \times 200 = 20$ 万円 という支払形態は，(1) のタイプか，(2) のタイプか．

出来高賃金ないし**個数賃金**というのは，労働成果の単価を定めて，これを基準に支払額を算定する形態である．単価を $\tilde{p}$ 出来高を x とすると賃金額は $\tilde{p} \times x$ となる．労働者は労働成果を資本家に販売しているような外観が生じる．

> ★問題 87
>
> 個数賃金は，問題 86 における (1) のタイプか (2) のタイプか．

しかし，厳密な意味での個数賃金は，協業をベースとする資本主義的労働組織と相性がよくない．労働組織が生みだす効果を，個々の労働者に完全に帰属させることはできない．純粋な個数賃金は，労働の結合効果と背反する．商人が原材料を貸し与え，工賃を払って加工させる方式を**問屋制家内工業**という．「工場制」が協業を意味するのに対して，「問屋制」は分散的な労働者の存在を意味する．それは資本主義的労働組織を逸脱する面をもつが，必ずしも過去の遺物とはいえない．ネットワークを介した在宅勤務などは，この変形であることが多い．完全に個数賃金で処理できる場合には，問屋制家内工業に近いかた

ちに戻る．

労働成果の単価 $\tilde{p}$ には，独自の評価が加わる．この単価 $\tilde{p}$ は労働成果の商品価格として市場で決定されるのではない．労働成果は資本のものとなり，それは文字通り商品として売買され，その価値は市場価格 p で表現され実現される．これに対して，労働成果の単価は賃金の指標であり，それは労働の場に踏み込んで作業内容を観察・分析するかたちで約定される．労働成果の単価 $\tilde{p}$ は，疑似的価格なのである．

資本主義的労働組織の内部で意味をもつのは，出来高として客観的に計測できない「評価」が組み込まれるときである．出来高賃金は，出来高が個々の労働者ごとに，それぞれ客観的な数量として計測可能であることを前提条件にするものである．その点で，「査定」によって，成果を「評価」する支払方式とは，基本的に異なるものなのである．

> ★問題88
> 「9人で押しても動かなかった岩をもう1人加わって10人で押したら動いた．そこで最後の者が『私のひと押しで動いたのだから，労働の成果は私のものだ』といった」．この主張は成り立つだろうか．

型づけられた労働　　作業内容の評価は，労働力を種別化し，それぞれに違った賃金率 w_i や単価 $\tilde{p}_i$ を設定することを促す．それは，職種の細分化による賃金率の等級化に帰結する．技能別の賃金差別化，資格化の手法である．これは，同じ作業，業務をこなす技能の成果を評価する出来高制とは違い，異種の作業，業務の内容に対して，賃金率に格差をもうける方法である．マニュファクチュア型の分業のコアをなすバベッジ的効果は，こうした賃金の等級化と結びつくことで実効性を発揮する．この場合，技能は作業ごとに規格化，定型化，標準化される必要がある．これを**型づけられた労働**とよぶ．ある作業，業務で標準的な水準に達していることが求められるだけで，そこで打ち止めである．長年かけて漸進的に向上する名人芸のような「個人の熟練」が求められるわけではない．属人型熟練は，市場で売買するには適さない．この種のものは最後まで競争的な市場の外部に残る．これには，資本

家の能力と同様，成功報酬で対処するほかない．

　ここで熟練という用語について，説明を補足しておく．厳密にいえば，「熟練」という考え方は同一作業を前提にはじめて成りたつ．同じ作用をこなすのにどれだけの時間がかかるのか，同一時間でどれだけの個数ができるか，といった比較によるもので，習熟度の差といってもよい．これに対して，異種の作業の間では，こうした比較はできない．異種作業の間では，それをマスターするのにどの程度のトレーニングが必要か，といった基準で難易度が等級化されるにすぎない．そして等級化には，それぞれの作業が一定の型に標準化される必要がある．下位の等級の労働を**単純労働**，上位の労働を**複雑労働**とよび，習熟度による**熟練労働**と**不熟練労働**と区別する（表 II.1.2）．

表 II.1.2　複雑労働と熟練労働

異種	複雑労働	単純労働	標準化
同種	熟練労働	不熟練労働	習熟度

支払方式　　一般に用益の売買には，期間という要因が関連する．用益を利用する期間があり，土地・家屋にせよ，レンタカーにせよ，当てはまる．貨幣を「貸す」というかたちで資金商品を「売る」場合にも，貸付期間が存在する．こうした取引では，どの時点で対価の支払いをするのか，が問題になる．先払いにするか後払いにするかという区別である．

　労働することを通じて労働力商品が売買される場合にも，同様に先払い，後払いの問題が発生する．しかし，そこには用益の売買とは異なる特殊な要因が加わる．意欲や協力，熟練など，労働者の主体性に関わる要因を，どのように引きだし，評価するかという問題である．資本の側からみた場合，支払方式の基底には，労働者の主体性をどのように管理するのか，という一般的な問題が潜む．売り手である労働力商品の価値をどのように表現し実現するのか，の裏側にある問題である．

問題 89

「労働力の購買と同時に賃金を先払いしてしまうと，その後労働

> 者が指揮監督に従わないことがあっても，支払ってしまったものをとり戻すことはできない．後から指揮に服従させるためには，何らかの強制力（ムチ）をもってするほかなくなる．賃金（アメ）を後払いのかたちで，目の前に吊すことで，ムチなしに労働者を服従させることができる．だから，賃金は必ず後払いになる」．この主張について論評せよ．

　支払形式に関しては，二つの要素がある．(1) どの時点で支払額を定めるか，(2) どの時点で支払を履行するのか，である．先決め後払い，後決め後払い，先決め先払い，などが考えられる．しかし，同じ資本家と労働者の間で，ある期間，売買が繰り返される場合には，このような形式的な区別はあまり意味がない．後先は，相対的なものになるからである．売買が繰り返されると考えるかわりに，販売期間が分割されて途中で支払額が変更されうると考えても同じことになる．

　難しいのは，資本家は労働者の主体性を評価しなければならないが，その評価が主体性を左右するという，期間を挟んで生じる循環問題の処理である．主体性を売買の対象に取りこむために，賞与や割増給，職務評価や査定などを組み合わせた複雑で多様な賃金制度が発達する．だが，原理的には，労働力商品の売買に，期間の要因を取りこみ，価格の決定と支払の時点を操作することで，主体性を取引対象に含めるかこうした操作を切り捨てるか，が基本的な分岐点となる．本書では，前者を後払い型，後者を先決め型とよぶ．先決め型という範疇は，アメとしての賃金制度を利用しない方式を広く覆う．支払が後でも，支払額が先にきまっている場合には，主体的努力を引きだす効果は薄いので，この範疇に含まれる．また，後払い型という場合，ある雇用期間が存在し，その間に賃金が更改される場合を広く含めた範疇となる．伝統的な後払いという語法が拡張されているので留意されたい．

　さらに，広義の後払い型は，以上のような賃金体系にとどまらない．それは，払われた賃金が支出される先に向かって延長される．賃金をベースに営まれる労働者の生活過程にまで及ぶ．家族手当，福利厚生施設の利用，医療保険，企業年金，などまで加味した複雑な賃金体系を生みだす．

賃金制度の多型性　賃金制度の基本問題は，労働者の主体性に対して評価を加え，商品経済的に動員するか，あるいは一般商品に近似させ外形的に処理するか，という点にある．賃金形態の軸には評価対象をめぐる要因が分布し，支払方式の軸には期間的要素をめぐる要因が分布する．賃金制度を積極的に利用する場合も，どちらの軸に強く依存するかによって，多型化が生じる（図 II.1.7）.

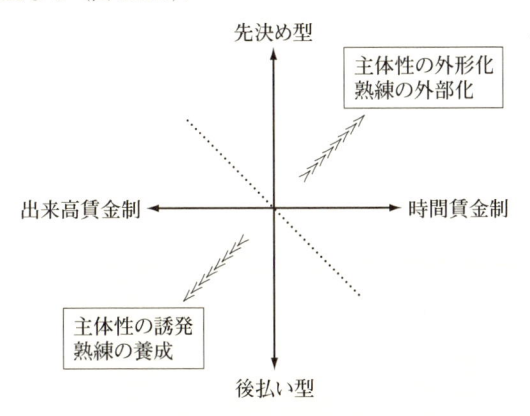

```
                   先決め型
                     │
                     │   主体性の外形化
                     │   熟練の外部化
                     │
出来高賃金制 ────────┼──────── 時間賃金制
                     │
   主体性の誘発      │
   熟練の養成        │
                     │
                   後払い型
```

図 II.1.7　賃金制度の構造

　原理論は，こうした歴史的諸現象を逐一説明することを課題とするものではない．ただこのような開口部を形づくる要因が労働力商品のどこに潜むのか，主体性といわれる要因がどのような内部構造をもつのか，といったルーツを抽象的に分析することが主題である．原理論の窓の外で生じる現象は複雑で多様であるが，それらは開口部の構造を明らかにすることで，はじめて統一的に理解できる．多様な賃金制度の一つ一つが原理的に説明できないということと，賃金制度が多型性を有する理由が原理的に説明できないということとは別のことである．資本が労働力を商品として処理すること自体に，多型化の原理は内包されている．労働力の商品化には本来一つの純粋型しかなく，それ以外は不純な要因との混合であるというアプローチをとる必要はない．資本主義の歴史は，自己変容の連続である．原理論の中心課題は，この変容を解き明かす枠組みをつくりだすことにある．

第2章 生産

市場から発生する資本は，安く買うという行動の一環として，市場の外部に運動の場を拡張する．そこには，労働と生産の世界が広がる．ところが，労働と生産とは完全に重なる範疇ではない．商品に対する欲求は，その充足を目的とする労働とリンクしている．個別資本は，それが生産過程かどうかに関わらず，このリンクをたどって労働過程に進出する．このため，前章ではまず，(1) 労働の基本概念と労働組織の組成を分析し，(2) 次いで労働力商品を与件として導入し，個別資本が労働過程を取り込む方式として，資本主義的労働組織と賃金制度について考察したのである．

ところで，資本が個別的な関心から進出する労働過程は，生産の領域と交叉している．そこで，われわれも資本にしたがって，この領域の考察に進もう．この章では，まず，生産の領域の基本構造を分析する．生産は，市場とは対極的な原理に支えられた構造を有しており，それは資本との関係に論及することなく解明できる．そこで，(1) ひとまずこの範囲を 2.1 節で論じ，(2) 次に労働力の全面的な商品化という条件を追加し，資本の価値増殖との関係について，2.2 節以降で考察することにする．第 1 章と同様に，この章も歴史貫通的レイヤー (1) と資本主義的レイヤー (2) という二層に分かれている点を予め指摘しておく．

2.1 社会的再生産

再生産　　生産それ自体は，前章の冒頭で簡単に規定した．ただそれは，労働との区別を示すために，最低限必要な範囲に限られていた．そ

こでまず，生産とはそもそもどういうことをいうのか，その概念を明確に規定しておく．ポイントは**社会的再生産**という考え方にある．生産概念のコアは，

$$\text{社会的再生産} = \text{再生産} + \text{社会的生産}$$

という内部構造にある．

　本書では，再生産のほうから説明してゆく．前章冒頭で論じた小麦生産の例を使って，そのまま説明できるからである．自然過程自体は，モノとモノとの複雑な連鎖であり，閉じた単一過程ではない．過程の連鎖を捨象した単一生産物の例は，その意味でフィクションである．ここでは再生産からはじめるが，それは再生産から社会的生産が導出できるという意味ではない．

　さて，生産とは産出が投入を上まわる自然過程であった．小麦 20 キログラムが小麦 30 キログラムに生育するという例で示した通りである．これが生産であるのはすぐわかる．投入と産出が同じ小麦だからである．

　この場合，出発点となる小麦はどこからでてきたのか．先行する自然過程の産出からであろう．では，その産出のための投入はどこからでてきたのか．それは，さらに先行する過程の産出からであろう．これは，どこまでも遡る．しかし，産出の一部が再び投入されると考えると，帰結から出発点に戻る関係として捉えることができる．時間の流れのなかで進行する生産を，復帰を伴う循環として捉えたものが**再生産**である．投入と産出が分離可能なのは，その間に期間が介在するからである．投入から産出までの期間を**生産期間**とよぶ．

問題 90

「期間という概念抜きには再生産という概念は語れない」．この主張は正しいか．

　産出が投入を上まわる自然過程を**生産的**であるという．このとき，投入されたモノを**生産手段**といい，産出の総量を**粗生産物**，粗生産物から投入を引きさった残りを**純生産物**という．今の例では，粗生産物は 30 キログラム，純生産物は 10 キログラムの小麦となる．

　生産的な自然過程では，その内部で産出から投入が繰り返しなされ，その差が「余り」となる．再生産は**余剰**を生む．ただ，すでに注意したように，この

循環はうわべ上，閉じてみえるにすぎない．小麦の生育は，光や水や養分を外部から取りこみ，ワラなどの**廃棄物**を排出しているはずである．この外部とのモノのやりとりは，生産手段と区別して，**生産諸条件**とよばれる（図 II.2.1）．

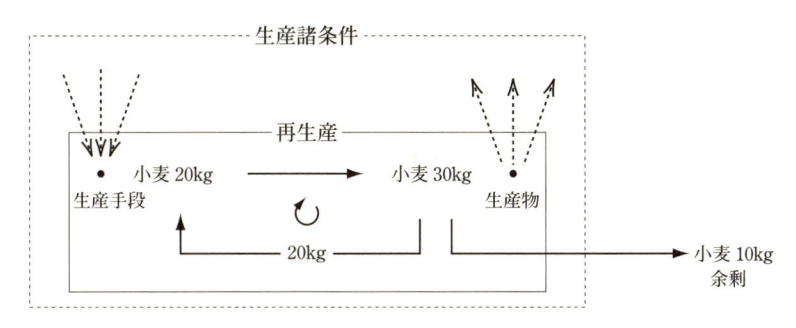

図 II.2.1　再生産の基本概念

　通常，生産過程は，生産物が1種類であるかたちで記述される．生産物が複数である場合，とくに**結合生産**という．ただし，生産物が1種類にみえるのは，すでに考察したように，主体の関心によるトリミングの結果である．現実の複雑な反応過程は，複数の産出物を潜在的には生みだしている．ふつう，結合生産といえば，副産物が有用な場合を含意する．だが原理上は，有害な副産物も含めて考えることに問題はない．目的の生産物のほかに，廃棄物を排出する多くの生産過程は，実際には，結合生産なのである．単一生産物を生みだす生産過程は，廃棄物が広義の自然環境によって吸収処理されるとみなすことで，記述可能になっているにすぎない．自己循環的な過程というのは，**自然環境**の物質代謝を，主体の観点から切り取った一面でしかない．自然環境を含む広いスコープで捉えたなら，投入と産出は複雑なモノの反応過程に溶解し，「生産的」かどうかは不可知となる．「生産的」という概念は認識主体の価値判断に依存している点を，もう一度注意しておく．

社会的生産　　小麦の例では，投入と産出が同種のモノなので再生産は一目瞭然である．しかし，実際の自然過程は多数のモノの間で展開される複雑な連鎖反応である．ある生産過程の投入は，他のさまざまな生産過程の生産物で構成される．そして，この生産過程の生産物も，他のさまざま

生産過程に投入される．多数の生産過程が投入・産出を通じて関連している．どの個別の生産過程も，単独では再生産を繰り返すことはできない．

このような複数の生産過程の有機的な束を**社会的生産**という．「社会的」というのは，複数の過程が関連しているという意味である．だから，小麦生産の例のような単一生産物で説明できない．最低限，2種類の生産物にふやす必要がある．

問題 91

「2種では一般性を欠く．n 種の過程を想定しないと本質はわからない」．この主張を吟味せよ．

ただし，社会的という概念のコアは，多数性ではない．個別的過程がただ多数並んでいるというのではない．その本質は内的関連性にある．2種類以上にふやすことは，社会的という概念を規定するための必要条件であるが十分条件ではない．

★問題 92

小麦で小麦を生産し，その小麦を原料にパンを焼く，という二つの生産過程は，小麦を介して連鎖している．しかし，これは社会的生産の概念を示すものではない．なぜか．

社会的生産の概念を明らかにするために，単一生産物で構成された小麦の例を拡張してみよう．小麦の生産に工業部門で生産されたさまざまな生産手段が投入される状態をイメージして，工業生産物は鉄で代表させる．社会的生産の概念的コアは，相互依存性にある．工業部門を代表する鉄の生産にも，直接間接に農業部門の生産物を代表する小麦が，生産手段として投入されている必要がある．小麦生産部門に鉄生産部門を加え，次のような例に拡張してみよう．

第 2 章 生 産　145

［数値例（1）］

$$\text{小麦 } 6\,\text{kg} + \text{鉄 } 4\,\text{kg} \longrightarrow \text{小麦 } 20\,\text{kg}$$
$$\text{小麦 } 8\,\text{kg} + \text{鉄 } 4\,\text{kg} \longrightarrow \text{鉄 } 20\,\text{kg}$$

問題 93

「小麦の生産に鉄が必要だというのはまだしも，鉄の生産に小麦が必要だという想定は非現実的で一般性がない」．この主張について論評せよ．

［数値例（1）］の二つの生産過程を外側から観察してみよう．工場のなかの二つの製造ラインとみなすのである．すると，この合成された生産過程は，図 II.2.2 のようになる．小麦は，粗生産物 20 kg のうち，14 kg がボックス内で循環し，残りの 6 kg が純生産物としてボックスからでてくる．鉄は，粗生産物 20 kg のうち，8 kg がボックス内で循環し，残りの 12 kg が純生産物としてでてくる．このボックスは「再生産可能」であり，「生産的」なのである．

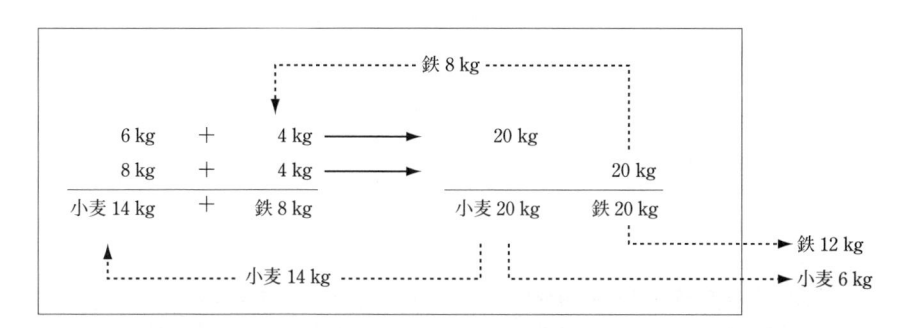

図 II.2.2　生産過程の合成

この社会的生産をベクトルで図示してみよう．投入は**生産的消費**ともいわれるように，減少だからマイナス，産出は増加だからプラスの値で区別する．投入と産出を（小麦，鉄）を要素とするベクトルで表現すると，小麦生産は $(-6, -4) \longrightarrow (20, 0)$，鉄生産は $(-8, -4) \longrightarrow (0, 20)$ となる．**投入ベクトル**と**産出ベクトル**の合成ベクトルを，本書では**純生産ベクトル**とよぶ．小麦，鉄の純生産ベクトル $\overrightarrow{ONw}$, $\overrightarrow{ONi}$，そして両者を合成した全体の純生産ベクトル

$\overrightarrow{ON}$ は，図 II.2.3 のように表せる．

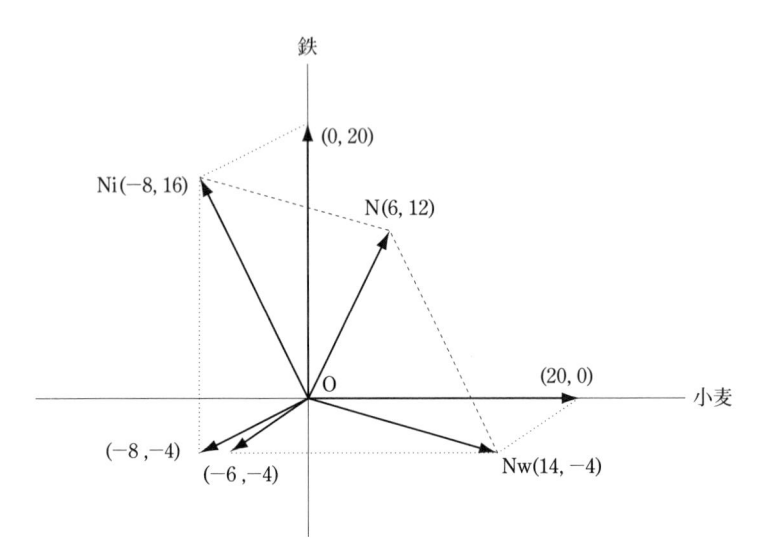

図 II.2.3　純生産ベクトルの合成

★問題 94

「小麦 6 kg ＋ 鉄 4 kg ⟶ 小麦 20 kg も 小麦 36 kg ＋ 鉄 4 kg ⟶ 小麦 50 kg も，技術に優劣はない．同じ純生産ベクトル (小麦 14 kg, 鉄 −4 kg) に還元できるからだ」．この主張は正しいか．

　社会的生産を構成する各過程において，産出ベクトルは投入ベクトルに対応して増減する．この増減の比率が確定されているとき，それを**生産技術**が存在するという．この対応関係がどこまでも維持できるかどうかはともかく，現状の近傍では投入ベクトルに産出ベクトルは比例するとみなす．例えば同じ条件の工場の数を自由に増減できると考えておけばよい．少なくとも，産出 1 単位ごとに，投入ベクトルが変化するというようには考えないことにする．各過程の投入ベクトルと産出ベクトルの間にこのような比例関係を想定すると，社会的生産はそれを構成する各生産過程の構成比率を変えることで，多様な構成の純生産物を生みだす．

★問題 95

［数値例 (1)］に関して，以下の問いに答えよ．

1. 小麦生産と鉄生産の生産過程を合成してちょうど，小麦 10 kg だけが純生産物となるようにしたい．このような小麦と鉄の純生産ベクトル $\overrightarrow{ONw'}$，$\overrightarrow{ONi'}$ を図示せよ．
2. $\overrightarrow{ONw'}$ は $\overrightarrow{ONw}$ の何倍か．$\overrightarrow{ONi'}$ は，$\overrightarrow{ONi}$ の何倍か．
3. 同じようにして今度は，鉄 10 kg だけが純生産物となる，小麦と鉄の純生産ベクトル $\overrightarrow{ONw''}$，$\overrightarrow{ONi''}$ を考えた場合，それぞれ，何倍になるか．

★問題 96

ワラを結合生産物とする，次の二つの小麦の生産過程によって社会的再生産が構成されている．

小麦 20 kg $\longrightarrow$ 小麦 40 kg ＋ ワラ 18 kg

小麦 10 kg ＋ ワラ 6 kg $\longrightarrow$ 小麦 15 kg ＋ ワラ 3 kg

これに関して，以下の問いに答えよ．

1. 二つの純生産ベクトルを図示せよ．
2. ワラは放置すればやがて自然に帰るものとして無視できるとする．このとき，小麦 10 kg を純生産するには，どのような生産編成をするのがよいか．図示せよ．
3. ワラが発生しないようにして，小麦 10 kg を純生産したい．どのような生産編成をするのがよいか．図示せよ．
4. ワラだけ純生産することは可能か．

生産技術の変化は純生産ベクトルの向きを変える．生産力が上がれば，純生産ベクトルは軸に近づく．もし，生産技術が一定であれば，生産規模に応じてベクトルの大きさが変化する．各生産過程の生産規模を変えて組み合わせることにより，さまざまな純生産物のセットが実現できる．投入と産出が同じ小麦だけからなるケースで再生産を例示したが，投入が複数になると，単独の生産

過程で再生産可能かどうかは判定できなくなる．それは社会的生産全体に関してはじめていえることなのである．

図 II.2.3 において各生産過程の純生産を表す $\overrightarrow{ONw'}$ と $\overrightarrow{ONi}$ が一直線上に並ぶような場合には，どう組み合わせてみても第 1 象限に到達することはできない．再生産が可能であるためには，$\overrightarrow{ONw'}$ と $\overrightarrow{ONi}$ が第 1 象限を挟み込む方向に傾いている必要がある．これは生産過程の相対的関係できまる．生産的かどうかは社会的生産全体の属性であり，個別の生産過程に関して，その生産技術が生産的であるかどうかを判別することはできないことがわかる．

特定のモノのセットをできるだけ効率的に生産する方法は，次の二つの手続きに還元される．(1) 再現性のある確定的な投入・産出関係をできるだけ多く発見すること，(2) それらを整合的に組み合わせること，である．できるだけ少ない投入で，できるだけ大きな産出をあげることを**節約原理**あるいは**経済性の原則**という．節約原理の内容は上の二つの原則に帰着する．さらにこれは「経済原則」とよびかえられ，「あらゆる経済社会をつらぬく原則」であると拡張解釈されることもある．しかし，このような拡張は，厳密な論理的関連を欠く．本書では，「あらゆる社会に共通な経済の原則」という意味での「経済原則」という用語は避ける．

生産期間と労働量

社会的再生産の基本は，生産過程であり，労働がなされていなくても，概念的には規定できる．しかし，このことは社会的再生産に労働が関与しないということを意味しない．投入と産出の間にはさまざまな攪乱要因があり，安定した対応が再現されるとはいえない．耕地を耕し水量を管理するなどの労働に支えられて，潜在的な投入と産出の安定的な関係ははじめて再現される．自動化された機械で紡いでも，綿糸は切れる可能性があり，その処理に労働主体の関与は欠かせない．われわれが生きている時代においては，生産過程は労働と緊密に結びついている．生産過程でおこなわれる労働を**生産的労働**という．「生産的労働」という用語は，何をもって「生産的」というかで拡張され多義化する．この規定は，例えば「価値を生みだす労働」といった狭義の規定もあるが，本書では「生産にたずさわる労働」という意味に限る．

生産がモノとモノの反応過程を基礎にしているため，生産過程における労働

も定量性を帯びる．**労働量**は時間を単位にしてはかられ，文脈によって，労働時間とも記される．ある生産物の生産には，一定の生産期間を要するが，自然乾燥や作物の生育や醸造など，労働がなされない自然過程もある．生産期間のうち，実際に労働がなされている期間を**労働期間**という．

> ★問題97
>
> 　右の靴をつくるのに8時間，左の靴をつくるのに8時間かかる．(1) 1人の職人が右と左を順につくるとき，(2) 2人の職人が並んで右と左をそれぞれつくるとき，1足をつくるのに要する労働時間と生産期間を求めよ．

異種労働の合算可能性　　生産的労働は，社会的再生産のなかで異なる内容でおこなわれる．それは生産物の観点から，小麦生産のための農耕労働とか，鉄生産のための製鉄労働とか，綿糸生産のための紡績労働とか，さらにもっと細分化して名づけることもできる．しかし，このような異種の労働は，社会的再生産のなかで，労働時間として合算される性質をもつ．労働力はさまざまな目的に支出される．しかし，作用対象が異なっても労働のもつ合目的的な活動という基本原理は同じである．目的と手段を分離して認識し，目的に向かって意識的に過程をコントロールするという労働の本質が，異種労働の合算可能性の基礎をなすのである．

　社会的生産を説明した投入・産出の例では労働の介与を明示しなかった．それぞれの過程でおこなわれた労働量を明示して考えてみよう．小麦生産では6時間の農耕労働が，鉄生産においては4時間の製鉄労働がおこなわれているとしよう．

［数値例 (2)］

$$\text{小麦}\,6\,\text{kg} + \text{鉄}\,4\,\text{kg} + \text{農耕労働}\,6\,\text{時間} \longrightarrow \text{小麦}\,20\,\text{kg}$$
$$\text{小麦}\,8\,\text{kg} + \text{鉄}\,4\,\text{kg} + \text{製鉄労働}\,4\,\text{時間} \longrightarrow \text{鉄}\,20\,\text{kg}$$

この社会的再生産を外から眺めると，産出は小麦が $20-6-8$ で6 kg，鉄が $20-4-4$ で12 kg となる．内部では，農耕と製鉄という異なる内容の労働がなされているが，外部からは，これだけの純生産物をつくるために必要な10

時間の労働がなされているようにみえる．同じ 10 時間労働でも，生産過程の比率を変えてみれば，純生産物の構成は変化する．

> ★問題 98
> ［問題 95］の解法を利用して，［数値例 (2)］のもとで，小麦 1 kg，鉄 1 kg を生産するのに直接・間接に必要となる労働量を求めよ．

組合せによっては，小麦だけ，あるいは鉄だけが純生産になる場合もある．そのときには，小麦生産労働も鉄生産労働も，単一種類の純生産物を生産するのに必要な労働時間として集計できる．小麦を純生産するには，間接的に鉄を生産する労働が必要であり，また鉄を純生産するのにも小麦を生産する労働が必要なのである．生産物を介した社会的分業の連鎖のなかで，人間労働は合算可能性を与えられる．この可能性は，エネルギー源や物理的な力という性質によるのではなく，人間労働の根幹をなす合目的性から派生する性質である．

> ★問題 99
> 「異種労働の合算可能性は，次の例でもっと簡単に説明できる．
>
> 　　小麦 20 kg ＋ 農耕労働 6 時間　　⟶　　小麦 30 kg
> 　　小麦 10 kg ＋ 製パン労働 4 時間　　⟶　　パン 10 kg
>
> 　小麦をつくる労働もパンをつくる労働の一部であることは，過程をつないでいれば一目瞭然である」．この主張は正しいか．

合算可能性について，次の点に注意を促しておく．ここでは農耕労働という枠組で 6 時間として集計したが，その内部には種を播いたり，除草をしたり，種々雑多な作業が実は含まれている．異種の作業はいずれも小麦生産という目的を達成するための活動と位置づけられ，農耕労働という枠組で合算されている．つまり，農耕労働という範疇自体が，すでに異種労働の合算可能性を前提としているのである．製鉄労働との合算可能性は，この前提を外部に拡張したものにすぎない．同種とみなされている範疇の内部にも，実は異種の関係が詰まっている．内と外は入れ子構造になっている．だから，農耕労働と製鉄労働という範疇を認めたうえで，農耕労働と製鉄労働は異種労働だから合算できな

いというのは論理的に矛盾する．一貫させるならば，労働時間という集計量そのものを否定する必要がある．

対象化された労働　異種労働の合算可能性は，生産物の物量と労働時間を次のように捉えることを許す．ある生産過程における生産手段にはさまざまな労働の集計量が含まれており，これにこの過程で実際におこなわれる労働（**生きた労働**とよぶ）が合算されて，この生産過程の生産物に含まれる，というように捉えるのである．ある生産物の生産には，さまざまな種類の労働が関わることになるが，それらを集計した労働量を**対象化された労働**（生きた労働に対して**死んだ労働**とよぶ）の量という．

［数値例 (2)］において，小麦と鉄それぞれ 1 kg に対象化された労働の量を t_1, t_2 とおくと，次のような関係が成り立つ．

$$6t_1 + 4t_2 + 6 = 20t_1$$
$$8t_1 + 4t_2 + 4 = 20t_2$$

これを解けば，$t_1 = 7/12, t_2 = 13/24$ を得る．社会的生産を表すボックスは，内部の生産過程を適当に組み換えると，一定の労働量を押し込んだとき，単一種類の純生産物だけが押しだされるようにセットできる．t_1, t_2 は，［問題 98］で求めた値と一致する．ある生産物 1 単位に対象化された労働量は，それを純生産するのに直接・間接に必要な労働量である．

生産技術は，

((生産手段の投入ベクトル) + それをコントロールするための労働量)

のかたちで表される．そして，生産技術が与えられれば，対象化された労働量は，それだけできまる．その値は，純生産物がどう分配されようと変化しない．対象化された労働量が分配関係に対して独立性をもつということは，この量が分配の尺度として有効であることを意味する．これを逆にいえば，純生産物の処理は，生産技術とは独立の追加条件によるということになる．

2.2 純生産物と剰余生産物

モノと労働力の区別　生産概念の次のステージに進もう．前節で，社会的再生産が純生産物をもたらす関係が明らかになった．それは，社会的再生産を構成する生産過程が合目的的な労働によってコントロールされた結果であった．この第1ステージに対して第2ステージでは，モノとしての純生産物と労働力を結ぶループが導入される．

このステージのポイントは，労働力がモノではないという点にある．ただし，モノでないということは，労働力の存続がモノと無関係に可能だということではない．労働力の支出は労働主体の存続を前提とし，主体の存続はモノの消費を前提としている．労働主体の消費部分を**生活物資**ないし**生活手段**とよぶ．

生活物資は，自然のたまものとして社会的再生産の外部からもたらされることもある．しかし，われわれが目にする歴史社会では，その基本部分は，社会的再生産が生みだす純生産物からなっている．生産手段も，労働者の生活物資も，ともに，社会的再生産が生みだした生産物から回収されるが，生活物資と労働力との間には生産技術的な関係が存在しない点で，決定的に異なる．この違いを明示するために，本書では，社会的再生産から生産手段が回収されることを**補塡**とよび，生活物資が回収されることを**取得**とよんで区別する．

第2ステージは，生活手段の取得から労働力の支出にいたる一連の過程からなる．モノと労働力は，多くの媒介項を通じた間接的な関係で結ばれているが，原理的に抽象化してみると，それらは大きく二つの未決定項に整理される．階級関係と本源的弾力性である．

階級関係　生産手段の補塡は生産技術的な関係に基づく．これに対して，生活物資の取得は，これと根本的に異質な関係による．純生産物は，社会的再生産からみれば補塡をした後に残った余り，つまり残余部分である．純生産物はさまざまなかたちで消費されるが，消費に先だってまず，異なる社会構成員のグループに分配される必要がある．しかし，この分配関係は，社会的再生産の内部ではきまらない．社会的再生産が残余を生みだす結果，この処分をいかにおこなうか，という未決定項が発生する．この決定方式

をめぐって，歴史的な諸社会はさまざまな様式を生みだしてきた．

　純生産物の分配には一定のルールが必要となる．また，それを正当化する制度や権威があり，社会の構成員を納得させる社会的通念，イデオロギーが形成される．こうしたルールのもとで，決定権をもつ社会集団ともたない集団が形成されたとき，この集団を**階級**とよび，その関係を**階級関係**という．純生産物の存在は，階級関係が形成される中心的な必要条件である．理論的に推論できるのはここまでであり，階級関係の中味の分析は本書の範囲をこえる．ここに未決定問題が存在することを確認して，何らかの方式で純生産物の分割がなされるものと仮定し考察を進めることにする．ただ，次節以降でみるように，資本主義はこの分配関係を処理する独自の方式を具えている．これについては，階級関係の特殊な処理方式として2.3節で解明する．

> **問題 100**
> この未決定項は，開口部と同じか．

剰余生産物　　分配の決定から労働主体が排除されているということは，もちろん，労働主体が純生産物の一部を取得できないということではない．決定権をもたなくても，分配の対象とはなる．自ら分配するのではなく，分配されるのである．純生産物は，労働者が取得する生活物資と，それをこえる残余部分に分割される．純生産物から労働者の生活物資を控除した残りを，**剰余生産物**という．

$$粗生産物 - 生産手段の補塡分 = 純生産物$$

$$純生産物 - 労働者の生活物資 = 剰余生産物$$

第1式は第1ステージに対応し，第2式は第2ステージに対応する．同じマイナスでも，第1式は補塡，第2式は取得と，異なる原理を表している点に注意されたい．

本源的弾力性　　第2ステージには，もう一つ，労働主体の生活過程という未決定項がある．取得された生活物資の物量と労働量との関係である．労働力が「モノではない」ということは，「生産物ではない」と

いうことである．言い換えれば，労働力に関しては生産過程が存在しないのである．生産過程ならば，投入と産出には，自然過程を反映した技術的な比率が存在する．しかし，労働力にはそのような関係はない．

> **問題 101**
> 「労働力の再生産」という用語は，不適切か．

労働力の支出は労働主体の存続を前提とし，主体の存続は生活物資の消費を前提としている．しかし，生活物資の物量と支出される労働量とは直接関係しているわけではない．8時間の労働がなされるためには，労働者がある量の生活物資を手に入れ，それを消費する必要がある．しかし逆に，ある量の生活物資を消費すれば，必ず8時間の労働量が支出されるわけではない．「どれだけ生活物資を消費するか」ということと，労働主体が「どれだけの時間，労働するか」ということとの間には，未決定項がある．多くの生活物資を消費しながら，実際に支出する労働量が少ない社会もあれば，わずかな生活物資を消費しながら長時間労働する社会もある．モノの生産にみられる生産技術的な決定関係に対して，生活物資の量と労働量との間には，**本源的弾力性**があるのである．

労働力は生活物資の消費を伴う**生活過程**を基礎に維持・形成される．労働者の生活はそれ自体が目的である．できるだけ少ない費用で，できるだけ多くの労働力を意図的に「生産する」ために生活しているわけではない．また，生活過程には独自の共同性がある．労働主体は，家族や地域社会のなかでともに生活し，結果的に労働力は維持・形成される．こうした共同性を抽象化して理論化するために，本書では労働力の供給を労働者階級という集団ベースで考える．

上記の本源的弾力性は，(1) 労働主体を含む集団が，全体でどれだけの生活物資を取得するか，(2) この生活物資を基礎に，全体として，どれだけの労働量を供給するか，という二つの合成問題となる．1億人の労働者階級が1年間にどれだけの生活物資を取得し消費するかは，この集団の**生活水準**を規定する．しかし，この1億人の集団から1年間に何億時間の労働量が引きだされるかは，生活水準の高低とは独立にきまる．労働主体を含む集団が受け取る

さまざまな種類の生活物資で構成されるベクトルを B で表し，それをベースに供給される総労働量を T 時間で表す．

補填と取得の全体　　社会的再生産の全体は，図 II.2.4 のように整理できる．第1ステージは，必要な労働力を投げ入れると，それに応じて所定の純生産物を投げかえしてくる［ボックスP］にたとえることができる．［ボックスP］は中空ではない．そこにはたくさんの生産手段が詰め込まれている．しかし，その内部で，使っただけ補填している．だから，外部からは変化がないようにみえる．第2ステージでは，この［ボックスP］に投げ入れられる労働力が，純生産物の一部を生活物資を取得し，それを基礎に営まれる社会的な生活過程で維持・形成される．この取得関係は，はじめの［ボックスP］でおおう，第2の［ボックスQ］にたとえられる．この外枠の［ボックスQ］は，もう何も投げ入れなくても，剰余生産物がでてくるようにみえる．

> **問題 102**
>
> 　図 II.2.4 の二つのボックスは，入れ子構造になっており，内部によく似た循環をもつ．しかし，二つの循環は根本的に異なる．両者の間の違いを述べよ．

小麦を純生産物として産出する 149 頁の［数値例 (2)］に，労働主体による生活物資の取得関係を加えて，全体の循環を図示してみよう．この例では，純生産物は小麦 6 kg，鉄 12 kg でできている．このうち小麦 5 kg，鉄 5 kg が労働者全体の生活物資として取得されると仮定する．未決定項の一つ，「階級関係」に関する仮定である．労働者は，小麦 5 kg，鉄 5 kg を消費して，生活過程を営み，それを基礎に 10 時間の労働力を支出する．小麦 5 kg，鉄 5 kg に対して，何時間の労働力を供給するか，ここにもう一つ，未決定項「本源的弾力性」がある．この項も以上の仮定で埋めると［数値例 (2)］は［数値例 (3)］に拡張される．

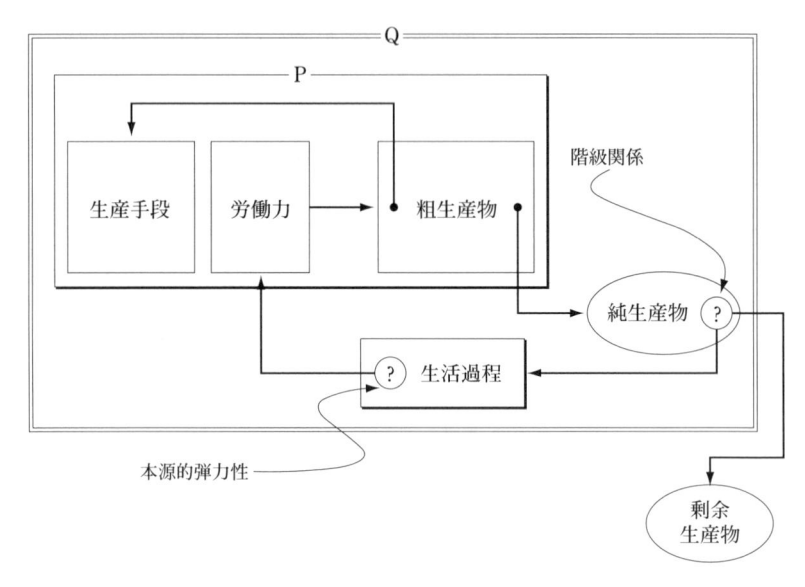

図 II.2.4　補塡と取得

[数値例（3）]

　　　　小麦 6 kg ＋ 鉄 4 kg ＋ 農耕労働 6 時間　　⟶　　小麦 20 kg
　　　　小麦 8 kg ＋ 鉄 4 kg ＋ 製鉄労働 4 時間　　⟶　　鉄 20 kg

　　　　　　小麦 5 kg，鉄 5 kg --→ ◯ --→ 労働 10 時間

　この数値例で図 II.2.4 を具体化すれば，図 II.2.5 のようになる．もちろん，労働主体は労働力を生産するために生活するのではない．ただ，外側からみると，生活過程には生活資料がモノとしてはいり，労働量がそこから引きだされる関係にみえる．こうして，内側に社会的再生産と生活過程を抱える経済は，その内部から剰余生産物を生みだす循環過程として現れる．

　階級関係と本源的弾力性という空隙が埋められると，社会的再生産が生みだす純生産物の一部は，剰余生産物として［ボックス Q］から溢れだす．剰余生産物の存在は，純生産物とは異なり，社会的再生産が存在すれば必然的に発生するわけではない．未決定項を埋める仕組みが，プラスされてはじめて実現する．このプラスの原理が加わって，剰余生産物が形成される社会を**階級社会**とよぶ．資本主義は，商品経済の原理でこの空隙を閉じることで，剰余生産物

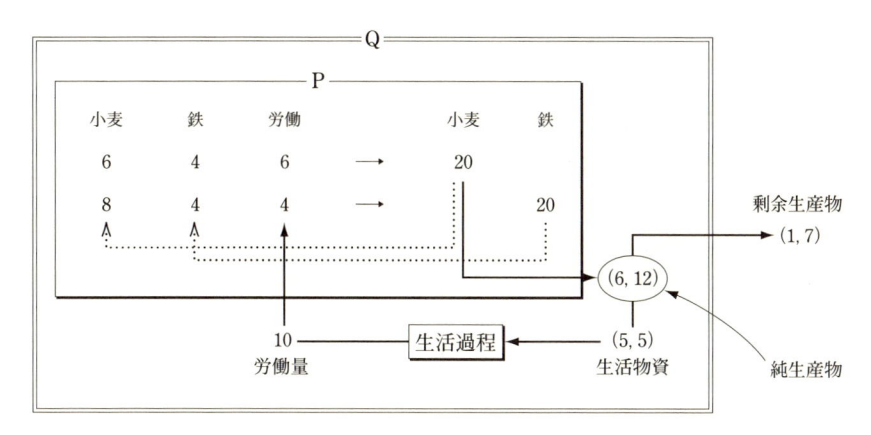

図 II.2.5　補填と取得の例解

の存在を資本の価値増殖の社会的根拠とする．それは，それ以前の諸社会におけるように，直接的な命令や，権威に対する服従で，剰余生産物を直接取りだすのではない．非人称の市場関係によって吸いあげるという点で特殊ではあるが，上の定義によれば，資本主義もやはり階級社会なのである．

2.3　価値増殖過程

労働力の全面的商品化　　ここで，個別資本が社会的再生産の総体を編成しているという新たな仮定を追加する．すでに述べたように，個別資本は利潤追求のため，労働過程を取りこみ，労働過程からのリンクをたどって生産の領域に進出した．しかし，これはあくまで労働力の部分的な商品化を前提とした分散的な進出であった．ところが，この生産の領域は社会的・有機的な特性を具えている．社会的再生産は多数の生産過程の連鎖した総体であるから，資本がこの総体を編成するためには，充分な量の労働力が，市場でいくらでも確保できることが前提となる．大量の労働力が市場にあふれているという第2の仮定は，個別資本の観点からみて，労働力が商品として自由に買えるという第1の仮定より，さらに強い仮定である．前章では，個別的・分散的な労働力商品化という第1の仮定を導入して，資本主義的労働組織の考察をおこなった．この章では，社会的全面的な労働力商品化という

第2の仮定を，ここで導入する．

資本主義的労働組織を実現した多数の個別資本が，社会的再生産の全体の編成を実現しているとき，それを**資本主義的生産編成**とよぶ．資本主義的生産編成に基づく経済社会を**資本主義**と短縮してよぶ．この第2の仮定は，出発点において，一度導入すればすむ．この前提が一度与えられれば，資本主義的な社会的再生産が編成され，それを通じてふたたび大量の労働力商品が生みだされる．原因が結果として再現される．その意味で，資本主義は自律性を有するのである．ただ，この自律性の問題は次章で論じることとし，本節では大量の労働力商品の存在を前提に，資本の価値増殖の社会的根拠について考察する．

理論構成上の注意点　その前に，この第2の条件について2点ほど注意しておく．一つめは，資本主義の形成が貨幣的な富の蓄積と並行して，大量の労働者が生産手段を失い，近代的な労働者階級として登場するという，歴史的に特殊な状況によって与えられるという点である．この過程を，資本の**原始的蓄積**という．「原始的」というのは，「最初の」，「オリジナルな」という意味であり，そのため，この用語は資本の**本源的蓄積**と訳されることもある．また，この「蓄積」という言葉も，資本の誕生の意味であり，貨幣的な富の形成と，大量の賃金労働者形成が結びついて，「資本」が発生したということが含意されている．だから，この文脈で「資本」といわれているのは生産過程を基盤とする産業資本のことになる．これは，商品流通に起源をもち，市場が存在すれば必然的に発生すると捉えてきた，本書の広い資本概念とは異なる．「資本の原始的蓄積」という用語は，資本主義の発生が，市場の発展拡大から自然に発生するものではなく，前項で導入した「第2の仮定」を必要とし，その点で歴史的な外的条件に強く依存するものであることを強調する目的で一般に使用されている．ただ，その資本概念は，産業資本を本来の資本とみる狭い資本概念によるものであり，市場が存在すればつねに発生するとみる本書の広義の資本概念とは異なるので，注意されたい．

もう一つ，注意をしておく．本章でこれから考察する中心課題は，社会的再生産の総体を資本が編成する結果，純生産物がどのように分配されるかという問題である．この課題を解明するため，極端な単純化と考察対象の限定がなされる．前章で考察した熟練や意欲をめぐる諸問題はひとまず捨象し，対象化

された労働の量として一括して捉えることができるものと仮定する．社会的再生産の総体を資本が編成しているコアの関係は，この単純化によって明らかになる．そのうえで，個別資本が社会的再生産という総体を編成した状態を想定し，この結果に考察を絞る．このような編成がどのようにして実現できるのか，という問題は第 III 篇にまわされる．

価値増殖の社会的根拠　二つの未決定項が，資本によって商品経済的に充足されたと仮定すれば，社会的再生産を編成する資本には，価値増殖の基盤が与えられる．もちろん，これは多数の個別資本を総体として捉えた範囲でいえることである．全体でプラスの利潤をあげることができたとしても，そこからただちに，個々の資本が必ず利潤をあげられるという結論はでてこない．

資本は全体として労働者に対して，その生活を維持するのに必要な生活物資を与えることで，そこから総労働量 T を引きだす．この総労働量をもとに，純生産物が資本のもとで産出される．労働者が消費する生活物資のベクトル B はこの純生産物の一部を構成する．

各商品の価格を要素としたベクトルを**価格ベクトル**とよぶことにする．賃金率（1 時間あたりの賃金額）を w 円，価格ベクトルを p 円とすれば，労働者は全体としてみると，総労働量 T に対して，Tw 円の賃金総額を得る．これによって，総額 Bp 円の生活物資を，市場を通じて取得する．価格関係としてみると，$Tw = Bp$ という等価交換が成立している．

この生活物資の物量 B と総労働量 T の間には技術的な決定関係はない．この社会的な関係には，本源的な弾力性がある．各生産物 1 単位に対象化された労働量を要素とするベクトルを t とおくと，労働者が生産物のかたちで取得する労働量 Bt と，生活物資の消費を基礎におこなう総労働量 T とは異なる量である．Bt を**必要労働時間**，総労働時間と必要労働時間との差 $m = T - Bt$ を**剰余労働時間**とよぶ．

資本は，市場のルールに基づき，労働者に必要な生活物資を買い戻せるだけの賃金 Tw を与えながら，純生産物全体の価格から労働者の生活物資全体の価格 Bp を差し引いた残りを得ることができる．これは，剰余労働時間 m が，価格関係を通じて現れたものであり，**剰余価値**という．資本全体の増殖根

拠は，この剰余価値によって与えられる．

> **問題 103**
>
> 価格ベクトルと物量ベクトルの関係を座標平面で考えてみる．以下の問いに答えよ．
>
> 1. 小麦，鉄の価格ベクトルが $\boldsymbol{p} = (p_1, p_2)$ のときに k 円で買うことのできる，小麦，鉄の物量ベクトル $\boldsymbol{s} = (x, y)$ の集合は，ヨコ軸に小麦，タテ軸に鉄をとった座標平面上で，どのように表されるか．
> 2. 座標平面上に点 $\mathrm{P}(p_1, p_2)$ をとり，価格ベクトル $\boldsymbol{p} = (p_1, p_2)$ を位置ベクトル $\overrightarrow{\mathrm{OP}}$ と定義する．ただし，価格ベクトルは商品の交換比率を示すだけで，その絶対値には意味がないので，価格ベクトルの大きさは $p_1{}^2 + p_2{}^2 = 1$ となるようにきめる．このとき，任意の商品のセット A (x, y) の価格総額 $(x, y)(p_1, p_2)$ は，A から $\overrightarrow{\mathrm{OP}}$ が位置する直線に下ろした垂線の足 H と，原点 O とを結んだ線分 OH の長さになることを示せ．
> 3. 純生産ベクトルから，労働者の生活物資ベクトル $\boldsymbol{B}$ を控除したベクトルを「剰余ベクトル」とよぶことにする．[数値例 (3)]（156 頁）に関して，剰余ベクトル $\overrightarrow{\mathrm{OM}}$ を図示せよ．
> 4. 小麦生産でも，鉄生産でも，なんらかの大きさの剰余価値が得られるような，価格ベクトルは，どのような範囲に存在するか，図示せよ．

ある商品 i の価格 p_i を賃金率 w で割った値 p_i/w を**支配労働量**という．その商品1単位を売ることで何時間の労働量を購入できるかを示す値である．これに対して，商品1単位を生産するのに直接・間接に必要な労働量 t_i を**投下労働量**という．すべての商品において，支配労働量が投下労働量を上まわる（$\boldsymbol{p}/w > \boldsymbol{t}$）ならば，$\boldsymbol{Bp}/w > \boldsymbol{Bt}$ となる．$\boldsymbol{Bp} = T w$ であるから，次の関係が成りたつ．

$$\boldsymbol{p}/w > \boldsymbol{t} \iff T > \boldsymbol{Bt}$$

支配労働量が投下労働量を上まわるような商品諸価格と，賃金率のもとでは，必ず労働者が支出した総労働時間が，取得した総労働時間を上まわる．すなわち，価格関係を通じて剰余労働が搾取されているのである．

剰余価値率　個別資本の観点からみると，生産過程に投下される資本は，生産手段を購入するのに充てられる部分と，労働力商品を購入するのに充てられる部分とに分かれる．社会的再生産の観点からみると，前者の部分は技術的に確定した生産手段を全体として相互に補塡するかたちで循環する．この過程を通じて，生産手段に対象化された労働量はその大きさを同じままに維持される．この資本部分は，その価値量をそのまま生産物に移転するとみなすことができるので，**不変資本**とよばれる．これに対して，労働力の購入に充てられた資本部分は，支出された労働量 T に比例して，生産物に新たな価値を付加し，その大きさを Bt から T に変化させる．このため，労働力の購入に充てられた部分は**可変資本**とよばれる．

表 II.2.1　剰余価値率

	v, m 表示	T, t 表示
投下資本	$c+v$	$c+Bt$
粗生産物	$c+v+m$	$c+T$
純生産物	$v+m$	T
剰余生産物	m	$T-Bt$
剰余価値率	m/v	$(T/Bt)-1$

不変資本に対応する労働量を c，可変資本に対応する労働量を v と表記する．$v = Bt$ である．投下された資本 $c+v$ のうち，不変資本に対応する c は，その労働量を総生産物のうちにそのまま移転するのに対して，可変資本 v で購入された労働力が実際に支出する労働量 T は，その大きさに比例した純生産物を形成する．m/v は，純生産物の社会的な分配関係を示す比率であり，**剰余価値率**とよばれる．

問題 104

［数値例（3）］（156 頁）に関して，以下の問いに答えよ．

1. 剰余価値率を求めよ．

2. 生活物資ベクトルは (小麦 5 kg, 鉄 5 kg) である．二つの生産過程の構成比率を変化させ，純生産物の小麦と鉄の比率が生活物資と同じ $5:5$ になるようにせよ．
3. 上の状態において，剰余ベクトル（純生産ベクトル − 生活物資ベクトル）を生活物資ベクトルで表示せよ．

★問題 105

試しにラフな「政治算術」をしてみよう．日本の国民総生産は，今日ほぼ 500 兆円，ここから固定資本減耗など差し引いた国民純生産（純付加価値）はだいたい 400 兆円程度である．これを，価格ベースで評価した年間の純生産物とみなす．他方，年間の総労働量は大ざっぱにいって，8 時間労働，週 5 日勤務，年間 50 週，総労働人口 5,000 万人とみなしておく．この総労働量で獲得される雇用者報酬はほぼ 250 兆円強でこれが価格ベースで評価した労働者の生活物資にあたるとする．

1. 労働者が 1 時間に生みだす純生産物はおよそ何円か．
2. 剰余価値率はおよそ何パーセントか．

剰余価値率の水準は，表 II.2.2 のようなそれぞれ独立した要因によってきまる．

表 II.2.2 決定要因

労働者の生活物資の物量	B	生活水準の高低
総労働量	T	労働時間の長短
対象化された労働量	t	生産性の水準

剰余価値率を高めるためには，労働者の生活水準を引き下げる ($B \searrow$) か，労働者集団が全体として支出する総労働量を引き延ばす ($T \nearrow$) か，労働生産性を高める ($t \searrow$) か，いずれかによる必要がある．

労働者の生活水準は，資本にとって外部的な世界であり，簡単に変更することができない．この決定に関しては，次章で考察する．生活物資の総量 B をひとまず与えられたものとして前提すると，資本には 2 通りの剰余価値増率を高める方法が残される．

絶対的剰余価値の生産

総労働量 T を増大させることにより，剰余価値率を高める方法を，**絶対的剰余価値の生産**という．これは，絶対的剰余価値という剰余価値の量が，特別に存在するという意味ではない．労働の絶対量を増大させるという意味で，絶対的な方法だという意味である．

総労働量を増大させる方式は，次のような区別が考えられる．

1. 雇用されている労働者，1人あたりの労働時間を延長する．例えば，1日8時間労働を10時間労働とする，というかたちである．生活物資の総量 B が一定なのだから，価格ベクトル p が変わらないかぎり，T が増大するということは，賃金率 w の下落を意味する．
2. 労働者集団のうち，資本のもとで労働する人数を増加させる．生活物資の総量 B が一定であるという仮定のもとでは，やはり，T の増大は賃金率 w の下落を意味する．
3. 作業のなかにはさまざまなかたちで間歇的な休息が含まれる．作業内容を変更し休息を削減することを，労働の強度を高めるとか，労働の密度をあげるという．これによって，同一時間になされる作業量をふやすことができる．T 時間という物理的時間は変わらないが，作業量としてみると，以前の $T + \Delta T$ 時間に匹敵するのである．

労働者を含む社会集団の生活水準は，基本的には消費する物財 B の大きさによってきまる．繰り返し強調してきたように，一定の生活水準のもとで，全体としてどれだけの労働量 T を供給するのかに生産技術的な決定関係がないという点が搾取論のコアをなす．豊かな暮らしをしながら，全体として短時間労働であるということもあるし，貧しい暮らしをしながら長時間労働であるということもある．生活水準を上げれば，それに連動して，総労働量 T が増大するという必然性はない．むしろ，歴史的な趨勢としては，B の増大のもとで，T が減少するという傾向がみられる．

剰余価値が生みだされているということは，必要労働時間以上に労働時間が延長されていることを意味する．したがって，すべての剰余価値は労働時間の延長による絶対的剰余価値としての性格をもつ．ただ，本書ではこの剰余価

値形成の根本原理については，すでに「本源的弾力性」と名づけて考察した．「絶対的剰余価値の生産」という用語は，既存の剰余価値率を前提に，それを増進する一つの方式という意味に限定して用いる．

相対的剰余価値の生産　　生活物資を構成する商品に関して，その1単位の生産に直接・間接に必要な労働時間 t を減少させることにより，剰余価値率を高める方式を，**相対的剰余価値の生産**という．これは，T の大きさを一定にしたままで，分割比率 m/v を上昇させる方式である．同じ労働量でより多くの原材料が加工できるようになれば，生産物の量も増大する．その結果，生産物1単位を生産するのに直接・間接に必要な労働量は減少する．一般に，この労働量が減少することを，労働の**生産力**が増大したといい，あるいは労働の生産性が高まったという．相対的剰余価値の生産は，労働の生産力を高めることで，間接的に剰余価値率を上昇させる方式である．

問題 106

［数値例 (3)］（156頁）における小麦部門で生産力が上昇し，今までと同じ労働時間に2倍の生産手段が処理できるようになり，産出も2倍になったとする．

$$\text{小麦 } 12\,\text{kg} + \text{鉄 } 8\,\text{kg} + \text{農耕労働 } 6\,\text{時間} \longrightarrow \text{小麦 } 40\,\text{kg}$$
$$\text{小麦 } 8\,\text{kg} + \text{鉄 } 4\,\text{kg} + \text{製鉄労働 } 4\,\text{時間} \longrightarrow \text{鉄 } 20\,\text{kg}$$

$$\text{小麦 } 5\,\text{kg},\ \text{鉄 } 5\,\text{kg} \dashrightarrow \bigcirc \dashrightarrow \text{労働 } 10\,\text{時間}$$

このときの剰余価値率を求めよ．

問題 107

「労働の生産力が高まっても，剰余価値率は上昇しないことがある」．この命題は正しいか．

第3章 蓄積

3.1 資本の蓄積

剰余価値の処分　(1) 社会的再生産を整合的に編成し，(2) 一定の生活物資を労働者に分与した後，資本のもとに一定の剰余価値が残る．この剰余価値がどのように処理されるか，これが次に問題となる．

剰余価値はすべて資本家の私的消費にまわすことも可能である．この場合には，社会的再生産は今までと同じ規模で繰り返される．これを**単純再生産**という．これに対して，社会的再生産の規模が収縮する場合は縮小再生産という．

> ★問題 108
>
> 「剰余価値が形成されていれば，縮小再生産に陥ることはない」．
> この命題は正しいか．

価値増殖を目的に投じられた資本の増殖分は，それを生みだした資本とまったく同じ性質をもつ．剰余価値は，社会的再生産に追加投入することができる．剰余価値の資本への転化を**資本主義的蓄積**という．ただ**資本蓄積**という場合はこの意味である．原理論の内部に限れば，資本蓄積の源泉は，剰余価値以外にはないからである．

ただし，資本量が増加することをすべて資本蓄積とよぶことがある．これは広義の資本蓄積である．この場合は，その源泉は必ずしも剰余価値に限定されるわけではない．剰余価値以外の源泉による資本蓄積が，資本の原始的蓄積である．通常この用語は資本主義の発生局面に限定して用いられる（158頁）．

しかし，現実の資本主義においては，剰余価値以外の諸収入が資本として投下されることはあるのだから，ここでの定義にしたがえば，原始的蓄積は，資本主義的蓄積と並行して資本主義の歴史を通じて広く観察される現象であることになる．現実の資本主義は，こうした二つのルートで拡大するが，このうち，社会的再生産の内部から形成された剰余価値の一部が，再投下されることで，その規模が拡大することを**拡大再生産**という（図 II.3.1）．

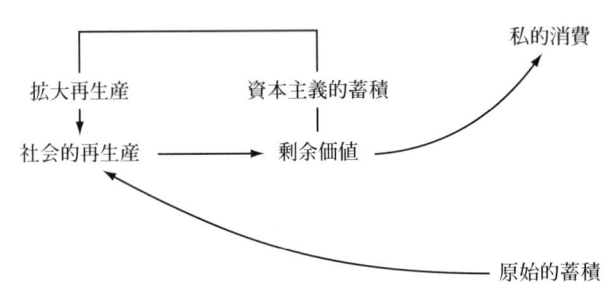

図 II.3.1 剰余価値の資本への転化

★問題 109

次の命題は正しいか．

1. 資本の原始的蓄積は，拡大再生産である．
2. 拡大再生産とは，資本主義的蓄積のことである．

資本主義のもとでは，資本家の個人的消費が剰余価値を飲み込んでしまう心配はない．資本は，何か別の目的のために増殖運動しているわけではない．以前より増大したからといって，あるいは目標の金額に達したからといって，そこで蓄積を停止し，享楽にふけるわけではない．なぜそうなるのか，その理由は，流通論でいちおう説明したが，ほんとうは難しい．ここでは，資本がいわゆる「自己目的的な運動」であり，エンドレスの蓄積を指向し続けるという想定を素直に受け入れておく．この個別資本の蓄積衝動によって，資本主義は拡大再生産の傾向を本質的にもつ．剰余価値のうち，蓄積される部分の比率を**蓄積率**という．

> ★問題 110
>
> 剰余価値率が高まれば蓄積率も高まる．この命題は正しいか．

資本構成　資本主義経済のもとでは，資本蓄積を通じて基本的に拡大再生産が進む．資本規模の増大は，それだけを取りだすと，より多くの労働力を吸収（雇用）する効果をもつ．しかし，労働力の吸収という点では，もう一つ考慮に入れておくべき要因がある．生産過程に投下されている資本が，単位あたり，どれだけの労働量を吸収するのかを示す比率である．生産過程には，さまざまな種類の生産手段が投入されており，それらを物量ベースで，直接集計することはできない．ただ，それらに対象化されている労働量は，生産技術が与えられていればきまる．不変資本に対象化されている労働量 c（161頁）がそれに相当する．これを**死んだ労働**の量とよび，生産手段に対して直接働きかける労働量 $T = v + m$ を**生きた労働**の量とよぶ．社会的再生産全体に対して c/T を考えると，この比率は生産技術的要因のみできまる．この値を本書では**資本構成**とよび，k で表す．

この比率は，投下された資本 $c+v$ の内部比率 c/v ではない．粗生産物 $c+(v+m)$ の比率である．その点で資本構成とよぶことに多少無理がある．しかし，資本構成として通常考えられる c/v は，(1) 生産技術を反映する k と (2) 社会的分配関係を表す剰余価値率 $m' = m/v$ との合成値である．両者を分離して取りだすためには，資本構成として k を使うことほうが適切である．

$$\frac{c}{v} = \frac{c}{v+m} \times \frac{v+m}{v} = k(1+m')$$

一定量の投下資本 $c+v$ がどれだけの労働量 $v+m$ を吸収するかも，同じように k と m' の変化によってきまってくる．

$$c+v = K, \qquad v+m = T, \qquad \frac{1+m'}{k(1+m')+1} = \alpha$$

とおけば，

$$T = \alpha K$$

となる．

資本が吸収する労働量 T は，吸収係数 α が一定なら資本量 K に比例する．また α の値は，資本構成 k が上昇すれば減少し，剰余価値率 m' が上昇すれば上昇する．

> **問題 111**
> 「資本構成が高度化すれば，生産性が上昇し相対的剰余価値の生産が進むから，剰余価値率は上昇する．だから，資本構成がどんなに高まっていっても，それによる吸収係数 α の低下は，剰余価値率の上昇によって相殺することができる」．この命題は正しいか．

なお，次の点に留意する必要がある．フローとストックの区別に関わる問題である．$c+v+m$ というのは，フローとしての生産物の構成であるが，これはストックとして捉えるべき投下資本の構成とは異なる．投下資本の主要部分は，工場設備や機械装置など，長期にわたり使用される生産手段が占める．したがって，投下資本中に占める生きた労働部分の比率は，生産物中に占めるその相当部分の比率よりずっと小さい．その点で，剰余価値率上昇による投下資本の労働吸収効果は，割り引いて考えなくてはならない．

> **★問題 112**
> 1200 時間の労働が対象化された機械がある．この機械は 1 年間で使いつくされる．この機械を用いて，毎月，100 時間の原材料，100 時間相当の賃金で購買した労働力を投下して，生産物をつくっているとする．
> 生産物における「生きた労働÷対象化された労働」と，投下資本における「生きた労働÷対象化された労働」を求めよ．ただし，機械に対象化された労働量は，使用期間に応じて平均して生産物に移転するものとする．

さらに，二点ほど補足しておく．
（1）生産技術の基盤をなす工場施設や機械装置に関して，「更新投資」と「追加投資」という区別がなされることがある．これらに投下された資本は，ある期間かけて回収され再投下される．この再投下による置き換えを「更新投

資」といい，これに対して，剰余価値の蓄積により新規に増設することを「追加投資」という．だから，うるさくいえば，更新投資は，投下された資本の姿態変換にすぎず，投資でも資本蓄積でもない．更新投資は，通常，剰余価値をプールして投下される追加投資と一体化されてなされる．両者を量的に分離して考察する意味はないので，本書ではこの区別をとらない．ただ，資本蓄積がおこなわれなくても，更新投資を通じて，資本構成が変化する可能性はある．

(2) 資本構成に関しては，さまざまな生産手段と労働者数の物量的構成を「技術的構成」，これを価格で集計した比率を「価値構成」，この価値構成から市場価格の変動などの影響を除去し，技術的関係のみを反映させた比率を「有機的構成」，これら三層に区別するテキストもあるが，本書ではこれらの概念はとらない．資本構成に関しては，対象化された労働量を尺度に c/T で一貫させる．

労働力の吸収と反発　　これまで説明したことのポイントは，(1) 剰余価値の一部が蓄積されることで資本規模全体 K が拡大すること，そして，(2) 資本構成 k と剰余価値率 m' によって，単位あたりの資本が吸収する労働量 α がきまること，この2点である．資本の蓄積が進み社会的再生産の規模が拡大してゆく過程では，労働力に対する社会的需要も増大する．しかし，その過程で資本構成が高度化すれば，需要される労働総量が減少する．

今，一方で，蓄積を通じて総資本が $K \to K + \Delta K$ に増大し，他方で，生産技術の進歩を反映して，労働吸収係数が $\alpha \to \alpha - \Delta\alpha$ まで低下し，この結果，総労働量が $T \to T + \Delta T$ に変化したとする．

$$T + \Delta T = (\alpha - \Delta\alpha)(K + \Delta K)$$

$T = \alpha K$ の左辺，右辺を上の式の左辺，右辺から引き去り，さらに同じく両辺を割り，$\Delta T/T$ などの変化率をドットを冠して $\dot{T}$ のように略記すると，

$$\dot{T} = -\dot{\alpha} + \dot{K} - \dot{\alpha}\dot{K}$$

となる．最後の項は，他に比してはるかに小さくなるので，

$$\dot{T} \fallingdotseq \dot{K} - \dot{\alpha}$$

とみなすことができる．つまり，総労働量の変化率は総資本量の伸び率と労働吸収係数の減少率の差として現れる．例えば，資本総額が3ポイント（パーセント値の差）増加しても，吸収係数が2ポイント減少すれば，労働量は1ポイントしか増大しない．吸収係数が4ポイントまで減少すれば，蓄積過程で逆に労働量は1ポイント減少する．この吸収と反発の効果は，相互にバランスを保つ仕組みを欠く．資本の蓄積を通じて，二つの効果は一方が他方を凌ぎ，また逆に転じることもある．資本の蓄積は，あるときは労働力を吸収し，あるときは反発するという運動を繰り返すのである．

雇用人口　　労働者1人あたりの平均労働時間を d とすれば，平均的な雇用人数，いわゆるジョブ数は $N = T/d$ となる．$\dot{N} \fallingdotseq \dot{T} - \dot{d}$ だから，蓄積を通じて総労働量が増大するなかでも，平均労働時間がそれを上まわって増大すれば雇用は伸びないことになる．最終的には，この要因も加わり，資本の蓄積は外部から労働者を吸収しあるいは排出する運動を繰り返す．

　ある時点を基準にしてみたとき，資本構成の上昇を通じて排出された労働者数を，**相対的過剰人口**という．この過程で，資本総量が同時に増大していれば，この効果でこの部分は吸収される可能性がある．相対的過剰人口は，実際には排出されない可能性もある，潜在的な理論値である．剰余価値率 m' は不変とみなし，資本構成 k の高度化が労働吸収係数 α の減少に反映されるとした場合の，$\dot{\alpha}(K + \Delta K)/d$ に相当する人数である．長期的にみると，資本は蓄積を通じて労働人口を吸収しながら，資本構成を全体として高度化することで，相対的過剰人口を同時に形成できる．

　相対的過剰人口は，資本主義が労働者人口に制約されずに，拡大再生産を持続できる可能性を示す概念である．そのうえで進展する，資本蓄積を伴う社会的再生産の現実は，急速な発展と停滞を伴う動的な過程となって現れる．この過程で不可避的に生じる，労働者の吸収と反発を可能にする労働市場の存在が，資本主義的蓄積の基盤をなすのである．

3.2 労働市場

　労働力が商品として売買される労働市場も，その根本は一般商品の市場と変わらないが，同時に固有特性を帯びる．労働力という特殊な商品を，一般商品と同様の方式で取引するためには，解決しなくてはならない障壁がある．原理論のポイントは，障壁となる諸要因を一般的に示すことにある．例えば，被子植物にとって受粉という課題は共通するが，その実現様式は多様である．受粉を構成する諸要因の分析は，多様性を現象としてただ記述することをこえ，概念化するカギとなる．労働力商品の処理方式は一通りではない．その解決のしかたは，労働市場に歴史的な多様性をもたらす．しかし，解決すべき問題の基本構造には一般性がある．「どう多様であるのか」ではなく，「なぜ多様になるのか」，この問題に一般的に答えることが原理論の課題である．

産業予備軍　　資本の蓄積は，労働力の吸収と排出を伴って進む．この過程で資本が労働力をいつでも必要なときに購買できるのは，販売のために待機している労働力の売り手が存在するからである．技術や規模の変化により，ある生産過程から排出された労働力は広い意味での在庫を形成し，別の生産過程の拡張によって，そこから吸収される．労働市場はこのようなバッファ機能を内蔵する．しかし，この限りでは一般商品の市場も同じである．排出という経路でバッファが維持されるわけではないが，ともかく，商品在庫で充填されていることで，何でも買えるという貨幣の機能は保証され，それに基づいて商品流通は可能になる．

　労働市場を特徴づけているのは，この在庫バッファの特性である．一般商品であれば，同じ商品在庫の間でどれが売れるかについて，特段の区別はない．これが販売期間の分散となって現れるのであった．

　労働市場の一方の極には，この一般商品と同じ市場が想定される．職を求める人口が N_2 であり，資本構成と規模から基本的にきまる雇用人口 N_1 であれば，$N_2 - N_1$ の失業が発生する．労働者が日々 N_1/N_2 の確率で資本にピックアップされる，日傭い労働型の市場である．その日，だれが失業するかは，運不運の問題となる．

　しかし，労働市場にはこれに還元できない二層化現象が観察される．すなわ

ち，一度売れた労働力は繰り返し売れ，逆に一度売り損なうと，そこから脱却するチャンスをつかむのは容易でない．失業は持続するのである．こうして，労働力商品の売り手は，常備労働者と持続的失業者に分離する傾向を示す．

臨戦時の必要に応じて徴兵可能な予備部隊という意味で，この持続的失業者は**産業予備軍**とよばれる．常備軍と予備軍が完全に分離された労働市場が，もう一方の極になる．そして，資本主義の労働市場は，この後者の方向に大きく傾いている．産業予備軍は，資本の側からみると，過剰労働力のプールとみなしうる．

このような分離傾向を生む契機は二つある．第1の契機は，労働組織が労働市場に与える作用である．労働力は，個々の労働者が商品として別々に販売する．しかし，資本主義的な労働過程の基盤は協業にある．資本は多数の労働者を購買することで，集団力を手に入れる．これは個別分散的な労働者の寄せ集めでは乗りこえられない障壁をなす．労働力は資本のもとで組織化される必要がある．この労働組織は，外部からの支配・監督されるだけではなく，主体間のコミュニケーションを通じて維持される．日傭い型市場によって，労働主体を日々入れ替えることは，労働組織の形成・維持を困難にし負担が嵩む．このため，同じ労働主体が持続的に雇用される傾向が生じるのである．

第2の契機は，労働者の技能の問題がある．技能には個別主体に特有な熟練という面もある．しかし，すでに述べたように，社会的再生産の総体の次元で問題になるのは，一生を通じて磨き上げてゆく，名人芸的な熟練でない．求められるのは基本的に，労働編成のなかで一般的に要求される内容を，期待通りに達成する標準化された技能である．このように規格化された技能のみが，競争的な市場での取引に馴染む．資本は一定の技能を要する労働を基準に生産過程を編成する場合，労働者はこの求めに応じる標準を身につけて労働力を売る必要がある．これは労働力の内容が変化しているというよりは，配管工か電気工か，トラック運転手か鉄道の運転手か，英語をマスターするか中国語にするか，など一般的な能力の方向づけの違いである．いわば，基本的な労働力を特定のラップで包んで販売しているといってよい．これを労働の**型づけ**とよぶ．型づけは労働力の内容を変化させるというより，同じ労働力を売るためのパッケージであり，販売費用に近い性格をもつ．ただし，一度「型づけ」してしまうと簡単には変更がきかない．「型づけ」は賃金率をバラつかせるよ

りも，雇用のチャンスに影響する．社会的再生産の進行につれ，技能は「型落ち」する．そうした職種の労働主体は，産業予備軍に括りいれられ，次の雇用機会を待つか，新たな型に鋳直すか，を迫られる．産業予備軍は，(1) 雇用人口 N_1 に対する変動バッファであると同時に，(2) 新規に「型づけ」の場として，産業予備軍が形成されるのである．もし，このような「型づけ」という要素がなければ，どの労働者を雇っても同じことになる．日傭い型の労働市場で足りるのである．

したがって，常備労働人口と産業予備軍で構成される労働市場は，労働の組織性の側面でも，技能をめぐる「型づけ」の側面でも，社会的再生産内の労働編成の仕組みと連動して変容する．このため，労働市場は，さまざまな慣行や独自の制度を伴い，資本主義の歴史的のなかで大きく変化する特徴をもつ．

生活過程　労働市場は，産業予備軍をバッファとして含む労働人口 N_2 によって支えられている．労働人口は，一定の生活物資の消費を基礎として維持されている．しかし，この生活物資は，生産的労働に直接携わらない人々を含む総人口 N_3 により共同で消費される．直接資本から賃金所得 Tw を得るのは，資本によって雇用された雇用労働人口 N_1 である．しかし，それで生活物資を購入すれば，本来の意味での生活が成りたつわけではない．一次所得の稼ぎ手が，労働能力のない非生産的労働人口を扶養しているというは一種のイデオロギーである．生活物資の取得は私的で個体的であっても，その消費は共同性をもつ．それは家族という枠の内部で閉じているわけではない．生活過程は，地域社会など拡大された場で，多様な社会関係を結ぶことで営まれている．資本主義のもとでも，この生活過程について，特定の標準形を想定することはできない．オープンにしておくほかない領域である．

賃金所得は全体として，総人口 N_3 に対して，生活過程を支える生活物資 B をもたらす．資本は，この総人口のなかで生活し，自己を維持する雇用人口から総労働量 T を引きだすのである．

総労働人口は雇用人口，産業予備軍，そしてこれらをこえる生活人口の三層に分けられる（図 II.3.2）．産業予備軍は，一面では労働市場のバッファとして機能し，他面では，生活過程において，消費のための労働の担い手として機能する．家事や育児，介護など考えてみればわかるように，この後者の側面で

は，産業予備軍は，生活人口として分類した第三層と重なる．

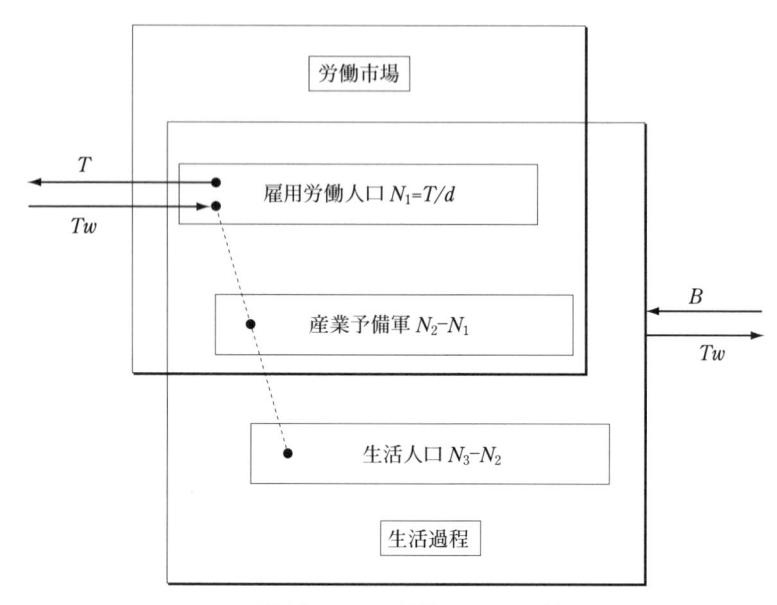

図 II.3.2 労働市場と生活過程

N_1：雇用人口　N_2：労働人口　N_3：総人口

(図中ラベル：労働市場，雇用労働人口 $N_1=T/d$，産業予備軍 N_2-N_1，生活人口 N_3-N_2，生活過程，T，Tw，B，Tw)

産業予備軍の枯渇　資本蓄積の進行は，労働市場を破壊する可能性がある．すなわち，産業予備軍の枯渇である．それは二つの経路で進む．

1. 資本蓄積は労働吸収的に進行する．その結果，産業予備軍からの吸収による収縮・枯渇が発生する．
2. 雇用労働総量の増大は，賃金所得総額を増大させ，生活物資の総量を増大させる．この結果，生活人口から産業予備軍への通路は閉ざされ，逆に生活過程への産業予備軍の吸収が発生する．

産業予備軍が存在する状況で，実質賃金率は安定的に推移する．失業が存在

するなら,実質賃金率が下落して雇用量が増大するという関係は,労働市場に関しては成りたたない.一般市場においてもこの傾向はみられるが,労働市場においては顕著である.産業予備軍は単なる寄食者ではなく,生活過程において労働している.労働市場で売れないからといって,すぐ賃金率を引き下げ,どうしても売らなくてはならない,という存在ではない.

産業予備軍が枯渇すると,安定的な賃金率による労働力の売買が困難になる.バッファが機能しなくなると,特定の職種で賃金率の急騰が発生する.型の鋳直しが遅滞するからである.さらに,転換を求められている古い型の職種についても賃金率が上昇するようになると,賃金水準全体の上昇に転じる.賃金爆発的な現象が発生するのである.雇用量総量が増大するなかで,実質賃金率が増大するようになると,剰余価値率は急速に下落する.このような全般的な賃金騰貴は,好況から不況への転換の基本的要因となる.景気循環については,後に説明する.

労働力商品の価値　　労働力商品の価値量は,総労働量 T を提供して生活物資総量 B を得る関係を基礎とする.この生活物資に対象化されている労働量 Bt が労働力商品の価値の大きさを規定する.

絶対的剰余価値の生産も,相対的剰余価値の生産も,ともに,生活物資の量自体は所与のものとして,それでも剰余価値の増進が可能であることを示す概念であった.$m = T - Bt$ において,たとえ B が変化しないとしても,資本による剰余価値の増進は可能であるというのが概念的コアであった.

だが,このことは,資本主義のもとでは B が不変であるという意味ではない.絶対的剰余価値の生産という概念は,B を一定と仮定して,T が増大するというかたちで規定される.したがって,B/T は減少する.しかし,T の増大とともに,B も増大することは原理論でも否定する必要はない.資本主義のもとでも,長期的には B が増大し,労働者の生活水準は上昇する.これを可能にするのは,相対的剰余価値の生産である.歴史的にふり返ると,資本主義のもとでこれまでのところ,T は,景気循環の過程では増減しながら,平均すると一定の水準を維持し,B の増大を t の減少がカバーするかたちで,剰余価値率はある水準を維持してきたといってよい.

3.3 再生産表式

3.3.1 単純再生産表式

2部門分割 社会的な生産物の循環を考える場合，資本の運動の内部で直接補塡されてゆく生産手段の循環（価値移転・補塡）と，労働者の生活過程で消費される生活物資の流れ（価値形成・取得）とには，大きな違いがある．社会的再生産において，資本によって直接に生産されるものではない労働力商品の特殊性がもつ意味を考えるために，生産物全体を生産手段と生活物資とに大きく二つに分割して，その運動を追う方法をマルクスは明確にした．以下では，生産手段を生産する部門を第1部門（I），生活物資を生産する生産部門を第2部門（II）で表し，よく知られたマルクスの**再生産表式**を紹介し，蓄積を含む社会的再生産の循環についてまとめる．

再生産の条件 第1部門と第2部門の生産物が，どのように分割され再配分されて，次の時期の再生産が準備され，その結果がどのような生産物の構成になるかを示した図式が再生産表式である．

経済の現実の動きは基本的に，生産物の価値量の増進を伴う再生産，すなわち拡大再生産である．ただ，拡大再生産の基本的な条件を理解するには，ひとまず再生産が同一規模で繰り返される再生産，すなわち単純再生産の条件を考えてみるのがよい．すでに述べたように，生産規模が一定であるのは，剰余価値が形成されないからではない．剰余価値は形成されても，それがすべて消費されてしまえば生産規模が拡大しないのである．

今，生産物の価値量 W を不変資本 c，可変資本 v，剰余価値 m にわけ，両部門を添え字で区別し，次のように表記することにしよう．

$$W_1 = c_1 + v_1 + m_1$$
$$W_2 = c_2 + v_2 + m_2$$

単純再生産がおこなわれるとすると，生産手段の形態で存在する第1部門の生産物のうち，第1部門の生産手段を補塡した残りの部分，$v_1 + m_1$ がすべて第2部門の生産物である生活物資に換えられる必要がある．また，第2部

門では，再生産を同じ規模で繰り返すのにちょうど必要なだけの生産手段 c_2 を，第 1 部門から得なくてはならない．したがって，単純再生産が成り立つための条件は，

$$v_1 + m_1 = c_2$$

となる．

例えば，このような条件を満たす次のような数値例を考えてみよう．

$$6000W_1 = 4000c_1 + 1000v_1 + 1000m_1$$
$$3000W_2 = 2000c_2 + 500v_2 + 500m_2$$

6000 時間で生産された全生産手段のうち，4000 時間分の $4000c_1$ は再び第 1 部門の内部で投下され，また，3000 時間で生産された第 2 部門の生活物資のうち，1000 時間分の $500v_2 + 500m_2$ は生活物資の生産に従事した第 2 部門の労働者と資本家によって消費される．そして，残りの 2000 時間分の生産手段 $1000v_1 + 1000m_1$ と生活物資 $2000c_2$ が部門間で交換される．これによって $2000c_2$ は，生産手段生産部門の資本家と労働者の生活物資として消費され，$1000v_1 + 1000m_1$ は，第 2 部門の生産手段として用いられるのである．

3.3.2 拡大再生産表式

単純再生産というのは，拡大再生産の本質を映しだすための理論的な鏡にすぎない．資本主義経済のもとでは，社会的な剰余価値がすべて消費されてしまうことはない．その一部が次の生産過程に追加的に投入される拡大再生産がふつうのすがたである．

拡大再生産の場合には，剰余価値が，私的に消費される部分（$m(k)$）だけではなく，追加的に生産手段の購入に当てられる部分（$m(c)$），追加的に労働力を購入する部分（$m(v)$）に分かれることになる．この結果，社会的再生産の表式は，このようになる．

$$W_1 = c_1 + v_1 + m_1(c) + m_1(v) + m_1(k)$$
$$W_2 = c_2 + v_2 + m_2(c) + m_2(v) + m_2(k)$$

単純再生産の条件は，両部門の間で $v_1 + m_1 = c_2$ が成りたつことであった．

単純再生産でなけば，拡大再生産か縮小再生産かである．とすれば拡大再生産となる条件は，$v_1 + m_1 > c_2$ か，$v_1 + m_1 < c_2$ か，いずれかになるはずである．調べてみよう．

生産手段と生活物資が，それぞれ部門間で交換されるとすると，

$$v_1 + m_1(v) + m_1(k) = c_2 + m_2(c)$$

となる．

$$v_1 + m_1(c) + m_1(v) + m_1(k) > v_1 + m_1(v) + m_1(k) = c_2 + m_2(c) > c_2$$

となり，

$$v_1 + m_1 > c_2$$

という条件が成立する．すなわち，拡大再生産になるためには，単純再生産がおこなわれる場合と比べて，第1部門の規模が大きくなる．逆に，$v_1 + m_1 < c_2$ であれば，縮小再生産になる．

拡大再生産が進行する過程を，簡単な数値で例示してみよう（図II.3.3）．第1部門が剰余価値の50%を蓄積にまわすという想定で，これに対応して第2部門の蓄積がきまるという例である．

数値例の繰り返し手続き

(1)	第1部門における蓄積量の決定	蓄積率50%で500を蓄積すると仮定
(2)	第1部門の資本構成にしたがって，蓄積量を不変資本と可変資本に分割	$m_1(c) = 500 \times \dfrac{4}{5}, m_1(v) = 500 \times \dfrac{1}{5}$
(3)	第1部門から第2部門に対して提供される生産手段を第2部門で投下する．これに見合うだけの不変資本の追加投資として第2部門の蓄積量がきまる．	$1000v_1 + 100m_1(v) + 500m_1(k) = 1600$ $1600 - 1500c_2 = 100m_2(c)$
(4)	第2部門の $c:v$ にしたがって，不変資本蓄積量に対する可変資本蓄積量がきまる．	$100m_2(c) \times \dfrac{1}{2} = 50m_2(v)$
(5)	第2部門の蓄積量がきまったので，第2部門の資本家消費部分が残る．	$750m_2 - (100m_2(c) + 50m_2(v)) = 600m_2(k)$

I	$4000c_1$	$1000v_1$	$1000m_1$			
II	$1500c_2$	$750v_2$	$750m_2$	500		500
I	$4000c_1$	$1000v_1$	$400m_1(c)$	$100m_1(v)$		$500m_1(k)$
II	$1500c_2$	$750v_2$	$100m_2(c)$ — (4) →	$50m_2(v)$ — (5) →	$600m_2(k)$

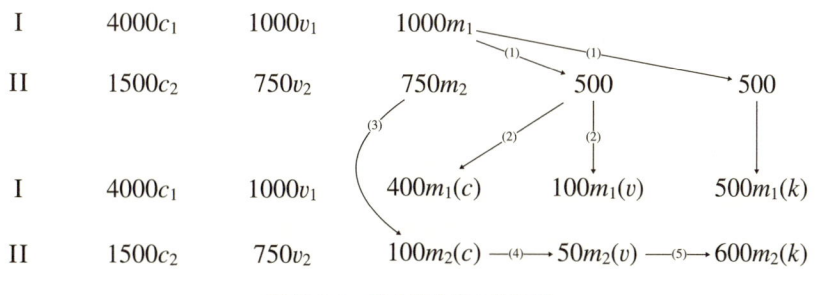

図 II.3.3 拡大再生産:数値例

この数値例は上と同じ手続きで繰り返すことができる.

I	$4400c_1$	$1100v_1$	$1100m_1$		
II	$1600c_2$	$800v_2$	$800m_2$		
I	$4400c_1$	$1100v_1$	$440m_1(c)$	$110m_1(v)$	$550m_1(k)$
II	$1600c_2$	$800v_2$	$160m_2(c)$	$80m_2(v)$	$560m_2(k)$

　上の繰り返し手続きは,あくまでも,表式を記述する手段である.現実の蓄積過程が,このような順序で進行するわけではない.再生産表式の課題は,社会的再生産の結果を記述することで,繰り返せる「可能性」を示すところにあり,それ以上でもそれ以下でもない.

> ★問題 113
> 　上の数値例で,第 2 部門の蓄積率が 50% であると仮定する.第 2 部門が先に蓄積をおこなうとした場合,第 1 部門の蓄積率は何パーセントとなるか.

　数値例の繰り返しは,いくつかの条件を仮定してなされている.しかし,資本の蓄積過程においては,このような条件を与件として固定する理論的根拠はない.こうした条件を固定し,あるいは操作することで,資本主義における再

生産の帰結を推定することに表式を利用することはできない．数値例で仮定されている条件を明示すると次のようになる．

数値例で仮定されている条件

1.	剰余価値率	両部門で共通
2.	一方の部門の蓄積率	一方の部門の蓄積率を与えれば，他方の部門の蓄積率は結果的に定まる．
3.	蓄積される資本の不変資本・可変資本の比率	両部門でそれぞれ独立にきまる．前回における $c:v$ の比率が，次回も同じに維持されると仮定．

　再生産過程の条件の充足は，資本主義にのみ求められるものではない．それはどのような社会的再生産であれ，満たされなくてはならない基本的な原則である．再生産表式の課題は，資本主義経済もこの原則を，価値増殖を求める個別資本の運動の連鎖を通じて，結果的に充足することができることを確認する範囲に限られる．

第 III 篇
機構論

　これまで二つの篇にわけて，流通と生産という対極的なシステムについて説明してきた．この二つのシステム間の関連を明らかにすることがこの篇の課題である．本論に入るまえに，また，側面から注意すべき点をいくつか指摘しておく．

　第1のポイントは，例によって出発点の問題である．第I篇では商品，第II篇では労働や生産といった具合に，システムの解明においては，出発点をなす概念が決定的な意味をもつ．今回の出発点は個別産業資本である．商品が使用価値と価値という2要因をもっていたように，個別産業資本にも，流通過程と生産過程という対極的な因子が埋め込まれている．細胞膜のなかに細胞液と核を具えた細胞をイメージしてもよい．この篇では，このような個別産業資本を出発点にして，地代，商業資本，商業信用，銀行信用，株式資本，景気循環など，多彩な領域を扱うことになる．各領域は，かならずしも，$A \to B \to C$ というように，直列につながっているとは限らない．$A \to B : A \to C$ という並列に進むところもある．道に迷わないよう，後は現場でガイドするが，いずれにせよ，完成した資本主義を外側から観察して記述するのではなく，システム内に入って個別主体の目線で，内的関連を探って進んでゆくというのが基本姿勢なのである．

第2のポイントは，通常とちょっとズレた着想なので，これも予告しておく．本篇では，社会的再生産の要因によって，市場価格に一定の基準が形成され，価格変動に対して規制力がはたらくという説明をしてゆく．形式的にいえば，変動しバラツキがあるものに，平均値が存在するのは当り前である．その場合，変動に基準があるのは，この平均がズレた個々の価格を引きつけているからだ，と思いたくなる．平均価格が重心になって，変動や分散は規制されているとみるのがふつうだろう．しかし，平均値が規制力をもつとはかぎらない．平均＝基準という通念にとらわれていると，出口がみえないことになる．この他にも，通常の捉え方を捨て，別の発想で整理したところがいくつかある．ちょっと戸惑うかもしれないが，覚悟しておいてほしい．

　第3のポイントは，「状態」とか，「環境」とか，「相」という捉え方を基底においている点である．これは，序論で述べたように，資本主義をシステムと捉えたことの帰結であるが，最後の景気循環論ではこの捉え方が前面に打ちだされている．景気循環論では，その諸局面を時系列に沿って記述するというが通例である．しかし，それでは原理論と歴史分析との違いがはっきりしなくなる．ここでは，理論的な抽象度を高め，原理論と歴史分析のグレーゾーンを，例のごとく，白黒に塗り分けている．「原理論の終わりは，自然に歴史分析につながってゆくのでよいのでは……」と思う人も多いだろうが，ここでは，「景気循環の変容を説明する理論を構築するためだ」と，いささか杓子定規だが，答えておく．

第1章 価格機構

1.1 費用価格と利潤

社会的再生産は，さまざまな生産過程の連鎖で構成されている．このような各生産過程をそれぞれ多数の資本が担っている状態を想定する．この資本を**個別産業資本**とよぶ．個別産業資本は，社会的再生産を構成する何らかの生産過程を，必ずその運動の一局面に含み，一種類の商品を生産し自ら販売する．この個別産業資本の内部構造を明確に理解することが出発点となる．

生産期間と流通期間 個別産業資本の運動には，ある期間がかかる．その期間は，生産期間と流通期間によって規定される．

生産期間という概念は，すでに述べたように（142頁），自然過程の認識を基礎にした生産物に関する規定である．資本の生産期間というのは，その資本が生産する特定の生産物の生産期間という意味である．生産期間には，生産技術に応じて一定の基準が存在する．生産期間が，生産に直接・間接に要する労働量と独立にきまるといってよいかという点には多少難しい問題がある（問題97）．複数の労働主体を集中することで，生産期間が短縮される可能性はある．ここでは簡単化のために，投下労働時間とは独立に，生産物に固有の生産期間が存在するものと仮定する．

資本の運動のなかで，生産された商品は販売され，その代価で次の生産の原材料や労働力が購買される．この期間を生産期間に対して，**流通期間**とよぶ．流通期間は，形式的にいえば，販売期間と購買期間に分かれるが，この区別は意味がない．商品は「早く売ろう」と思っても，売り手の意志だけではどうに

もならない．その意味で販売には，期間が「かかる」．ところが，購買のほうは「早く買おう」と思えば買える．期間が「かかる」のではなく意図的に「かけている」だけだ．資本の運動を制約する流通期間とは販売期間のことなのである．

資本の運動を規定する期間は，確定性をもつ生産期間と不確定な流通期間に二分される．

生産資本　　生産過程ではさまざまな生産手段が用いられ，それに応じて一定量の労働力が必要となる．生産過程に投下された資本を**生産資本**という．生産資本のうちには，原材料など，生産物1単位ごとに使いきられる部分もあれば，機械装置のように多数の生産物の生産に使いつづけられる部分もある．多数の工程が複雑に連鎖している資本の生産過程では，両者の区別は難しいが，ここでは，生産資本のうち，一生産期間を基準にその間に使いつくされる部分を**流動資本**，それをこえて使われる部分を**固定資本**とよぶ（生産資本＝流動資本＋固定資本）．労働力の購買にあてられる部分も，通常，流動資本に含められる．ドリルやドライバーのような工具にあてられる部分は，通常固定資本となるが，生産期間が長期にわたる巨大タンカーの建造などで使いつくされる場合には，流動資本になる．

固定資本の価値は，多数の生産物に移転され，その販売を通じてある期間をかけて徐々に回収される．これを固定資本の償却とよび，回収された価額を**償却資金**という．これは価額の回収の話で，固定資本を構成する設備や機械自体は，適正なメンテナンスを施せば，使用期間を通じて同じ性能が持続すると仮定する．徐々に劣化して効率が落ちてゆき，最後にガタリと止まって終わり，というわけではない．

流通資本　　流通過程が存在するため，そこにも資本の投下がなされなくてはならない．流通過程に投下されている資本を**流通資本**とよぶ．生産物は，販売されるまで商品の形態をとり，売れれば貨幣の形態をとる．流通資本の基本は，商品在庫と貨幣準備である．前者を**商品資本**，後者を**貨幣資本**とよぶ（流通資本＝商品資本＋貨幣資本）．

販売期間は変動するため，流動資本だけで操業すれば，生産された商品がす

ぐに売れないかぎり，生産過程は休止する．流通資本は，不確定に変動する流通過程のもとで，生産資本を絶えず稼働状態にしておくために必要とされる，一種のバッファである．

販売期間が伸びれば，流通資本のうち，商品在庫の占める比率が高まり，逆に縮まれば準備金の比率が高まる．個別資本としては，流通資本の額をできるだけ抑え，生産資本にまわしたいのであるが，それを抑えこみすぎると，販売期間が延びたときには貨幣準備が底をつき，固定資本が遊休する．偶然的に変動する販売期間に対して，どの程度のバッファを用意するのが適切かには，生産技術のような客観的な基準がない．それは過去の経験に照らし，現在の市況を睨んで，個別的に判断するほかないのである．

> ★問題114
> 「もし，固定資本が存在しないならば，流通資本を投下する必要はない」．この命題は正しいか．

個別産業資本は，生産と流通という二つの世界に棲息する．このため，個別産業資本の体内は，図 III.1.1 のような対極的な要素に分かれる．

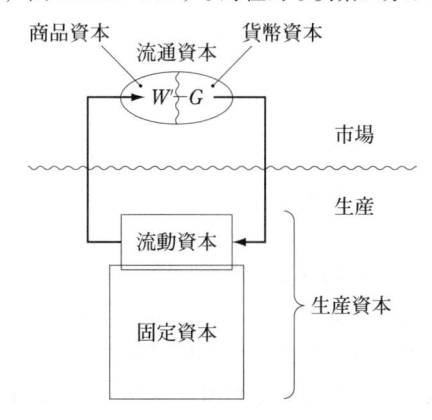

図 III.1.1　産業資本の両棲性

費用価格　　資本の内部構造の解剖は終えたので，次に個別産業資本の生産物の販売価格を分解してみよう．資本の運動のなかで支出され

る費用は，生産物1単位あたりに割り振ることのできる費用と，そうできない費用とに分かれる．生産過程では，もっとも合理的に生産したらどれだけのインプットが必要であるか，生産技術によって物量が規定できる．これらの物量に対して，基準となる価格が与えられれば，商品1単位を生産するために必要となる費用も見積ることができる．多数の生産物の生産に用いられる固定資本の価値も，1単位あたりに割り振られ，この費用に算入される．この費用をマルクス経済学では，伝統的に**費用価格**とよんできた．これは，製造原価と同義である．

資本によって支出された費用がすべて，費用価格になるわけではない．ポイントは，さまざまな費用のうち，生産物1単位に必要な費用として集計合算できる部分が費用価格を構成するのである．このような集計合算が意味をもつのは，生産技術という客観的基礎が存在することによる．コンピュータを分解してみれば，いろいろな部品がその量で組み合わされる技術的必然性がある．それらの部品の価格も，またその組立に何分かかりいくらの労賃がいるのかもわかる．これら異質な諸費用が合算され，それ以上でもそれ以下のでもないコンピュータの製造原価を構成する．

流通費用 流通過程の存在は，在庫や貨幣準備のかたちで資本投下を強いるだけでなく，流通費用の支出を要請する．流通費用自体は，個別産業資本ではじめて登場するものではない．資本の概念を規定する段階で，すでに説明した（83頁）．ここでは，個別産業資本のもとで，技術的確定性を示す生産費としての費用価格に対して，それと異質な流通費用の性質が新たな問題になる．

流通費用は，通常，生産過程との遠近関係によって，次の3種類に分けられる．(1) **運輸費**．商品の販売には，多くの場合，商品の輸送が必要となる．市場において有利な販売地点を求めて，商品を輸送するために要する費用である．(2) **保管費**．価値実現には流通期間がかかる．その間，品質を維持するために支出される費用である．(3) **純粋な流通費用**．商品販売のための費用である．会計処理などの経費のような消極的な費用から，市場調査費や宣伝費のような積極的な費用までを包括する．

第1章 価格機構

★問題 115

多数の個別産業資本によって，同種商品が，空間的に異なる多地点で生産され，また多地点で販売されている．個別産業資本は，売れそうな地点を探して，商品をあちこち運んで販売している．さまざまな地点から運ばれてきた，運輸費がまちまちな同種商品が同じ地点に並んでいる．このとき，運輸費の多寡を商品の販売価格に反映させることはできるか．

★問題 116

「資本の生産過程の内部でも，加工中の原材料の場所移動はおこなわれ，そのために費用がかかる．運輸費はこの費用と区別がない．工場内の移動の費用が原材料費などとともに費用価格に一括されるのであれば，工場の外部での輸送費もそれに準じて合算されるべきである．運輸は〈流通過程に延長された生産過程〉であり，運輸費は費用価格を構成する」．この主張は正しいか．

★問題 117

個別産業資本は，一定の商品在庫を保有して販売している．個々の商品についてみると，販売期間はまちまちである．そのため，保管費もバラバラである．このとき，保管費の多寡を商品の販売価格に反映させることはできるか．

問題 118

「運輸費や保管費は，場所を変えたり，品質を保ったりするかたちで，間接的にだが商品体に影響を与える費用である．会計処理に支出される費用は，商品に関する情報を処理しているだけで，商品体にはいっさい関係がない．両者を同じ流通費用の範疇で括るのは無理である」．この見解について論評せよ．

問題 119

「流通費用のなかには，宣伝費のように，商品価格を積極的に高めるものがある」．この主張は正しいか．

費用価格は，それに比例した生産量をもたらすのに対して，流通費用はすべて，販売量とは相対的に独立した支出額となる．流通費用はムダかどうかという以前に，そのことを判別する基準がない不確定な費用である．この点では，運輸費も保管費も，純粋な流通費用と区別はない．それらは，流通費用として一括され，売上総額から総額ベースで差し引くほかない費用である．

売上高と利益 以下の二つの項目も，すでに資本の一般的概念で説明したことであるが (83 頁)，もう一度，個別産業資本に即してまとめておこう．資本が支出する諸費用のうちには，商品 1 単位あたりに換算できるものと，できないものとがある．換算可能な諸費用の合算値がその商品の費用価格である．販売価格から費用価格を引けば，「商品 1 単位あたりの利益」すなわちマージンが残る．次のような関係が成り立つ．

$$売上総額 = 販売価格 \times 販売量$$
$$費用価格総額 = 費用価格 \times 販売量$$
$$売上総利益 = 売上総額 - 費用価格総額$$
$$= 1 \text{単位あたりの利益} \times 販売量$$

この売上総利益は，すでに規定した粗利潤に該当する．マージンが小さくても，販売量が多ければ，粗利潤は大きい．粗利潤は一定期間の累積額（フロー）である．

資本の運動には，さらに，単価計算に馴染まない流通費用が必要である．流通費用は一定期間の総額のかたちで，粗利潤から支出され控除される．この残差が，すでに規定した純利潤に該当する．

$$純利潤 = 粗利潤 - 流通費用総額$$

粗利潤率と純利潤率 個別産業資本にとって，増殖の程度を示すのは，投下総資本に対する，一定期間の純利潤の比率である．これを**純利潤率**という．

$$\text{純利潤率 } r = \frac{\text{純利潤}}{\text{投下総資本}} = \frac{\text{粗利潤} - \text{流通費用}}{\text{固定資本} + \text{流動資本} + \text{流通資本}}$$

投下総資本は，(1) 生産過程に投下された流動資本と固定資本，すなわち生産資本のほかに，(2) 流通過程に投下された貨幣準備と商品在庫，すなわち流通資本で構成される．(1) には生産技術の面からいって生産量との間に確定的な関係が認められる．これに対して (2) は，販売量という個別産業資本がコントロールできない，市場の無規律的な性格を反映し，偶然的に変動する．利潤に関しても，(1) 粗利潤は生産技術的な関係を反映するのに対して，(2) 純利潤は，流通費用という不確定な要因で個別的にバラツキを示す．純利潤率から，(2) の不確定要因を除去した利潤率を**粗利潤率**という．

$$\text{粗利潤率 } R = \frac{\text{売上総利益}}{\text{固定資本} + \text{流動資本}}$$

> **★問題 120**
>
> 次の 1.2.3 からなる簡単な例で，マージン率（マージン ÷ 販売価格），粗利潤率，純利潤率を算定してみよ．
>
> 1. 1 個生産するのに必要な賃金や原材料費，機械などの費用が 80 円かかる缶詰が，100 円の価格で，年間 10 億個，販売されたとする．
> 2. さらに，販売のために運輸・保管・会計処理・販売活動などに，60 億円の経費がかかった．
> 3. 生産資本が 120 億円，流通資本が 40 億円，それぞれ投下されている．

純利潤率は，正の値をとる攪乱要因 ξ によって粗利潤率の下方に乖離する．

$$r = R - \xi \quad \text{ただし} \quad \xi > 0$$

利潤率の均等化　個別産業資本は，純利潤率を相互に比較し，少しでも高いものがいればその行動を模倣してゆく．これが資本の**競争**である．それには，二つの側面がある．

第1の競争は，部門内のもので，同じ商品を生産しながら，純利潤を粗利潤に近づけるかたちで展開される．両者の乖離 ξ は，流通資本と流通費用の存在に由来する．しかし，これらは，個別資本にはいかんともしがたい流通期間の変動に対処するための資本投下と費用支出であり，模倣しても必ずしも同じ効果は得られない．流通資本は，固定資本の遊休を生まないような最低水準に，状況をみながら再調整することはできる．また流通費用のうち，とくに市場調査や宣伝など，積極的な流通費用は，それをまったく支出しない場合に比べれば，販売期間をある程度，短縮する．ただ，その短縮の程度は，必ずしも支出額に比例するわけではないのである．

第2の競争は部門間のもので，現在生産している商品を別の種類の商品に変更するかたちで展開される．個別産業資本がその産業部門を変更することを**資本移動**という．全面的な資本移動は，固定資本の価値の回収が完了しないと実現できない．ただ，償却資金や利潤からの蓄積資金を合わせて，その部分を別の産業に移すということは可能である．本書では，こうした部分移転も含めて，資本移動という用語を広義に用いる．

個別産業資本の純利潤率を**個別的利潤率**とよぶ．資本の競争は，個別的利潤率そのものを，直接，均等化させることにはならない．競争自体は，販売過程の個別的偶然性を除去するものではないからである．しかし，粗利潤率に関しては，部門間において均等化の力がはたらく．生産過程に技術的な確定性がある以上，生産部門間で粗利潤率のレベルの乖離は，広義の資本移動を通じて解消される．諸資本の競争を通じて，生産部門間で均等化する利潤率を**一般的利潤率**とよぶ．一般的利潤率は，粗利潤率のレベルについて成りたつ概念である．この一般的利潤率を以下 R^* と表記する．

一般的利潤率の規制力　個別産業資本の純利潤率 r は，流通過程の不確定要因 ξ によって，粗利潤率 R の下方に現象する．そして，粗利潤率の間には，均等化の力が作用する．こうして，一般的利潤率は次のようなかたちで，個別産業資本の利潤率に対して規制力を発揮する．社

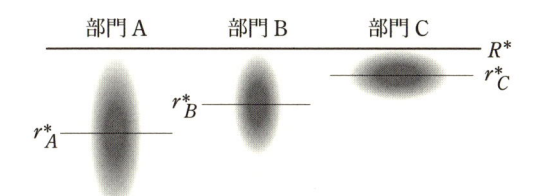

図 III.1.2 一般的利潤率の規制力

会的需要に対して供給能力が過大である生産部門 A では，個別産業資本の在庫が増大し，流通費用が嵩み，また販売価格を引き下げてでも在庫を圧縮することを迫られる．その結果，この部門の諸資本の純利潤率の分散は大きくなり，その平均値 r_A^* は一般的利潤率から下方に乖離する．供給能力が過少な部門 C では，逆に，分散は縮まり平均値 r_C^* は一般的利潤率に接近する傾向を示す（図 III.1.2）．このような平均値の較差が顕著になれば，部門 A から C への資本移動が進み，供給能力のギャップは解消されてゆく．

しかし，さまざまな部門に属する個別資本の利潤の分散は，はるかに複雑で多様な現象を呈する．純利潤率が下方分散的であるということは，一般的には分散が大きくなれば平均値が低下するという相関が認められる．しかし，場合によっては，ある生産部門では平均値は高いがバラツキは大きいとか，他の部門では逆にバラツキは小さいが平均値は相対的に低いといったことも生じてくる．個別資本としては，各部門の個別的利潤率の平均値だけで，どの部門が有利かを簡単にきめることはできない．こうしたバラツキを伴う変動のなかで，固定資本という重荷をかかえ，他部門へ移動するということは個別産業資本にとっては容易なことではない．しかも，個別産業資本に観察可能なのは，こうした純利潤率の分布状況であり，その目にみえるのは近傍の部分的断片だけである．競争は，いわば，いくつもの小円が重なりあう世界で繰り広げられる．利潤率の均等化といっても，それはこのような不透明な世界で，緩やかな傾向として，発現するにすぎないのである．

問題 121

「個別産業資本の純利潤率の値が分散し平均値が均等にならないのは，一般的利潤率が確定的な値をもたないためである」．この命

題は正しいか．

1.2 生産価格

平均利潤　一般的利潤率を成立させる商品価格を**生産価格**という．

$$生産価格 = 費用価格^* + 平均利潤$$

となる．右辺の二つの項について説明する．今，各産業ごとに生産技術が一つだけ存在し，適切な生産資本 K_p を投下すれば，きまった数量 x の生産物が産出されるものと仮定する．生産資本 K_p に一般的利潤率 R をかけて得られる利潤総量 $K_p \times R$ を，それに対応する産出数量 x で割れば，一般的利潤率に対応する商品生産物 1 単位あたりの利潤相当額 $K_p \times R \div x$ が得られる．この値が**平均利潤**である．利潤とはもともと，資本の増殖分に対する概念であり，商品価格に対する概念ではない．その点で，この平均利潤という用語には不適切なところがあるが，商品価格のうちの利潤部分という意味で用いる．

次に，費用価格*について説明しよう．商品生産物の生産に必要な生産手段の物量と労働量は技術的に与えられており，労働量は一定の生活物資の量に対応する．したがって，もし他の諸商品の生産価格が与えられれば，生産技術を基礎にして費用価格* もきまる．生産価格は費用価格* を前提に規定され，費用価格* は生産価格を前提に規定される．つまり，両者は同時に決定されるのである．

問題 122

「費用価格* が等しい 2 商品は，平均利潤も等しい」．この命題は正しいか．

生産価格の決定因子　生産価格の比率は生産技術と賃金水準によってきまる．この基本命題を第 II 篇の［数値例 (3)］(156 頁)

$$小麦\,6\,\text{kg} + 鉄\,4\,\text{kg} + 農耕労働\,6\,時間 \longrightarrow 小麦\,20\,\text{kg}$$
$$小麦\,8\,\text{kg} + 鉄\,4\,\text{kg} + 製鉄労働\,4\,時間 \longrightarrow 鉄\,20\,\text{kg}$$
$$小麦\,5\,\text{kg},\,鉄\,5\,\text{kg} \dashrightarrow \bigcirc \dashrightarrow 労働\,10\,時間$$

を使って説明してみよう．

　小麦と鉄の生産部門だけで，社会的再生産は構成されている．簡単化のために固定資本は存在せず，生産期間は両部門で同じと仮定する．一般には，平均利潤÷費用価格（マージン率）の値と，粗利潤÷生産資本（粗利潤率）とは異なる値をとるが，このような仮定をおけば一致し，費用価格*に (1 + 一般的利潤率) をかけた値が生産価格となる．この仮定自体は特異なものだが，上の基本命題を説明する妨げにはならない．

　小麦，鉄の生産価格を p_1, p_2，賃金率を w，一般的利潤率を R とすると，
$$(6p_1 + 4p_2 + 6w)(1+R) = 20p_1$$
$$(8p_1 + 4p_2 + 4w)(1+R) = 20p_2$$
$$5p_1 + 5p_2 = 10w$$

が成りたつ．w を消去し，$\lambda = 1/(1+R)$ とおいて整理すると，
$$(9 - 20\lambda)p_1 + 7p_2 = 0$$
$$10p_1 + (6 - 20\lambda)p_2 = 0$$

となる．この連立方程式は，原点を通る2つの直線を表わし，一般に $p_1 = p_2 = 0$ という自明な解をもつが，とくに両直線が一致する不定の場合，p_1, p_2 の相対比と R の値がきまる．この場合，
$$(9 - 20\lambda) : 7 = 10 : (6 - 20\lambda)$$

となり，これから $\lambda = \dfrac{4}{5},\ -\dfrac{1}{20}$ を得る．R が正の値になるのは，前者の値のときで，一般的利潤率 R は 25%，$\dfrac{p_1}{p_2} = 1$ となる．

問題 123

　［数値例 (3)］について，以下の問いに答えよ．

1. 投下労働時間に比例した価格を**価値価格**ないし**価値通りの価格**とよぶ．小麦と鉄がともに 1 円/時間 という同一の比率で換算された価値価格で売買された場合，小麦部門，鉄部門の利潤率はそれぞれ何パーセントとなるか．
2. 小麦，鉄に対象化された労働時間が，それぞれ x 円/時間，y 円/時間という異なる比率で価格に換算されたとき，両部門の利潤率が等しくなるものとする．このときの x/y の値を求めよ．
3. 生産価格 p_1, p_2 に関して，支配労働量 p_1/w, p_2/w は，投下労働量 t_1, t_2 に比べて大きくなることを示せ．

―★問題 124 ―――――――――――――――――――――――

［数値例（3）］で，小麦に対する需要が伸び，小麦生産の規模が次のように 2 倍に拡大したとする．

$$\text{小麦 } 12\,\text{kg} + \text{鉄 } 8\,\text{kg} + \text{労働 } 12\,\text{時間} \longrightarrow \text{小麦 } 40\,\text{kg}$$

このとき，一般的利潤率は上昇するか下落するか．

―★問題 125 ―――――――――――――――――――――――

［数値例（3）］に，次のような金生産部門が加わった場合について，以下の問に答えよ．ただし，金 1 mg の価格を p_3 円とする．

$$\text{鉄 } 3\,\text{kg} + \text{労働 } 2\,\text{時間} \longrightarrow \text{金 } 1\,\text{mg}$$

1. 一般的利潤率 R，および生産価格比 p_1/p_3, p_2/p_3 の値を求めよ．
2. 金生産における生産力が上昇し，次のようになった．

$$\text{鉄 } 6\,\text{kg} + \text{労働 } 2\,\text{時間} \longrightarrow \text{金 } 2\,\text{mg}$$

このとき，一般的利潤率 R，および生産価格比 p_1/p_3, p_2/p_3 の値を求めよ．

要するに，(1) 特定量の産出に必要な生産諸手段と，それを加工するのに

必要な生きた労働の構成比で表される生産技術と，(2) 労働者が取得する生活物資の物量で表される純生産物の分配関係が与えられると，生産価格の比率はきまる．生産価格による売買は，異なる産業部門の間で粗利潤率を均等にする．

しかし，同種商品を多数の個別資本が競争的に売買する市場で，生産価格による販売を実現するには不確定な期間がかかる．多くの市場価格は生産価格と一致するが，その実現が遅れた資本のなかには，生産価格以下の市場価格で投げ売りするものがでてくる．その結果，市場価格も生産価格の下方に分散するのである．この原理についてはすでに説明したが（69頁），生産価格は，その際想定した市場価格の相場を明示的に与えることになる．

── 問題 126 ──
「市場価格が下方分散する結果，純利潤率も下方分散するのである」．この命題は正しいか．

── 問題 127 ──
「ある商品に対する需要が増大すればその市場価格が上昇する．すると，その生産によって相対的に高い利潤率が得られるので，それを生産する資本が増加する．その結果，供給がふえ，やがて市場価格は下落する．逆なら逆の変化が生じる．こうして，市場価格はある中心点をめぐって上昇下落する．この中心価格が生産価格である」．この説明は適切か．

単純な価格機構の限界　これまで，一般的利潤率と生産価格，ならびに個別的利潤率や市場価格に対する規制力について，2種類の生産物からなる社会的再生産で例解してきた．これにより，生産物の需要の変化に対して，利潤率の増進を目指す個別資本が感応し，資本移動を通じて部門間のバランスが調整されるという，価格機構の基本機能を見通すことができた．もちろん2生産物への限定は，この基本機能を理解するための非現実的仮定である．社会的再生産においては，種々雑多な生産物を，これまた夥しい数の資本が商品として生産している．強い仮定に基づく価格機構の機

能を，膨大な種類と量を扱わざるをえない現実の世界にそのまま延長するわけにはゆかない．限定されたデータを巧みに処理してきたプログラムに，大量のデータを処理させると途端にバグが顕在化しクラッシュを引きおこすようなものである．量の増大は負荷を累乗的に高める．たしかに，原理的には価格機構は社会的再生産のバランスを動的に維持する機能を果たしうる．しかし，それを現実世界に適用するには，固有の障害があるのである．

この障害は，今までの考察をふり返れば，原理的に大きく二つに絞り込むことができる．第1は，分散的処理を基本とする市場が，個別資本に課す固有の流通過程の負荷である．生産資本には，生産技術という確定的基準を共有しながら，個別資本はこれだけで有利不利を判定できない．流通資本の投下と流通費用の支出という不確定な要因を抱え，五里霧中の状態で判断を迫られるのである．第2は，資本移動を制約する固定資本の存在である．たとえ他の部門に社会的需要がシフトしており，自己の生産部門が供給過剰の状態にあるとわかっても，固定資本の回収が進まぬ以上，いかんともしがたい．アタマではわかっていてもカラダがついていかない，というのが常なのである．

この二つの障害，流通資本と固定資本は，すでに説明したように，内的に結びついている．もし固定資本の遊休という不利がないのであれば，あえて貨幣的な準備をもつ必要もないのである．販売期間の不確定な変動から生産期間を保護するためのバッファとして，流通資本と流通費用が要請される．そしてこの要因が，個別資本の純利潤率を分散させ，部門間の有利不利の判断を不透明にするのである．このような障害を捨象した理論上の市場を「単純な価格機構」とよぶ．

次のような極端な前提をおけば，単純な価格機構は社会的再生産の内部編成を完全に処理できることになる．(1) 商品は市場に持ち込めば即座に販売できる．流通資本も流通費用も存在しない市場がそこに広がっている．(2) 固定資本が存在しない．資本は有利な部門に瞬間移動できる．この二つの条件が与えられていれば，商品は生産価格で売買され，個別資本の純利潤率と粗利潤率の区別はなくなり，一般的利潤率として実現される．

もとより，資本主義の現実は，このような単純な価格機構で処理できるわけではない．資本主義といえども，この障害を直接に解消することはできない．しかし，それは価格機構がはらむこの二つの障害を解消する独自の発展を示

す．すなわち，個別産業資本という同じタイプの資本が，並立して競争する平面的な価格機構から，流通的要因の処理に特化した異なるタイプの個別資本に分かれ，立体的な市場機構が形成されてゆく．これを市場の機構化という．機構化を通じて，資本主義は二つの障害をいわば間接的に回避するのである．この機構化については，次章以下で考えてゆく．その前に，個別産業資本の側に残された生産過程に独自の問題をもう少し掘りさげてゆくが，ここから次章にジャンプしても理論の筋はわかる．

1.3　市場価値

生産条件の較差　一般的利潤率と生産価格は，各生産物ごとに確定的な生産条件がそれぞれ一つだけ存在するという前提で説明してきた．ただし，ここにいう生産条件は，特定量の産出に必要な，さまざまな投入の組合せで表される客観的な条件である．このような生産技術の単一性は，かなり強い前提である．現実には，同種の生産物を生産するのに，複数の異なる生産条件が併存すると考えなければならない．このような生産条件の格差には，二つのケースがある．(1) 再生産可能な生産条件によるケースと，(2) 再生産不可能な生産条件によるケース，である．(1) は，新しい機械設備の採用のように生産手段の全面的な変更によるものであり，(2) は，土地に代表される自然力の利用によるものである．

　本節では (1) について考えてみる．この場合，生産手段が増産可能なのであるから，資本は競って有利な条件を採用しようとする．したがって，生産条件が流動資本の部分だけで独立に変更できるのであれば，生産条件の格差は基本的に生じない．たとえば，良質な石炭に切り替えるとか，改良された種子をまくとか，原材料を変更するだけですむ場合には，それらは即座に普及する．しかし，機械設備の更新を伴うような場合には，すべての資本が一斉にそれに切り替えるというわけにはゆかない．固定資本が新技術への移行を制約する．基本的には固定資本の価値の回収がすんだ資本から新生産技術は採用され，徐々に普及してゆく．そして，新しい生産技術も次々に発見されてゆくかぎり，どの時点をとっても，同じ生産部門のなかに異なる生産条件が，何層にも堆積する．

市場価値　同一部門に複数の生産条件が並存するとき，その部門を代表する標準的な商品価値を**市場価値**とよぶ．上・中・下とランクづけされた生産条件が存在する場合，どの条件が市場価値を決定するのか，という問題が発生する．

ただし，生産条件の優劣は，特定の生産過程を個別に抜きだしてもわからない．それは社会的再生産を構成する各生産部門の連鎖のなかできまる．ある部門の優劣が，他部門で生産条件が変化した結果として，逆転する可能性もある．各部門で生産技術が分散的に更新されてゆく動的な過程で，生産条件の優劣を，個別産業資本が的確に判断することはかなり難しい．

市場価値の決定問題には，生産価格に相当する，明快な解答を与えることはできない．というのは，生産条件が固定したものではなく，市場価値が過渡的な存在だからである．個別産業資本は，可能なら有利な条件に切り替えたいのだが，固定資本に制約され，一時的に劣等条件を甘受しているにすぎない．現存の格差は，基本的に解消される傾向をもつ．ただ，並行して新技術が開発され部分的に導入されてゆくため，格差自体はなくなるわけではない．このように，格差自体は絶えずその状態を変化させている．こうした動的な状態に，生産価格と同様の規制力を具えた基準を求めようとしても無理なのである．このことがわかれば，同一生産物の生産条件に格差があっても，それが不変であれば，生産価格と同じ論理次元で規制力の存在が理論的に説明できることもわかる．これが次節で述べる，地代の問題になる．

問題 128

「同一部門内の競争でその部門を代表する標準条件がきまる．部門間の競争で生産価格がきまる．そして，個別産業資本は，これら二つの競争を別々におこなうわけではない．したがって，各部門の生産条件が単一であるとして規定した生産価格を拡張して，複数の場合は〈市場生産価格〉と規定すればよい．生産価格と異なる問題として市場価値を論じる必要はない」．この主張は正しいか．

特別利潤　市場価値の決定問題を一般的に解くことはできないが，それを生みだす生産条件の格差の存在は理論的に推定される．優等な

生産条件でも劣等な生産条件でも並行して生産されるが，それらは市場においては区別できない同種商品である．それらは同一の生産価格をもつが，費用価格は個別的に異なる．その結果，優等な生産条件をいち早く採用した資本には，平均利潤をこえる利潤が生じる．それは流通の不確定な要因によって，純利潤率がバラつく結果発生する**超過利潤**一般とは区別される．それは個別産業資本にとっても，原価のレベルで識別可能な特殊な超過利潤である．この超過利潤を**特別利潤**とよぶ．「特別利潤」という用語は，通常，超過利潤と同義に使われるが，本書では区別する．

特別利潤の存在は，生産技術の改善を促進する積極的な誘因となる．しかし，特別利潤は過渡的な存在であり，新生産技術が普及すれば消滅する．新生産技術を標準とした生産価格の体系に移れば，旧来の生産技術による資本は平均利潤を下回る利潤しかあげられなくなる．今度は，いわばマイナスの特別利潤が発生し，新技術への移行を迫る強制力としてはたらくのである．

問題 129

［数値例 (3)］（156頁）において，小麦生産で，労働の生産力が上昇し，同じ労働時間で，従来より25%多い生産手段が用いられ，その結果収穫される小麦も25%増加したとする．すなわち，次のような新しい生産条件が利用可能になったとする．

小麦 7.5 kg + 鉄 5 kg + 労働 6 時間 ⟶ 小麦 25 kg

1. 小麦生産において，新しい生産条件がまだ普及しておらず，従来の生産条件に基づいて生産価格がきまるとする．このとき，新しい生産条件を他に先駆けて導入した個別産業資本の粗利潤率は何パーセントになるか．
2. 新しい生産条件が普及し，これによって生産価格がきまるようになったとする．このとき，なお従来の生産条件で生産を継続している個別産業資本の粗利潤率は何パーセントになるか．

競争による生産部門編成　　個別産業資本は，超過利潤を求めて競争する．それを通じて，社会的再生産を構成する生産部

門の編成が事後的に調整されてゆく．この超過利潤による調整には，二つの側面がある．外部で発生する社会的需要の変動に対応する受動的調整と，新たな生産方法や生産物を生みだし内的に供給の変動を引きおこす積極的調整である．

　第1の側面は，異なる種類の生産物を生産する諸資本間の競争に関わる．社会的需要の変動は，各生産部門の純利潤率の平均と分散の状況に現れる．需要が増大する部門では，純利潤率の分散は小さくなり，その結果，その部門の純利潤率の平均は相対的に高まる．需要が低下した部門では，これと逆の現象が生じる．こうした純利潤率レベルで現れる格差は，超過利潤を生みだす．しかし，純利潤率の比較においては，どの個別産業資本を基準にとるのか，明確な基準がない．それは不確定な要因に禍され，個別産業資本の眼にはさまざまな大きさに映る．部門間の純利潤率の状態の格差は，錯誤を伴う個別的行動を通じて，事後的に是正されるかたちで実現される．個別産業資本は社会的需要に応じて生産物を変更してゆく，受動的な行動をとるだけではない．

　第2の側面は，同種生産物を生産する諸資本間の競争に関わる．特別利潤の追求は，超過利潤を得るための，より積極的な行動である．これには，今まで存在しなかった新種の生産物の開発も含めてよい．それは，同等の役割の果たす既存の生産物の生産価格を受けとることで，一種の特別利潤を形成するとみなすことができるからである．特別利潤は，第1の種類の超過利潤とは異なり，個別産業資本の眼にも原価レベルで明確に把握できる．資本主義には，新たな生産技術を発見し，生産条件を切り替える強いインセンティブが内蔵されている．そのため，資本移動の基準となる生産技術自体が繰り返し変更される．社会的再生産の再編は，外的な需要変動への事後的対応だけではなく，内部から供給の変動をつくりだし，よりダイナミックなかたちで発展する特徴を具えているのである．

　　一般的利潤率の長期的動向　　　地代の問題に進むまえに，長期の一般的利潤率の動きについて，補足しておこう．「個別産業資本が超過利潤を追求する結果，資本主義経済のもとでは生産力上昇の強い圧力がはたらく．全体として生産力が上昇するとしたら，一般的利潤率も上昇すると考えてよいか」．この問題に関して，マルクスは逆説的な命題を提

示した．資本主義のもとでは，生産力が上昇し続ける結果，一般的利潤率は長期的には次第に低下してゆくというのである．いわゆる「利潤率の傾向的低下の法則」である．

この論証は，生産力が上昇するということは，生産手段を生産するのに必要な労働量（「死んだ労働」）に対して，それを加工するのに必要な労働量（「生きた労働」）が相対的に減少してゆくことだ，という前提にたっている．

$$\frac{v+m}{c} > \frac{m}{c+v}$$

という関係はつねに成りたつ．そして，もしこの前提を認めるなら，左辺が漸次的に低落する．利潤率 $\frac{m}{c+v}$ は上昇下落を繰り返すかもしれないが，その変動の上限が次第に低下するから，利潤率も長期的には低落傾向を示す，ということになる．しかし，生産力の上昇を，資本構成 $\frac{c}{v+m}$ の上昇と言い換えることができるかどうかには問題が残されている．

1.4 地 代

本源的自然力　　生産条件の格差には，資本による社会的再生産の内部では解消できないものがある．再生産不可能な要因による生産条件の較差は，個別産業資本にとって恒常的な与件となる．生産に用いられるが，再生産されない生産条件を**本源的自然力**とよぶ．たしかに，非常に長い期間で考えれば，生産技術によって変更可能な生産条件から，本源的自然力を分離することは難しくなる．しかし，個別産業資本が競争する短期のタイム・スパンでみれば，両者の間に一線を画することができる．本節では，まずこの分離可能性を前提にして考察を進め，最後に本源的自然力そのものの変更に少しふれることにする．

本源的自然力は，生産されないのであるから，同種のモノを次々に生産しやすわけにはゆかない．それは，原理的に再生産を通じて均質化することはないのである．とすれば，この本源的自然力の不均質性に個別産業資本はどのように対応することになるのか．個別産業資本にできるのは，本源的自然力をその所有者から借りて利用するという対応である．このようにして発生する本源的自然力の賃貸借における賃料が**地代**である．「地代」という用語は，農

業生産における耕地や，天然資源を採掘する鉱山などをイメージさせる．しかし，本源的自然力の概念は，このような外的自然力に限定されない．パテント化された生産技術など，原理的には同様に考えるべき対象は，制度と権力を背景に，無形の知的領域においてもつくりだされている．本源的自然力というのは，こうした対象も含んだ広い概念であり，「地代」という用語は，考察対象を狭め誤解を生む怖れがあるが，ここでも注意だけにとどめ，ヘンな造語はしないでおこう．

ポイントは次の2点である．(1) 本源的自然力は，何回用いられても劣化することがない．それ自体は，絶対的な意味で，消費されることがない．またそれは，(2) 再生産されるのではなく，**発見**される対象である．発見は一回限りの行為であり，生産のように繰り返される行為はない．たしかに，発見にもさまざまな資財や労力が用いられたかもしれないが，それには再現性がない．したがって，それらの物量がその発見にほんとうに必要な量であったかどうかを確かめる術がないのである．その点で，再生産の場合，それに要する物量が確定できるのと対照をなす．

私的所有をいかに正当化するか，それ自体は，社会的な価値観，イデオロギーの問題である．生産物に関しては，「労働に基づく所有」というイデオロギーがポピュラーである．しかし，本源的自然力には，このイデオロギーを適用するのは難しい．本源的自然力の所有を正当化するイデオロギーをしいてあげれば，「発見に基づく所有」であろう．ここでは，何らかのイデオロギーによって，本源的自然力がすべて私的に所有されているものと仮定する．

落流と蒸気機関の例

本源的自然力が外的自然力だけではなく，人間活動の内的自然をも含む広義の概念であることを念頭においたうえで，ここでは外的自然力の利用に関する古典的な例によって説明を進める．なお，本源的自然力に対して個別産業資本がどのように対応するか，その本質を明らかにするために，流通過程に関わる諸要因は捨象する．すなわち，商品は生産価格で即座に販売することができ，また固定資本による移動制限はないものと仮定し，粗利潤率と生産価格の論理次元で考察する．さらに，一般的利潤率の規制を受けるが，その水準の形成には影響を与えない生産物（奢侈品）を例にとろう．この生産物でも地代の本質を歪めることはない．そ

のうえで，一般的利潤率は 10% と仮定する．

今，ある生産物の生産に落流と蒸気機関が動力源として利用可能であるとする．落流を利用した場合の生産価格は 100 円，蒸気機関を利用した場合の生産価格は 110 円となる．落流には量的な制限があり，このようなすべての落流を利用して生産できる上限は 100 万単位だが，蒸気機関の利用には制限なく 110 円の生産価格で何単位でも生産できるとする．

ここからは，次の二つの条件を追加して分析を進めよう．

- 条件 A：この生産物に対する社会的需要が，落流によって供給可能な 100 万単位という上限以内かどうか
- 条件 B：落流の所有者が，個別産業資本と同じように相互に競争する行動をとるか否か

差額地代　社会的需要が落流による供給限界 100 万単位をこえた場合について考える．社会的需要を満たすためには，蒸気機関の導入が必要となる．それには，蒸気機関による生産で一般的利潤率が得られる 110 円まで上昇しなくてはならない．このとき，もし落流がタダで利用できるならば，落流による生産では，商品 1 単位あたり 10 円，1 万個生産できる落流ならば，総額 10 万円の特別利潤が発生する．蒸気機関を利用する個別産業資本は，この特別利潤を求めて，地代を支払って落流を借りようと相互に競争する．地代が 10 万円以下であれば特別利潤の一部が手元に残るから，資本サイドに借り受け競争が発生し，地代は 10 万円まで押し上げられる．そうなると，個別産業資本としては，地代を支払って落流を利用しても，蒸気機関で生産しても変わらないこととなる．こうして，特別利潤はすべて地代化し，落流の所有者によって取得される．優等な条件のもとに形成される特別利潤が，個別産業資本の競争の結果，押しだされた地代を**差額地代**という．

絶対地代　社会的需要が落流による供給限界 100 万単位未満の場合はどうであろうか．この場合は，条件 B をさらに加味して考える必要がある．もし，落流の所有者間に個別産業資本と同様の競争がおこなわれるとすれば，少しでも地代が得られるなら，我先に貸そうとする．このため，競

争の圧力で地代は限りなくゼロに接近する．地代は消滅し，すべての供給は落流を利用した生産で賄われ，地代はゼロとなり，生産価格は 100 円となる．

これに対して，土地所有者が結託して競争をおさえるか，あるいは，落流がすべて一人の所有者によって独占されている場合にはどうなるであろうか．「タダでは貸さない」という所有の力により供給は制限をうけ，生産価格は 100 円を上まわって上昇するであろう．しかし，もし 110 円以上になれば，いつでも蒸気機関による供給がはじまる．110 円が生産価格となり，地代の上限は 10 円，1 万単位生産可能な落流の地代は，10 万円を上限とする範囲に収まる．このように，本源的自然力の所有者の発揮する利用制限によってつくりだされる地代を**絶対地代**という．

もし，落流条件の所有者が一人であれば，社会的需要に応じて，100 万単位のうちの $x\%$ が借り出され，10 円 × 100 万単位 × $x/100$ が絶対地代の総額として取得される．これに対して，複数の土地所有者が結託して一人のように振る舞う場合には，この総額をどう分割するかが問題になる．一般に考えられるのは，株式会社における出資額に応じた配当と同様に，各落流の供給能力に応じて比例配分する方式であろう．しかし，市場の外部に形成される結託には，資本間の競争のように一律な原理をみつけることはできない．原理的に説明できるのは，資本による社会的再生産の編成が本源的自然力の所有主体の間に結託の可能性を与えるというところまでである．この可能性が，慣行や制度，その他どのような外的条件によって埋められるか，あるいは埋められないかも含め，これは原理論における開口部の一つをなす．

絶対地代の場合，蒸気機関のように，潜在的に利用可能な劣等条件が存在するので，その上限は生産技術によって画される．これに対して，高級ワインのように，特定の土地でしか生産できず，これに代わる生産条件が存在しない場合には，地代は支払能力のある主体の需要によってきまり，上限を画す原理は

表 III.1.1 差額地代と絶対地代

	社会的需要 > 優等条件の供給能力	社会的需要 ≦ 優等条件の供給能力
土地所有者間の結託	差額地代	絶対地代
土地所有者間の競争	差額地代	無地代

ない．同じく土地所有の力で生みだされた地代でも，このように上限をもたない地代は**独占地代**とよばれ，上限をもつ絶対地代と区別される．

問題 130

　落流と蒸気機関の例で，社会的需要が増大してゆき，ちょうど 100 万単位にさしかかったとする．このとき，市場価格は落流条件の生産価格 100 円をこえて上昇し，蒸気機関条件の生産価格 110 円との中間，例えば 105 円を中心にきまるようになる．生産条件が不連続な局面では，需要と供給によってきまる中心価格が超過利潤を含むようになるので，この部分は資本の競争によって差額地代化する．これを「過渡的差額地代」という．

　さて，この過渡的差額地代という考え方は成立するか．

問題 131

　「資本主義は，個別産業資本の競争を通じて，社会的再生産のバランスをとることで成りたっている．それには，一般的利潤率の形成が不可欠となる．ところが，落流のもとに形成される特別利潤は，競争によって解消されない恒久的なものである．これは，一般的利潤率の形成を妨げる．それでも個別産業資本が，利潤率の均等化を貫こうとしたら，特別利潤を資本の外部に押しだすほかない．こうして，資本の外部に超過利潤の受け取り手として土地所有者の存在が要請される．その意味で，土地所有者の存在は，資本主義にとって必然的なのである」．

　この説明について論評せよ．

問題 132

　落流と蒸気機関の例における落流を，ガソリン・エンジンのような内燃機関に置き換えて考えてみる．ガソリン・エンジンはパテントが設定されており，「発見に基づく所有」が確立されているとする．ガソリン・エンジンのもとでは生産価格 100 円，蒸気機関のもとでは生産価格が 110 円となる．このとき発生する地代はどのような性質のものか．

土地耕作の例　　地代の基本原理は以上の例でつきている．ここでは，地代論で伝統的に用いられてきた，土地耕作の例で外的な自然力の特性について補足しておく．ポイントは，外的な自然力には量的制限があるという点である．知識や技術は，一度発見・開発されればいくらでもコピーできる．外的な自然力の場合は，そうはゆかない．そのため，特定の自然力には利用可能な量に限界が生じる．社会的再生産は，外的自然と人間社会の間の物質代謝という性格をもつ．その限りでは，天然資源やエネルギー源といった本源的自然力を基盤として維持されている．土地耕作の例は，資本主義という経済システムが，自然環境の多様性をいかに処理するのかという問題を解明する意味をもつ．

このような拡張性を念頭において，古典的な例で説明しよう．表III.1.2 で示した耕地のランクを想定する．タテ方向に異なる土地の豊度をランクづけて示す．ヨコ方向には，同一耕地に100万円単位で投下していったときの，各100万円あたりの小麦の収穫量を示す．例えば，A 地に100万円投下したときの収量が12トン，200万のときの収量が21トン，300万円のときが28トンであれば，第1次投資自体の収量は12トン，第2次投資自体の収量は9トン，第3次投資自体の収量は7トンと100万円の投資単位に分割されて示される．ここでも，一般的利潤率は外部から与えられると想定しても問題の本質は変わらないから，これを20%とする．固定資本や流通資本の存在を捨象した今の想定のもとでは，100万円の投下で生産された小麦収量が120万円で売れれば一般的利潤率が実現される．したがって，豊度表の各収量トン数で120万円を割れば，その条件が最劣等となる場合の生産価格が求まる．A 地の第1次投資を A1，B 地の第2次投資のことを B2 などと略記することにする．

表 III.1.2　豊度表

	第1次投資	第2次投資	第3次投資
A 地	12	9	7
B 地	10	8	6
C 地	8	5	4
D 地	4	3	2

さて，社会的需要が徐々に拡大してゆく過程を追ってみよう．豊度表は，北西から南東にかけて収量が低下する構成になっている．個別資本は，このよう

な不均質な自然環境に接触すれば，優等条件から耕作をはじめる．優等条件から劣等条件に向かって利用が進むことを**下向序列**，逆の場合を**上向序列**という．豊度表そのものの数値が変われば別であるが，個別資本は与えられた環境に基本的に下方序列で適応する．順を追ってみてゆこう．

(1) 社会的需要がA1によって満たされるとき，Aランクの土地所有者が「タダでは貸さない」と結託すれば，収量1トンあたり120/10 − 120/12万円未満の割合で絶対地代がA地に発生する．結託がなければ無地代の状態となる．

(2) 社会的需要が(1)以上になると，B1が耕作に引き込まれ，最劣等条件となる．Bのランクの土地所有者が結託して地代を要求すれば，120/9 − 120/10万円未満の絶対地代がB地に発生し，A地の地代も，この分だけ増加する．もし結託がなければ，B地は無地代の状態で利用され，これに対して，地代を支払ってA地を利用しようとする個別産業資本の競争の結果，120/10 − 120/12万円の割合で差額地代がA地に発生する．未利用地に耕作が拡大するときに発生する差額地代を**差額地代の第1形態**という．言い換えれば，最劣等地の第1次投資が生産価格を規定するときに，優等地に発生する差額地代のことである．

(3) さらに社会的需要が拡大して，A2が生産価格を規定する場合を考えてみる．この場合，B地は最劣等地であるが，そこに生じる120/9 − 120/10万円の地代は差額地代である．もしこの地代を支払わないですむなら，個別資本は特別利潤を手にすることができる．この特別利潤を求めて，B地所有者のもとに，地代を支払って借り受けようと個別資本は我先に押し寄せる．このため，結果的に地代は上昇し，けっきょく特別利潤はすべて差額地代として押しだされる．このように，既耕地の追加投資が最劣等条件となって生じる差額地代を，**差額地代の第2形態**という．これは既耕地のなかでいちばん効率の悪い土地にも差額地代が発生することを意味する．差額地代の第2形態は同時に，**最劣等地にも生じる差額地代**でもある．

(4) 次のステップでは，C1とB2が同じ生産条件となる．もし，C地の所有者が「タダでは貸さない」と抵抗しても，この場合，すでにB地を耕

作している資本が追加投資を自由におこなえるから，C地の所有者は絶対地代を生みだすことはできない．最劣等条件がA2からB2に変わると，最劣等B地に生じる差額地代は120/9 − 120/10万円から120/8 − 120/10万円に増加する．差額地代の第2形態であり，最劣等地にも生じる差額地代であることに変わりはないが，最劣等条件がA2からB2に移った結果，増加したのである．

> ★問題 133
> 　(4) の場合，最劣等地B地では $10 + 8 = 18$ トンの収量がある．これが $200 \times (1 + 0.2) = 240$ 万円で販売できれば一般的利潤率をあげることができる．したがって，$120/8 = 15$ 万円ではなく，$240/18 \fallingdotseq 13.3$ 万円が生産価格となるのではないか．

(5) B2によっても社会的需要が満たされない段階にいたれば，C地の所有者たちの結託は効果を発揮する．これによって，C地にはトンあたり120/7 − 120/8万円を上限とする絶対地代が発生する可能性が生じる．C1という条件でも供給が間に合わなくなれば，A3に耕作が拡大し，C地には地代額は同じく120/7 − 120/8万円だが，それは最劣等地にも生じる差額地代に転じる．

所有の力の相対化　　「土地耕作の例」について要点をふり返っておこう．
すでに述べたように，外的自然条件に顕著な同質条件の量的制限，すなわち豊度の不均質性は，自然環境の多様性を含意している．このことは，本源的自然力を私的に所有する主体の間に反映される．土地所有者としては同じクラスに属するが，A地，B地，C地の所有者としてみると，異なるランクに属する．A地というランクで結束するグループは，B地というランクで結束するグループとともに，土地所有者というレベルでは産業資本家に対して地代を要求する共通の立場にたつ．しかし，同時にB地グループはA地グループと，耕作拡大に対して利害が対立する存在でもある．

例えばA1が限界に達し，B地が利用されるようになった (1) の段階で，B地の所有者たちが結束して「タダでは貸さない」と申したてたとしても，

その力は A2 によって限界づけられる．豊度表上のタテ方向の拡張に対する抵抗は，ヨコ方向の拡張によって解除される．絶対地代とはいうが，それは差額地代によって相対的に限界づけられた範囲で，タダでの利用を拒否するという所有の力が相対的に作用するという意味なのである．こうして発生した絶対地代自体，B 地がすべて利用されるようになると，やがて最劣等地に生じる差額地代に転換する．B 地の所有者はあえて結託して抵抗しなくても，個別資本のほうが競って地代を支払うようになるのである．そして，このように取りこまれた B 地は，次に C 地に耕地が拡張される際には，かつての A 地と同じように，所有者たちの抵抗を相対化する役割を果たす．

一般に，資本が本源的自然力を取りこむ局面では，すでに利用している部分に追加投資をするという方法で，外部の抵抗を限界づけることができる．この相対化の作用は，本源的自然力が多様であり，不均質であるということに根ざす．資本は，それを効率性の観点から合理的に分断し，所有の抵抗を相対化しながら徐々に蚕食する能力をもつ．本源的自然力を資本の進出からまもることは，分散的な所有の力だけでは限界がある．それは地代の古典的な例とされてきた農業だけの問題ではない．資本主義の拡張のなかで重要性を増してきた，エネルギー源や天然資源，さらに**自然環境**一般に及ぶ原理なのである．

土地資本　本源的自然力は多様で不均質な特性をもつ．そしてこれまでのところでは，それは不変であると仮定してきた．ここで，もう少し長い期間を想定して，その変更可能性を想定してみよう．実際，人間が利用する本源的自然力は，人間のはたらきかけによって加工されている．例えば，豊度表のランクも，整地や道路整備，土質改良や灌漑設備，牧舎や納屋の建設など，過去のはたらきかけの結果であり，それには資財や労力が必要となる．

本源的自然力の改善のために要する資財・労力には，(1) やがて老朽化し新しいものに更新しなくてはならないものと，(2) 半永久的に利用可能なものに分かれる．牧舎や納屋などの付帯施設など多くのものは前者に属するが，道路や地質など，後者に属するものもある．更新期間が長期に及べば，明確に分けることは難しくなるが，資本の運動という視点からみて，ひとまず区別を設けることができる．そのうえで，本源的自然力に合体する資財・労力の支出

は，どこまで，またどのように，資本の運動のうちに取りこまれるのか，考えてみる．

(1) の更新されるものであれば，資本は固定資本として扱うことができる．ただ障害になるのは，契約期間のうちに，回収が完了するかどうかという問題である．例えば資本は借地をそのまま使うのではなく，そこに工場を建てるなどして利用する．固定資本の概念自体は，その回収が一生産期間をこえるという点にあり，輸送のための船や車両も固定資本をなす．しかし，固定資本のうちの多くは，実際に土地に合体し，そのため回収に長期間を要するのも事実である．資本は姿態変換を通じて，資産価値の評価を繰り返しおこなうことで，増殖の事実を確かめる．この観点からみると，それに支出された費用を減価償却を通じて，期間をかけて少しずつ回収する必要のある固定資本は，それ自体資本にとって厄介なお荷物である．しかし，個別資本は，本源的自然力に付着する要素も，ある範囲までは固定資本の投下対象とする．借入期間を長期化すれば，固定資本の償却という原理で投下した資本を回収することができるからである．このような固定資本を，**土地合体資本**ないし**土地資本**という．これは，土地そのものが資本になるという意味ではない．土地に付着した固定資本の意味である．資本は単に本源的自然力を受動的にそのまま受けとるのではなく，ある範囲では土地資本を投下し加工して利用することもできるのである．

しかし，すべてを固定資本の減価償却の原理で処理することはできない．(2) の半永久的に利用される要素は，更新という概念が適用できない．こちらは一度投下されたらこわれることはないのだから，回収する必要はないし，また回収不能なのである．それは本源的自然力そのものと分かちがたく一体化する．本源的自然力の多様性は，人間の歴史的営みに先行して，不変の与件をなすだけではない．その多くは，こうした (2) の要素の積み重ねに起因する．こうした要素を**恒久的土地改良**という．この用語もシンボリックな意味で理解する必要がある．

恒久的土地改良は資本の姿態変換運動には馴染まない．資本自体は恒久的土地改良を担当するには不適合な運動形態なのである．資本主義においても，本源的自然力の改良を担う主体は別に存在する．土地所有者ないし地主とよばれる階級は，単に地代ないしレントを受けとる受動的な存在ではない．貨幣的利得を追求するという動機においては，資本と違いはない．この動機自体は，も

う一つの主体である労働者でも共通である．ただ，その利得追求の方式が資本とは異なるのである．それは本源的自然力を所有し，それを賃貸し，用益を販売する．そして，この用益の価格を高めるために，資本にはできない恒久的土地改良を積極的に進める主体でもある．

　恒久的改良は，それぞれ1回限りの独立した活動であるが，その効果は改良される本源的自然力に応じて個性的であり，均等化する必然性はない．例えば，豊度表のDランクに属する特定の土地に100万円の改良を施せば，Aランクにまで高めることができるかもしれない．しかし，このような改良はDランクに属するすべての土地について可能であるわけではない．同じDランクの土地でも，それをAランクに高めようとすれば，1000万円かかるかもしれないし，はじめから無理かもしれない．こうした恒久的土地改良は，資本主義のもとでけっして抑制されるものではないが，個別産業資本では役不足なのである．資本主義は，資本家と労働者だけではなく，第三の主体を要請する．むろん，資本と土地所有の分離は，原理論レベルにおけるものである．現実には，資本がこのような恒久的土地改良の領域に踏みこむことも発生する．この役を演じる主体の行動の内容は，資本の観点から展開される原理論では説明できない開口部をなす．

第2章　市場機構

2.1　商業資本

　　　　　　　　　個別産業資本の運動には，生産と流通という異質な過程が含
　第2の分業　　まれている．技術的確定性と個別的偶然性という対照的な性
格をもつ両者は，新たなタイプの分業に発展する．この分業は社会的分業で
あるが，何をつくるのか，という生産部門間の技術的な分業とは異なる．生産
に特化するか，流通に特化するか，という，資本の運動領域の違いによる第2
種の社会的分業である．

　このことは，現実の製造メーカーを思い浮かべてみてもわかる．さまざまな
種類の生産物を生産しているという意味で，それぞれのメーカーは特徴をも
つが，商品販売や会計処理，財務管理などでは，同じような作業をしている．
貨幣の出納や帳簿への記帳などは，同業メーカーの場合はもちろん，異業種の
メーカーの間であっても，作業内容に大きな違いはない．このため，メーカー
の営業部や経理部の仕事を一手に集中して代行し，それに特化した資本や，財
務部や経理部の仕事をまとめて担当する専門の資本が，独立する可能性がある
（表 III.2.1）．

　第1種の分業が生産過程を基礎としたタテの分業関係であるのに対して，
本章で扱う商業や金融業は異業種をまたぐヨコの分業関係を形成する．ここで
は，このヨコの分業関係を，個別産業資本の内部にあった要素が，競争を通じ
て，外部の資本として自立したものとして説明する．このよう説明方法を，市
場機構の分化論ないし発生論という．

表 III.2.1　第 2 の分業

		第 2 種分業		
		製造部, 事業部など	商事部, 営業部など	経理部, 財務部など
第1種分業	紡績業	紡績工場	商品に対する知識は必要だが, 顧客にそれを知らせる力がポイント. <つくる>ことに比べ<売る>ことには汎用性がある.	会計処理や資金調達は, 製品の種類によって違いはない. どの産業の経理かで原理が違うわけではない.
	織布業	織物工場		
	縫製業	技術的な基盤が違い, 互換性がない.		
	製鉄業			
	……			

販売過程の代位　　個別産業資本の運動は, 生産過程だけではなく, 流通過程も経由しなくてはならない. しかし, 商品の販売期間には偶然的な変動が不可避となる. これは生産過程を規則的に継続するためには障害となる. このため, 産業資本の競争を通じて, 両者が分離し, 新たなタイプの分業が発生する. すなわち, 個別産業資本のなかには, 一方に, 生産とは異質な販売過程を, できれば別の資本に肩代わり (代位) させようという動機が潜在する. 他方, 見方を変えれば, もともと資本は売買を通じて価値増殖をめざす運動であったから, 特定の生産過程から離れて, 商品の転売に特化しようという動機も潜在する. その結果, 個別産業資本のなかから, 他の資本の販売過程を集中的に代行して, 流通過程に専業化する資本が発生する. このように産業資本の要請に応じて, 流通過程に再特化した資本を**商業資本**とよび, 資本主義以前から交易活動に従事する商人資本と区別する.

　商業資本論のポイントは, 個別資本の観点に徹してこの分離・独立が説明できるかどうかという点にある.「分離・独立すれば一般的利潤率が上昇する. ゆえに, 分離・独立したのだ」という発想に陥らないように注意しよう. 個別的な動機だけで説明して, 結果は後から意味づける, という客観主義を貫く必要がある.

　さて, ある資本 X が, 産業資本が現在付けている販売価格 p_r で, 即座に買い取るとふれてまわったとしよう. この資本に販売過程を恒常的に任せることができれば, 産業資本の純利潤率は上昇する. 流通資本や流通費用が不要になるからである. だから, 産業資本は, この資本 X に買い取ってもらおうと殺到する. その結果, 資本 X に売り渡すときの価格は p_r より下がる. 産業資本間の競争の圧力で, 従来の販売価格 p_r (売値) と X の買取価格 p_w (仕入

値) の間にマージンが発生する．もちろん，このマージンを手に入れるために，資本 X は，転売するまでのある期間，在庫を抱えなくてはならない．産業資本に代わって，商品在庫のかたちで資本を投下し，流通費用を支出する必要がある．このマージンの総額から流通費用を控除した額が，この資本 X の純利潤となる．この純利潤を投下資本で割った値が，この資本 X の純利潤率である．このような増殖原理をもつ資本 X が商業資本なのである．

買取価格 p_w が充分に下落すれば，商業資本の純利潤率は，産業資本の純利潤率を上まわるようになる．そうなれば，産業資本のなかから，商業資本に転業するものがでてくる．逆にこの転業が行きすぎれば，商業資本間の競争圧力が高まり，p_w は上昇に転じる．商業資本の買取価格（産業資本の売渡価格）が適当に動くなかで，商業資本の分化は実現するのである．

★問題 134

次のように単純化した個別産業資本を想定する．流通資本と流通費用も生産量に対応して一定にきまるものと仮定する（この問題では，流通過程のもつ不確定性を一時的に保留して考えてみる）．

固定資本	800 万円
流動資本	100 万円
流通資本	100 万円
年間流通費用総額*	100 万円
費用価格（製造原価）	1000 円
年間生産量	1 万個
年間純利潤率	20%

＊ 流通費用は粗利潤から賄われる．

1. 産業資本が，販売過程を担当した場合，販売価格は 1 個何円か．
2. 産業資本は，商業資本への売渡価格がいくら以上なら，商業資本に代位してもらうメリットがあるか．
3. 商業資本が，産業資本と同じ条件で（流通資本，流通費用，販売価格が変わらないまま），流通過程を代位できるとする．商業資本は，産業資本からの買取価格が何円以下なら流通過程を肩代わりするメリットがあるか．

216　第 III 篇　機構論

　　4. 商業資本は，流通過程に専門化することで，他の条件は同じままで，流通費用を 50 万円に節約できたとする．このとき，もし，1. で求めた販売価格が変わらないとすれば，商業資本への売渡価格はいくらになるか．
　　5. 4. の場合，流通費用の節約で一時的に利潤率は高まっても，やがて他部門と同じ 20% に戻る．このとき，商業資本の販売価格（売値）はいくらになるか．

問題 135

　個別産業資本の流通過程がそのままの商業資本に肩代わりされる場合を単純代位といい，効率化される場合を縮小代位という．［問題 134］の 3. は単純代位，4. は縮小代位にあたる．さてこの区別に関して，次の主張は正しいか．
　「産業資本から商業資本が分化するのは，縮小代位が発生するからである」．

　以上のように，産業資本が流通と生産という異質の過程をかかえていることから，商業資本の分離・独立は個別資本的な観点だけで導きだされる．ただし，これはあくまで分化の可能性である点に注意すべきである．すべての個別産業資本が，一律かつ全面的に流通過程を商業資本に委ねるというわけではない．個別産業資本が想定している売渡価格は，流通資本や流通費用の必要額の見込みに応じて異なる．したがって，その売渡価格が低すぎると思えば，商業資本へ販売するのではなく，自力で不確定な販売過程を遂行しようとする産業資本もでてくる．また，完全に流通資本や流通費用をカットすることは，商業資本に買い叩かれる危険を生む．基本的に商業資本に委すにせよ，産業資本もある程度の流通資本を準備する必要があるのである．

商業資本の特性　　商業資本の分化自体は，個別資本の観点で説明することができる．ただ，いったん分化すると，商業資本は産業資本にはみられない固有の特性を示すようになる．商業資本は，単に個別産業資本の流通過程をバラバラに代位するだけではない．(1) 紡績業といった同一産業に属する多数の個別産業資本の流通過程を「集中代位」する．(2) 綿

花・綿糸・綿布といった生産系列に沿って，複数種の個別産業資本の流通過程を「連結代位」する．(3) 小麦，鉄，綿布といった異業種をまたいで多様な個別産業資本の流通過程を「統合代位」する．こうした集中・連結・統合により，商業資本は多彩な業態を生みだす．

　しかも，商業資本は取り扱う商品種を自由に変更することができる．商業資本も店舗や倉庫，輸送機器などに，単独の販売では回収できない資本を投下する．しかし，これらは必ずしも特定の種類の商品に結びつけられるわけではない．これらの施設や機材は，何を陳列し，何を保管・輸送するかに自由度があり，その選別こそが商業資本本来の活動となる．産業資本が，関連する複数の商品種を生産することで，この効果を取り入れようとしても及ぶところではない．商業資本は変わり身の早さを身上とする．

分化の効果　商業資本のこうした特性は，個別資本の意図をこえた効果を結果的に生む．個別産業資本が別個に流通資本を投下し，流通費用を支出する場合に比べて，独自の効率性をもたらす．それはおおよそ次のような理由による．

(1) 販売を促進するために投じられる市場の調査などの流通費用は，一般に特定の種類の商品にだけ効果をもたらすというものではない．それは，関連する多くの種類の商品の販売に有効な知識をもたらす．商業資本は生産設備に制約されることなく，自由に取扱商品を選ぶことができ，また複数の商品を同時に取り扱うことも可能であるため，こうした流通費用のもつ汎用性を生かすことができる．

> **問題 136**
> 「商業資本は流通費用を支出して情報や知識を生産し，それを販売しているのである」．この主張の適否について論じよ．

(2) 個別産業資本は，生産設備の遊休をさけるために，流通資本を相対的に多く抱えこむ傾向がある．商業資本は複数の資本の流通過程を集中して担当することで，結果的に貨幣形態で遊休してしまう流通資本を縮減する作用がある．例えば，流通資本は多くの場合，貨幣形態で遊休しているとしても，個別

資本としては販売が通常より遅れた場合を考えて，多めに準備する．商業資本が分離して販売活動をおこなっている場合には，少なくともそれがないときに比べ，流通資本を節減できる．

> **問題 137**
>
> 　利潤の存在などは無視し単純化した例で集中代位の効果を確かめてみよう．今，産業資本 A と B が，毎月 100 万円，生産に支出し，100 万円の同種商品 1 単位を生産する．商品は毎月 2 個売れるが，A だけから 2 個とか，B だけから 2 個というように，まとめて買われる．
>
> 1. 産業資本が販売過程を遂行するとき，流通資本は A，B 両資本で合計何万円必要か．
> 2. 商業資本が生産物を毎月必ず買い取るとする．このとき，何万円の流通資本が必要か．

（3）さらに，商業資本の活動を通じて，市場における情報の伝達が活発化し，また市場に組織的な取引網が整理されれば，産業資本が無秩序に販売をおこなっていたときに比べて，商品の販売に要する期間そのものが短縮される可能性がある．しかし，これは市場のもつ無規律性が，商業資本によってある程度解除できるということを意味する．その点で，理論的に演繹できる商業資本の一般的な性質というよりも，卸売・小売などの取引組織や商慣習など，さらに特殊な条件を追加することではじめていえる効果である．

このような効果を通じて，流通資本が節約され，流通費用が縮減されれば，その分，全体としての純利潤率 r の平均水準が引き上げられることになる．しかし，厳密には，不確定性をもつ純利潤率の水準を，商業資本が分化した前と後で比較することには無理がある．原理的にいえるのは，「純利潤率の上昇という効果がないと，商業資本の分化が発生しないというわけではない」という弱い命題と，「その分化は結果的に効率化をもたらすであろう」という推測までである．

第2章 市場機構

利潤率の均等化　商業資本も産業資本と同様，個別資本としては，自己の純利潤率の最大化だけが目的であり，けっして利潤率の均等化をめざして競争しているわけではない．ただ，商業資本が産業資本から分化し独立した資本として活動するようになると，結果的に利潤率の均等化が促進される．それは次のような重層的な競争を通じて達成される（図 III.2.1）．

―――――――――――――――― 一般的利潤率 R^* ――

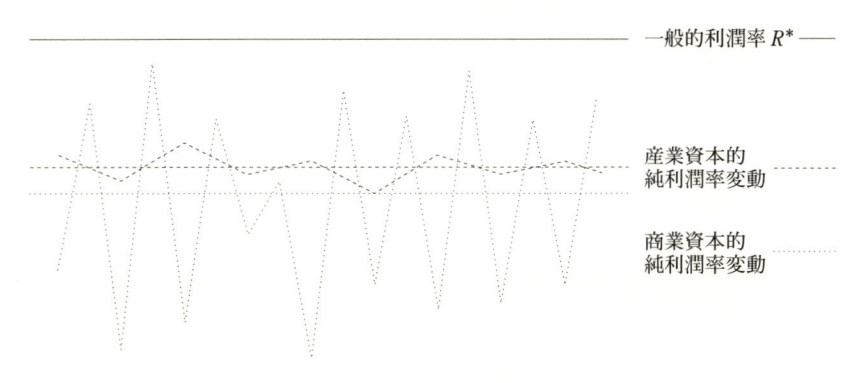

産業資本的
純利潤率変動

商業資本的
純利潤率変動

図 III.2.1　重層的競争

(1) **産業資本間の競争**　流通過程が外部に移譲されると，産業資本間にどの資本でも採用可能な客観的な生産条件が，よりいっそう明確なかたちで現れる．産業資本間では，流通資本や流通費用といった，不確定要因の影響が低下し，純利潤率のバラツキは縮小する．しかし，産業資本には，固定資本という資本の部門移動を制約する要因が存在するために，部門間の利潤率の平準化には，相対的に長い期間を要する．

(2) **商業資本間の競争**　商業資本はその増殖活動にとって有利な商品を求めて競争し，取扱い商品の構成を短い期間に変更してゆくことが可能である．これは部門移動を制約する固定資本を抱えた産業資本に対して，商業資本独自の特徴をなす．商業資本自体はもともと，不確定な性格をつよくもつ流通過程を，集中的に分担する資本であり，その利潤率も，それぞれの時点をとってみると，バラツキが大きい．だが，商業資本は取扱い商品を迅速に変更してゆくことができるので，利潤率のバラツキは，比較的短期間にシャッフルされる．ただ，商業資本間の競争は，産業資本間の競争にみられるような，利潤率の客観的基準をその内部に具えてはいない．商業資本間では，利潤率は大きな振幅

(3) **商業資本と産業資本の間の競争** 商業資本と産業資本との間には，絶対的な障壁が存在するわけではない．産業資本が商業資本に転じたり，逆に商業資本が産業資本に転じたりすることも可能である．そして，産業資本の内部に一定の利潤率水準の決定原理がある以上，もし商業資本の利潤率の平均水準が長期的に産業資本よりも低い状態が続けば，資本移動が生じて商業資本と産業資本との規模の比率が変化するであろう．こうしたかたちで，商業資本の利潤率は，産業資本の内部で決定される一般的利潤率によって間接的に規制されるのである．

> **問題 138**
> 「産業資本の社会的総量がきまれば，それに対応して，必要な商業資本の社会的総量もきまる」．この主張について論評せよ．

2.2 商業信用

産業資本による信用売買 個別的な売買の場である市場で商品の価値を実現するには，売り手がコントロールできない期間がかかる．このため，売ってから買う W—G—W′ という手順でなされる商品流通の基本構造に変形が生じることはすでに説明した．売れる W—G の前に，後払いで買う G—W′ という信用売買それ自体は，市場に広くみられる現象である（第 I 篇 2.4.2 項参照）．資本主義のもとではこの信用売買に，新たに重要な役割が付け加わる．この独自の役割の解明が，本節の課題である．

産業資本が追加する条件は，固定資本の存在である．生産過程の中断は，固定資本の遊休を生み，純利潤率を低下させる．個別産業資本は，固定資本を遊休させないよう，流通資本を投下し，売れ行きの変動による生産の中断を避けている．流通資本は，商品在庫 W′ と貨幣準備 G で構成され，これによって，販売期間の変動が吸収されている．流通資本のなかで貨幣準備が占める現金比率 $\delta = G/(W' + G)$ は，販売期間が長引くと低下し，縮まると上昇する（図 III.2.2）．

販売期間は個別資本ごとにバラつくため，貨幣資本の相対的な過不足が発生

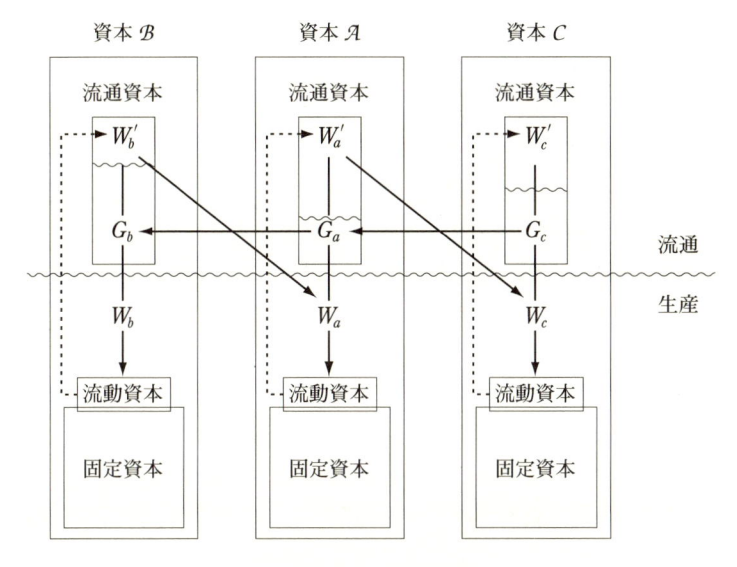

図 III.2.2　商業信用

する．この調整のために，流動資本を対象に信用売買が広範に利用される．また，商業資本も，貨幣資本に余裕がある産業資本から，後払いで商品を買い付けることもある．これにより，産業資本は相対的に高い信用価格で卸すメリットを享受し，商業資本も仕入れに必要な資本を節約でき，信用価格で仕入れても利潤率が高まる可能性がある．このように，(1) 産業資本間に，あるいは産業資本と商業資本の間に (2) 商品売買を基礎に形成される (3) 販売期間ベースの短期の債権・債務関係を**商業信用**という．

> ★問題 139
>
> 「商業信用とは (1) 商品をまず現金で販売し，(2) ついで現金価格に相当する貨幣額をすぐに貸し付ける，という二つの取引が同時におこなわれたものである．信用価格と現金価格の差額が，(2) の貨幣貸付に対する利子に相当し，返済時に現金価格相当の貸付元本といっしょに支払われる」このような考え方を商業信用における「貨幣貸付説」という．この説の適否を述べよ．

受信動機 簡単な例で,商業信用の形成原理を説明する.今,1日20万円の費用価格 W_a を支出して25万円の生産価格の商品 W_a' を生産している個別産業資本 a を想定する.商品生産物 W_a' はすぐに売れることもあるが,数日間にわたり売れないこともある.この変動に対処するために,この資本は100万円の流通資本を準備しているとする.売れ行きのよい日が続けば,流通資本100万円のうちで,貨幣の占める比率が高まり,逆の場合には商品在庫の占める比率が高まる.はじめに流通資本がすべて貨幣で構成されている状態から出発しても,5日間まったく販売できなければ,流通資本はすべて商品在庫に変わり,現金比率 $\delta = 0$ となる.逆にこの状態から出発しても,1日の生産量の2倍の販売が5日続けば,流通資本はすべて貨幣に入れ替わり,$\delta = 1$ となる.通常,現金比率が $0 < \delta < 1$ の範囲を動き,販売期間の変動はこれによって吸収され,生産は間断なく継続される.

しかし,多数の同業資本が鎬を削る市場では,個別資本に販売期間は制御できない.もし,100万円の流通資本で対処してきた資本 a のもとで,たまたま販売が遅滞し,δ が0に近づいたとしよう.この事態に対して,資本 a はどのように対処すべきか.基本構造の変形の復習になるが,産業資本に即して考えてみよう.

(1) **操業停止** 原材料が底をつけば操業を停止するほかない.対処方法というよりは,自然の成りゆきである.資本 a は生産を中断すると1日あたり,5万円ほどの損失を被る.この損失をおそれて,100万円の流通資本を用意したのであるが,それでは不充分だったのである.この5万円は,流動資本20万円に対する増殖分ではない.粗利潤率が年率で36.5%,単純に計算して,1日あたりでは0.1%だとする.20万円の資本に対する粗利潤なら,わずかに200円で,無視してよい額である.5万円の粗利潤というのは,5000万円の生産資本全体に対するものなのである.日々の原材料費をはるかに凌ぐこの生産資本は,固定資本の存在による.20万円の支出ができないことで,巨額の固定資本が遊休し,その犠牲が5万円の損失なのである.

(2) **生産物の値引き販売** この損失を避けるためには,1日の操業に必要な20万円を何とか都合する必要がある.そのためには,製品在庫の販売を急がなくてはならない.手っ取り早い方法は,製品価格を引き下げることである.周囲の同業者が追従できないところまで引き下げれば,早く売れる.25万円

の生産価格には，粗利潤5万円が含まれている．最大限，この範囲の値引きで即刻販売でき，操業停止を回避できれば，メリットがある．

(3) **生産手段の信用売買**　しかし資本ЯにとってЯは，巨額の固定資本を投じている生産過程の中断を回避することが目的なのであり，商品在庫 W_a' の販売はそのための手段である．必要なのは，生産手段の確保なのである．であれば，自己の商品在庫を投げ売りするよりも，後払いで生産手段 W_a を調達するほうが有利かもしれない．その信用価格が現金価格を上まわっても，極端な投げ売りよりは，まだましなのである．資本Яのケースの場合，基本的には，

W_a の信用価格 $- W_a$ の現金価格 $< W_a'$ の現金価格 $- W_a'$ の値引き価格

$<$ 平均利潤5万円

であれば，商業信用を選ぶだろう．このようにして，商業信用における受信動機は形成される．

与信動機　このような受信動機に応じる与信動機も並行して形成される．多数の個別産業資本のなかには，販売が順調に進み，現金比率 δ が高水準にあるものも発生する．この場合，現金で販売しても，すでに高いと感じている現金比率がさらに高まるだけである．このような貨幣的余裕がある資本は，現在の相場で現金販売するよりも，相対的に高い信用価格による販売をめざす．これが，商業信用における与信サイドの主たる動機である．今の設例であれば，資本Яに生産手段を供給している多数の資本のなかで，現金比率の高い資本Вは，信用価格で追加的な利益を上げようとする．

> ★**問題140**
> 「資本Яは，受信できなければ1日5万円の損失を覚悟しなくてはならない．だから，信用価格は25万円の水準に限りなく近づく」．この主張は正しいか．

商業信用の成立条件　与信動機をもつ資本が実際に，受信資本の要望に応えるためには，次のような基本条件が満たされなく

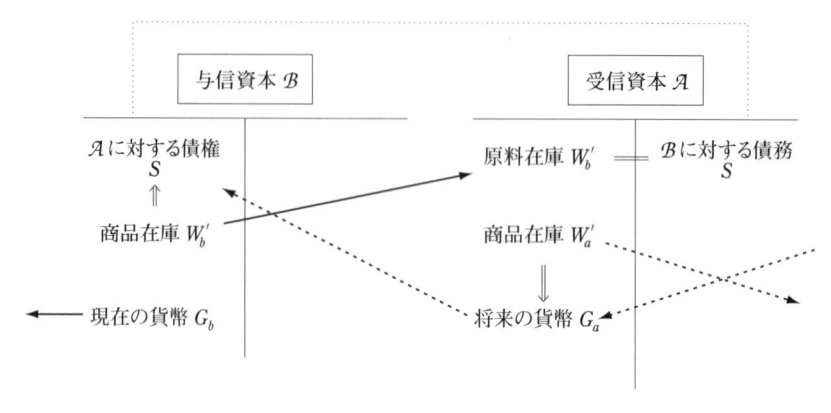

```
         ┌─────────────┐                    ┌─────────────┐
         │  与信資本 B  │                    │  受信資本 A  │
         └─────────────┘                    └─────────────┘
        Aに対する債権            原料在庫 $W_b'$ ═══ Bに対する債務
             $S$                                        $S$
              ⇑
        商品在庫 $W_b'$          商品在庫 $W_a'$
                                       ⇓
     ← 現在の貨幣 $G_b$          将来の貨幣 $G_a$
```

図 III.2.3　直接的な債権・債務

てはならない.

(1) **与信資本の貨幣的余裕**　与信資本に，受信資本が求める期間，自己再生産を継続するための貨幣準備 G_b が，すでに存在することが前提となる.

> **★問題 141**
>
> 次の推論は正しいか.
> 「ある資本が，現在 200 万円の商品在庫を抱えているとする．貨幣資本の余裕は 100 万円ある．生産過程を継続するには毎週 20 万円の支出を必要とする．単純に可能性だけを考えれば，この資本は最長で 5 週間の期限で信用販売ができる．
> 信用価格は，支払期限が延びれば高くなる．これも，単純に 1 週間ごとに 2％，現金価格に上積みされるとする．このとき，この資本は，最大限，200 万円 × (1 + 0.02 × 5 週間) = 220 万円 の額で 5 週間の与信が可能である．この資本は，手元に現金が 100 万円しかないのに，それをもとに 220 万円の与信を創出できるのだ」.

(2) **受信資本の債務履行能力**　与信資本は，受信資本の債務履行が信用できなくてはならない．この根拠となるのは，もちろん受信資本の現在の貨幣準備ではない．受信資本はそれが欠乏しているから，現金価格を上まわる信用価

格ででも，原材料を信用買いしようとしているのだ．信用できるのは，受信資本が今抱えている商品在庫の販売可能性である．相手の将来の支払いの確実さをどう判断するかが，商業信用の最大のポイントをなす．

商業信用に伴う流通費用　与信資本は，ただ，受信資本の求めに応じて，後払いを承諾するだけの受動的な存在ではない．過剰な貨幣を債権に替え，現金価格以上の信用価格で追加的な増殖をはかる積極的な主体である．ただ，その債権が期間内に支払われなければ，今度は自分の貨幣が欠乏し，逆に高い信用価格で原材料を仕入れる破目に陥る．だから，与信に際しては，受信資本が抱えている商品在庫が，期限内に価値実現されるかどうか，相手の生産物市況をしっかり調査する必要がある．そのためには一定の費用支出が避けられない．この費用も実際にはさまざまな細目に分かれるであろうが，ここでは一括して**信用調査費**とよんでおく．

商業信用にはこのほかにも，別の種類の流通費用がかかる．債権関係を確認するための書類の作成や，債権を回収するためのさまざまな費用が必要となる．こちらは**貨幣取扱費**と一括しておこう．

このように二つに大別したのは，商品売買に伴う一般的な流通費用から，与信のために必要になる固有費用を区別するためである．貨幣取扱費には，現金売買でも必要な諸費用が，かたちを変えただけの部分も含まれている．納品書，請求書，領収証の発行・処理など，出納業務には費用がかかる．また，経常的な取引では，納品と支払の時期はズレるし，ある期間の取引額を一括払いで処理するほうが便利なこともある．商業信用による取引では，与信に伴って発生する独自の費用が，貨幣出納の管理や支払確認など，現金売買でも必要になる費用と複雑に結びついている．これらを概念的に区別することは，銀行資本の利潤のコアが，信用調査費をベースにした利子収入なのか，それとも，貨幣取扱費用をベースにしたサービス収入なのか，という問題を考える基礎になる．

> **★問題142**
>
> 「商業信用に伴う流通費用は，基本的に与信資本によって支出される」．この主張は正しいか．

利潤率の均等化の促進効果　商業信用は，社会的な需要が強い部面ほど，将来の支払いに対する見込みがたちやすく利用しやすくなる．そうした部面では，商業信用による取引が活発となり，流通資本は相対的に圧縮され，その部分が生産にふり向けられ，供給も弾力的に拡大される．

> **★問題 143**
> 「商業信用は，販売期間を短縮することで，供給を拡大させる」．この命題は正しいか．

　商業信用は，利潤率をできるだけ高く維持したいという個別資本の動機で形成される．ただ，生産系列の供給能力の伸縮性はそれにより結果的に高まる．こうして，商業信用は，社会的需要の変動に対して，供給の調整を円滑にし，一般的利潤率の規制力を高める効果を生みだすのである．

2.3　銀行信用

商業信用の変形　流通資本における貨幣資本に余裕が生まれると，それを商業信用で活用しようという動機は高まる．しかし，相手の商品在庫が一定期間内に予定した価格で販売できると確信できなければ，簡単に商業信用を利用して高く売るわけにはゆかない．受信動機をもつ資本 A と，与信動機をもつ資本 B が存在しても，商業信用はそう簡単に形成できるわけではない．

　商業信用の基盤をなすのは，A の商品在庫 W'_a の価値実現である．B は W'_a に，ある大きさの価値があるのはわかっていても，それが期日までに実現できるかどうかに確信がもてないことがある．ここで問題にしているのは，(1) 与信動機も受信動機もあり，(2) 信用価格や支払期限も合致しているにもかかわらず，(3) 在庫商品の価値実現が信用されないケースである．そして，当事者 A，B だけで決着がつかないのであれば，第三者 X の力を借りるほかない．第三者が関与することで，商業信用は変形する．この変形の契機を分析することで，銀行信用の本質を解明することからはじめよう．

受信のための与信　まず，受信資本 $\mathcal{A}$ の立場から考えてみよう．$\mathcal{A}$ としては，自分の商品在庫 W_a' の販売可能性を，$\mathcal{B}$ に信じさせる必要がある．どうしたらよいか，$\mathcal{A}$ は自然に W_a' の買い手のほうに目をやるだろう．もし，W_a' を原材料としている資本のなかに，$\mathcal{B}$ がその生産物 W_x' の販売なら確実だと信用している資本 x がいれば，頼りになる．$\mathcal{B}$ は，$\mathcal{A}$ 単独の債務では躊躇しているが，もし x がその返済に関与するというのなら与信に応じるかもしれない．

このため $\mathcal{A}$ は，x 自身には今すぐ W_a' を買う必要がなくても，「後払いでよいから買い取ってもらいたい」と申し入れるだろう．x は「あえて買ってやる」立場におかれる．この結果，通常とは逆に，信用価格のほうが現金価格よりも安くなる可能性がある．$\mathcal{A}$ は 25 万円の商品を 20 万円で投げ売りするくらいなら，22 万円の信用価格で x に売り，この x に対する債権で $\mathcal{B}$ から必要な原材料を仕入れる道を選ぶのである．$\mathcal{A}$ はまず，(1) x に信用で売り，次に (2) $\mathcal{B}$ から信用で買う．(1) の与信は，(2) の受信のための回り道で，「受信のための与信」である．

このような取引形式には，例えば，x を引受人，$\mathcal{B}$ を受取人とする為替手形を $\mathcal{A}$ が振りだすかたちがある．この場合には，まず $\mathcal{A}$ が商品を x に後払いで，しかも通常より安く買ってもらう．そして，「代金は期日までに $\mathcal{B}$ に支払うべし」と指図する為替手形を振り出し，x がそれを引き受け，$\mathcal{A}$ は $\mathcal{B}$ から買う商品の支払いにこれを当てる（図 III.2.4）．

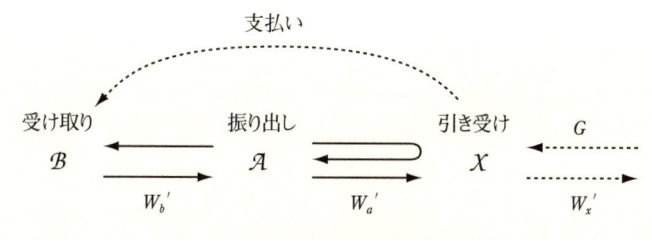

図 III.2.4　為替手形

為替手形は三者間の関係を基礎とするので「受信のための与信」の例示にしばしば用いられてきたが，為替手形は「受信のための与信」の形式だ，などと勘違いしてはならない．為替手形でも，x が受信者で，$\mathcal{A}$ ないし $\mathcal{B}$ が与信者であるケースはある．

同じことは約束手形でもできる．x の約束手形に $\mathcal{A}$ が裏書きするかたちである．$\mathcal{A}$ は x に商品を安く買ってもらい，「代金を期日に支払います」と記した x の約束手形を得る．そして，この証書に「もし x が支払えないときには，私が支払います」と $\mathcal{A}$ が裏書きして，これで $\mathcal{B}$ に支払うのである．このような債権・債務の形式は，情報通信技術の発達も与り，さまざまなバリエーションを生んでいるが，それはここでの問題ではない．

この取引の原理的意味は，「$\mathcal{A}$ の弱い受信能力を x が補強している」という点にある．通常とは逆の，現金価格 25 万円 − 信用価格 22 万円の差額は，この補強の対価という性質をもつ．そして，受信能力の補強だけが目的なら，必ずしも x に W'_a を売る必要はない．$\mathcal{A}$ の 25 万円の約束手形と，x の 22 万の約束手形を交換してもよい．あるいは，$\mathcal{A}$ が x に 3 万円の保証料を払って，債務保証を受けるだけでもすむ（図 III.2.5）．要するに，$\mathcal{A}$ としては $\mathcal{B}$ に対して，x が自分と連帯関係にあることさえ示せればよいのだ（$\mathcal{B}$—$\boxed{\mathcal{A}=x}$）．x がこの連帯関係にコミットするのは，$\mathcal{A}$ に対する債権と $\mathcal{B}$ に対する債務のスプリットが得られるからで，これも欲得ずくである．

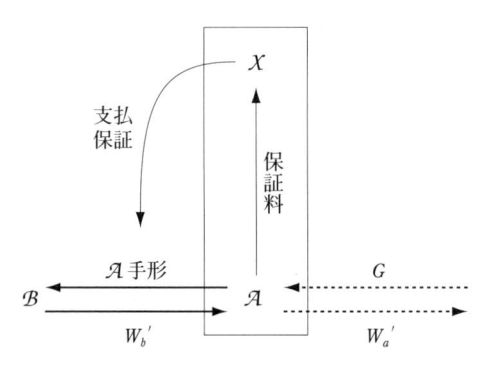

図 III.2.5　受信の補強

問題 144

第三者 x には，可能性として，(1) 受信者の生産物を原材料としている資本（例えば，紡績資本 $\mathcal{B}$ と織布資本 $\mathcal{A}$ に対する縫製資本），(2) 直接的な生産物連関のない別系列の資本（例えば，製鉄資本や製粉資本），(3) 特定の生産過程をもたない商業資本，などが考えられる．(1)，(2)，(3) の間で，第三者による保証の効果

にどのような違いが発生するか．

信用調査の代行　次に，与信資本の立場から考えてみよう．与信資本 $\mathcal{B}$ は，相対的に高い信用価格で売りたいのだが，$\mathcal{A}$ の将来の支払が確信できずに，二の足を踏んでいる．与信のメリットを追求しようと思えば，$\mathcal{B}$ は $\mathcal{A}$ の商品在庫が売れそうかどうか，調べてみる必要がある．この信用調査は，自分でおこなうのが筋だ．人に調べさせても，それにはまず，その人が信用できるか，調べなければならない．だが，この調査を本格的におこなうことは，個別産業資本にはコストがかかりすぎる．第三者 x に一定の手数料を支払い，さまざまな情報を集めるほうが効率がよいのはたしかだ．この限りでいえば，x は一定のコストをかけて情報を集め，それを販売する運輸業者や通信業者と同格の産業資本の一種である．

しかし，ここにはやっかいな問題がある．$\mathcal{B}$ にとって，この情報は $\mathcal{A}$ の債務の履行と一体となって，はじめて意味をもつ．債務履行という将来の $\mathcal{A}$ の行為と切り離して，x から情報だけを買うということは難しい．もし，情報が誤っており，$\mathcal{A}$ が債務不履行となった場合には，x が責任を負うという保証なしに，おいそれと調査結果だけを買うわけにはゆかない．$\mathcal{B}$ としては，x にただ調査のみを依頼するのではなく，債権・債務関係に x をコミットさせ，x の責任をはっきりさせることを望む．つまり，$\mathcal{A}$ に対して x を自分と同じ利害共有関係に引きいれたいのである．

次のような状況を想定してみよう．$\mathcal{B}$ は W_b' を現金で 20 万円で売っているが，$\mathcal{A}$ は 25 万円の信用価格で買いたいといっている．ただ，$\mathcal{B}$ は $\mathcal{A}$ の債務履行の調査などに費用が 3 万円かかると見込んでいるが，x は 2 万円以内で充分この調査は可能と考えている．このような場合，まず x が $\mathcal{B}$ から W_b' をいったん買い取って x の約束手形で支払い，即座にこれを $\mathcal{A}$ に売り渡し $\mathcal{A}$ の約束手形で支払いをうけるというやり方がある．これによって，$\mathcal{B}$ は 22 万円の x の約束手形を保有し，x は 25 万円の $\mathcal{A}$ の約束手形を保有するのである．このとき x は，信用で買って信用で売る，商業資本の変種である．ここからさらに，x による売買という回り道を省略しても，結果は同じになる．$\mathcal{A}$ が 25 万円の約束手形を x の 22 万円の約束手形と交換し，この 22 万円の手形で $\mathcal{A}$

は $\mathcal{B}$ から買った W_b' の代金を支払うのである（図 III.2.6）．

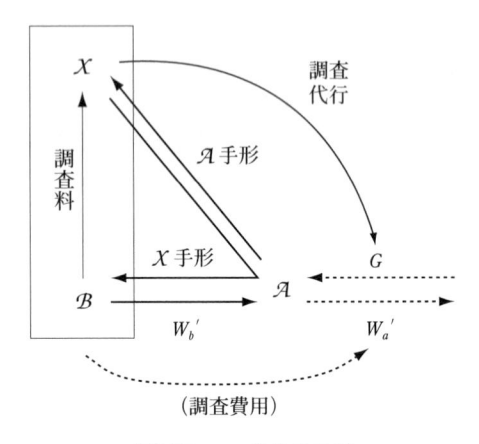

図 III.2.6　与信の支援

　他にもいろいろな形式が派生するが，ポイントは，「$\mathcal{A}$ による W_a' の販売の確かさ」にある．将来の債務履行には不確実さが残る限り，いくら効率的に調査できるといっても，x はその情報だけを独立した商品として $\mathcal{B}$ に売ることはできない．$\mathcal{B}$ は，$\mathcal{A}$ に対する債権をその額面以下の x に対する債権と置き換えるかたちで，調査の対価を支払おうとする．こうして $\mathcal{B}$ は，信用調査を代行させるかたちで，x と結合関係を形成するのである（ $\boxed{x = \mathcal{B}}$ — $\mathcal{A}$）．

　x が債権・債務関係のなかに組み入れられることになると，支出する費用も事前の調査だけでは終わらない．$\mathcal{A}$ から債権を回収し経理事務を遂行するための費用も，自分で支出する必要がある．この事後的な費用には，$\mathcal{B}$ のみならず，$\mathcal{A}$ にとっても必要な部分が含まれる．送金のための輸送・通信や支払請求・受領証明などに，諸々の経費がかかる．これらは商品流通においては無視できない額に及ぶ．x は，こうした債権・債務関係に関わる諸費用全般を負担する主体になるのである．

媒介された信用関係　最後に，第三の資本 x の立場から，信用保証と調査代行を捉え返してみよう．

第三の資本 x は直接的には受信動機も与信動機もない．ただ，$\mathcal{A}$ に対する債権額 S_a と $\mathcal{B}$ に対するの債務額 S_b の差額を求めて，独自に資本投下と費用支出をおこなう．このうち，費用 k のほうは，基本的に粗利潤 $S_a - S_b$ から賄われると考えれば，x 自身の投下資本のコアをなすのは，$\mathcal{A}$ が期間内に返済できない場合に備え，自ら支払うための準備である．しかし，この準備は補助でしかない．$\mathcal{B}$ にとって重要なのは，x が W'_a の販売可能性を我が身の出来事として，充分な費用をかけ，しっかり調査する点なのであり，W'_a が確実に販売され，$\boxed{\mathcal{A} = x}$ の外部から新たな貨幣 G がはいってくればよいのである．

このような資本投下と費用支出に対して，x は，純利潤 $(S_a - S_b) - k$ を最終的に手にする．先の例でいえば，$\mathcal{A}$ の 25 万円の手形と自分の 22 万円の手形を交換し，さらに調査に 2 万円支出して残った差額 1 万円である．これは，(1) $\mathcal{A}$ に対する債務保証と (2) $\mathcal{B}$ に対する調査代行という一人二役を演じた成果である．両者は x の内部で有機的に結びつき一体化している．この純利潤 1 万円を (1) と (2) の対価に量的に分離することはできない．こうして，

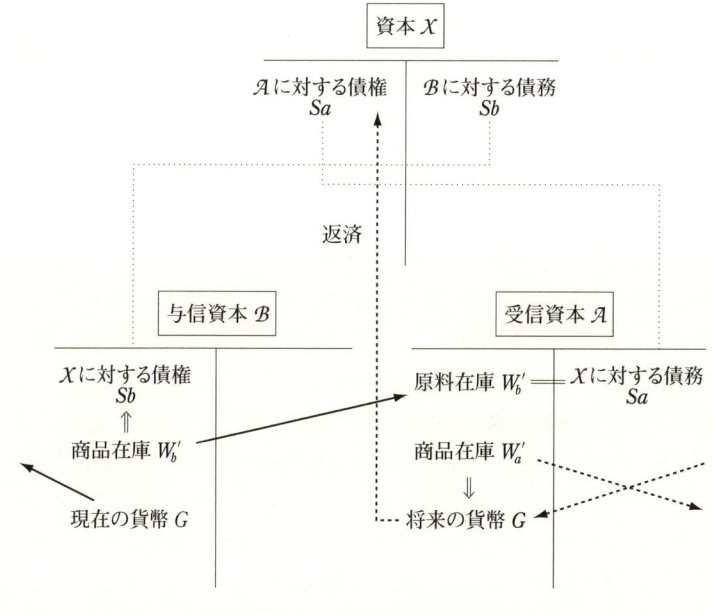

図 III.2.7　媒介的な債権・債務

図 III.2.3 で示した直接的な信用関係は，第三の資本 x に媒介された，間接的な信用関係に変形する（図 III.2.7）．

集積の効果　このような x の仲介による利得追求は，x がその本業で入手するさまざまな情報を動員・活用しながら，付随的な財務活動として遂行することもある．a の商品在庫の販売可能性は，x が本来の営業活動として，自分の生産系列の市況調査をした際に，一種の副産物として得られるかもしれない．また，肩代わりした a の債務履行に備える準備に，本業の流通資本の一部が流用されることもある．しかし，このような仲介活動は個別的・分散的におこなうのに比べて，集積し専業化するメリットが大きい．

第1のメリットは，費用支出の面に現れる．個別産業資本にとっては，与信先の返済の可否を確かめるためだけに，追加的な費用を支出するということは効率的ではない．受信資本は，自己に不利な情報をあえて漏らしはしないだろう．与信資本は受信資本の抱える在庫商品の市況を自分で調べるほかない．しかし，それでわかることは，その商品種全体の売れ行きまでである．受信を求める資本の販売可能性には最後まで不確定性が伴う．しかも，調査の結果，与信を断念すれば，費用をかけて集めた情報は無駄になる．単発の商業信用における与信のための追加費用には，ロスが多すぎる．このような費用を積極的に支出することは，複数の債権・債務の媒介を集中的に処理し，得られた情報を組織的に再利用できるよう，専業化しなければ事実上困難なのである．

第2のメリットは，信用を媒介するために投下される資本の面に現れる．B は x に対して，受信資本 a の返済が履行されなかった場合の準備を求めるであろう．この準備には二重の意味がある．a が返済できなかったとき，(1) 期日に B に支払う「現金の準備」という性格と，(2) a が最終的に返済できなくなったときに発生する損失を自ら補塡するための「資本の準備」という性格である．(1) を**支払準備**，(2) を**貸倒準備**とよぶ．ここで**現金**というのは，商品の売買において支払を完了させ，債務を最終的に弁済させる手段のことである．支払準備は現金でなければならないが，貸倒準備は価値が安定した資産であればよい．もちろん，B としては，x の支払準備が不足して期日に支払がなされなければ致命的である．それでも貸倒準備があれば，a に対する債権が無価値になっても，B の保有する x に対する債権が無価値になることはない．

x は,多数の信用関係を媒介することによって,この準備を大幅に節約できるのである.

要するに,x は独自に費用をかけて,受信資本の返済能力を調査し,確実なものを取捨選択し,こうして選別された多種多様な債権のなかで,返済が遅滞する割合を見積り,それに対応する貸倒準備を自分の資本で用意すればよいのである.ここでは,保険の原理がはたらく.たしかに,返済遅延は生じるであろうが,それは多数の債権を集めることで確率的に予測できる.これは受信資本と与信資本の間を単発で媒介する場合には不可能なことである.多数の債権・債務を媒介する専業化のメリットは,この側面で決定的になる.

銀行と銀行資本　このようにして,さまざまな産業に属する複数の受信資本と与信資本を媒介する業務に特化し,そこに利潤の基礎を求める活動を**銀行**,活動主体をさすときは**銀行業資本**とよび,この活動に投下された資本を**銀行資本**とよぶ.銀行業資本は $\overset{\text{おびただ}}{夥}$ しい種類の債権・債務関係を媒介し,その総額は銀行資本に比べ,はるかに大きな額になる.本書ではこれらを「銀行の債権」「銀行の債務」とよび,銀行業資本の自己資本である「銀行資本」とはっきり区別する.

銀行業資本が登場しても,個別産業資本が商業信用のかたちで直接,受信・与信をおこなわなくなるわけではない.また多数資本の売買を媒介する商業資本など,本業に付随して,銀行業資本と同様の媒介活動をおこなう資本も登場する.信用関係はさまざまな業態を派生させ,きわめて変容しやすい特性を有することが原理的にもわかる.こうした理論領域では,とりわけ,特定の現象から充分距離をとり,抽象度を高めておく必要がある.特定の歴史的形態を一般化し,それとの食い違いを不純な要因と見なすような説明方法は避けなくてはならない.これは開口部に関して,繰り返してきた注意である.

銀行業資本は,抽象化すれば,債権・債務を,表 III.2.2 のようなかたちでバランスさせることになる.

多数の個別資本を相手に,受信と与信を媒介する銀行業資本の場合,個々の債権と債務は一対一で対応するわけではない.特定の受信資本 A と与信資本 B の間の商業信用を,直接媒介する資本 x とは異なる.銀行業資本の保有する債権は,多数の個別債権の集合であり,負債もまた同様である.図 III.2.7

表 III.2.2　債権・債務バランス

支払準備金	
銀行の債権 Q	銀行の債務 Q'
営業資産	銀行資本 P

における個別の債権・債務が，多数集積されて，全体として対応関係を形成する．銀行業資本は費用 k をかけて，受信を求める個別資本の支払能力を調査し，独自に優良な債権を集める．重要なのは，これら保有債権は銀行の債務とペアで形成されるという点である．このような優良な債権の集合がバックにあるので，銀行の債務は，受信資本 A から与信資本 B に債権譲渡されても，債務の状態を保ちつづけるのである．

　以上で，銀行信用の形成の基本原理は明らかになった．そして，商業信用が結果的に一般的利潤率の規制力を強化し，個別産業資本による社会的再生産の編成を促進するものだったとすれば，銀行信用はこの能力を一段パワーアップすることになる．ということで，ここで切りあげて 2.4 節にジャンプしてもよいのだが，本当の見所はこの後にある．

銀行券　銀行の本質は受信と与信の媒介であり，自己の貨幣を直接に貸し付けるのではない．将来の返済が確かな受信を選別し，銀行の債権をその額面以下の銀行の債務と置き換えるのである．その場合，銀行の債務の支払約束にはさまざまな形式が考えられるが，原理的には支払期間の有無で二つのタイプに分類される．その代表的形式が，銀行券と有期預金である．これらを例に，銀行の債務の特性をさらに分析してみよう．

　まず，**期限の定めのない債務**のほうから考える．銀行が優良な債務を集中し信用されていれば，その範囲でこの証書は次々に支払いに用いられる．したがって，銀行は，いつでもその所持者に支払うことを約した債務証書を発行することで，これと引き替えに銀行の債権を形成することができる．そのため額面も計算の便利な単位に整えられる．債務者は発行した銀行であるが，証書の

所持者はいつでも変更でき，債権者は特定されない．証書の呈示をもって（持参人払い）満期となる（一覧払い）整数額面の銀行の約束手形を**銀行券**といい，銀行券を与信の主たる形式とする銀行を**発券銀行**という．

銀行券のようなタイプの銀行の債務は，いつでも，だれにでも譲渡できる．債権者が入れ替わるごとに，債務者である銀行の承諾を得る必要はない．だから支払いには便利である．そのかわり，銀行券は所持していても利子はつかない．債務者である銀行からみれば，証書発行以外に直接のコストはかからない．

ただ，それは銀行に対して支払準備金という負担を強いる．期限に定めがない以上，いつ返済を求められるかわからず，それに備えて一定の現金をキープしなくてはならない．銀行の債権は銀行資本の増殖に寄与するが，支払準備金は，産業資本の貨幣資本と同じで，それ自身では増殖に寄与しない．できるだけ節約したいのだが，ただその最低必要量がはっきりしない．変動の推移を眺めながら経験的に判断するほかない，やっかいな「お荷物」なのだ．

いままで銀行券を例に説明してきたが，ポイントは「期限に定めがなく，だれに対しても譲渡可能である」という支払の便宜性にある．銀行券は，このような性質を具えた銀行の債務の典型である．ただ銀行券にも破損や紛失といった欠点がある．これを補うかたちでさまざまな債務の形式が発達する．銀行に対する債権は，当座預金のかたちで保有されたとしても原理は変わらない．銀行は，受信資本に対して，将来の返済額を割り引いた銀行券を手渡すかわりに，当座預金の口座にその額を記帳する．銀行券がAからBに手交されるのも，当座預金の口座の金額がAからBに変更されるのも，内実は債権者の変更にすぎない．抽象的に考えれば同じではあるが，細部において操作性は異なる．情報通信技術が発達すれば，さまざまな形式が開発される．しかし，原理的には，銀行の債務の一方の極に，銀行券に代表される，支払の便宜に徹したタイプが存在するということにつきる．

預　金　次に，銀行の有期債務について考えてみよう．期限の定めのない銀行の債務は，すぐ支払いに当てようと思っている受信資本Aには便利である．だが，それで支払われた与信動機をもつ資本Bは，それを保有していても何のメリットもない．与信動機を満たすには，収益をもたら

す債権が必要となる．これに対して，債権・債務の差額を利潤の源泉とする銀行は，一方で与信すると同時に，他方で債務額を維持する必要がある．このため，銀行は債権者を特定し，期間に応じて賃料を支払う有期の債務を設け，「期限の定めのない債務」に対して，いつでもそれへの転換を許さざるをえなくなる．銀行券による有期の預金を受け容れるのである．

　与信資本は，商品を売って入手した銀行券を，発券した銀行に預金する．いつでも貨幣に換えられる銀行券は，その銀行に対しては，貨幣とまったく等位である．したがって，銀行券による預金を受け容れるということは，貨幣による預金も受け容れることを意味する．こうして使途を定めず保有されている与信資本の遊休貨幣も，銀行券と同様，賃料を得るべく銀行に預金される．けっきょく，銀行券による預金は，預金する資本からみれば貨幣の貸付，銀行からみれば貨幣の借入と同じことになる．貨幣貸借の対価が利子であった．だから，預金に対する賃料も利子という規定を受け取る．

　こうして，銀行は，銀行自身が負う期限の定めのない債務を，貨幣とまったく同等に扱う．この点から遡ってみれば，発券や当座預金設定など，期限を定めない債務とペアで形成される銀行の保有する債権は，銀行による貨幣の貸付とみなされ，貸出利子を生むと考えられる．銀行は，貨幣であれ銀行券であれ，預金を増やして，それに見合うかたちで貸付を増やしているようにみえる．貨幣を安く借りて高く貸す，という外見が生じるのである．

> **★問題 145**
>
> 「銀行とは，資金を安く買って，高く売る商人資本である」と考えてよいか．

　銀行の債務は，(1) 譲渡の便宜を重視した，銀行券や当座預金のような，期限の定めのない無利子タイプの債務と，(2) 有期の利子付きタイプの債務で構成される．これらは両極であり，実際には中間的な性格の複雑な債務形式が派生する．しかし，与信量に見合う銀行の債務が維持される原理は，(1) 支払の便宜か，(2) 利子収益か，による．銀行からみれば，(1) のタイプの債務の比率が高いほうが有利である．銀行の債務は，支払に便利であれば，無利子ないし低利であっても，ある程度の量は保有される．とはいえ，支払を仲

介するサービスは，送金網や決済手続きの整備など，実は銀行にコストを課す点を見落とすわけにはゆかない．銀行券は低コストだが支払準備を要し，送金・決済・受領証明などのサービス機能が加わった当座預金になれば，それだけ追加のコストがかかる．要するに銀行は，(1) の無利子タイプの債務にウェートをおくか，預金利子というコストをかけて (2) のタイプの債務を維持するのか，秤にかけることになる．

銀行の利潤率　　こうして，銀行業は営利活動の対象となり，商業資本の場合と同様，利潤率をめぐる競争のなかで，銀行業に特化する個別資本がでてくる．本項と次項では，銀行業資本の利潤率規定——利子率の決定原理について説明する．資金の需給関係で，利子率は上昇・下落することになるといってよいが，そうした変動に対して規制力を具えた利子率の水準決定に踏み込んだ解説を与える．やや難しいので，この2項はスキップしてもよい．

　まずこの銀行の利潤率についてまとめておこう．銀行の利潤の源泉をなすのは，銀行が保有する債権である．簡単化のために，ある期間，銀行の債権の総額 Q が不変で，その貸出利子率は i に維持されると仮定する．つまり，この期間の利子収入が $Q \times i$ になるものとする．銀行の債務の一部は，無利子で滞留する．だが，債務を維持するためには，利子付き預金も受け容れる必要がある．利子付き預金の総額 Q' も不変で，預金利子率は i' に維持されると仮定しよう．このように極端に単純化した場合，銀行の粗利潤は $Q \times i - Q' \times i'$ となる．

　銀行資本は信用業務に対して，さまざまな流通費用を支出する．この費用は，すでにみたように，(1) 信用調査など，優良な債権を集中するのに必要な諸費用と，(2) 銀行券の発行費や当座預金のサービス経費など，銀行の債務に支払手段としての機能を与えるための諸費用に大別される．これらは，粗利潤から控除されるべき流通費用 k を構成する．銀行は流通費用をかけて，返済が確実な債権を選別するのであるが，それでも返済されない部分もでてくる．最終的に回収困難となれば，この額 d も銀行の粗利潤から控除しなければならない．

　なお，銀行の業務には，送金や金銭出納の管理など，手数料を得て代行する

サービスも含まれる．この側面を**貨幣取扱資本**という．この業務自体は，サービスの提供にすぎず，運輸業や通信業に携わる資本と同様，原理的に個別産業資本と別に論じる必要はない．ただ，それは上の (2) の諸費用と密接に関連し，そこから派生する．銀行資本は，こうしたサービスを商品として販売し，その費用を控除して粗利潤とする面をもつ．商品流通が，複雑で広範な取引関係を発展させるなかで，銀行の貨幣取扱資本としての機能も多様化し，利潤の一つの源泉となるが，ここでは捨象する．

さて，このような純利潤を得るために，銀行は資本 P を投下する．その資本の一部は，オフィスの賃貸料や営業用の資材，その他の物品費，さらには行員の給与などの人件費に充当される．他の部分は銀行の債務に対する支払準備金として保有される．したがって，銀行業資本の利潤率は，

$$利潤率 = \frac{(貸出利子総額 - 預金利子総額) - 流通費用総額 - 貸倒損失額}{銀行資本}$$

$$r = \frac{(Q \times i - Q' \times i') - k - d}{P}$$

で与えられる．

この算式は限定された仮定をおき，極端に単純化した規定である．銀行の債権と債務は，異なる額面と異なる期間で構成されている．このような種々雑多な債権・債務を，銀行の債権 Q，債務 Q' として集計することには無理がある．また，すでに述べたように，銀行の債務の一部は，無利子の債務で構成されている．そこに貨幣取扱資本として，独自の費用支出と収益がリンクしている．ただ，銀行業資本が，さまざまな受信と与信の要望を，銀行の債権と債務に集積し，その差額を粗利潤とし，そこから活動経費を控除した額を純利潤とし，これを活動に投下した資本額で除した値を利潤率とする原理は変わらない．

利子率の水準　銀行は，多数の与信資本と受信資本の媒介に専業化することで，結果的に信用の形成に必要な費用を節減する．しかし，基本的に銀行は社会的需要に応じるだけであり，自力で債権 Q を増減させることはできない．銀行資本 P を増大させ，信用調査に多くの費用 k を増

大させても，それに比例して Q が産出できるわけではない．逆に Q に応じて，銀行資本 P の大きさのほうを合わせる必要がある．銀行業資本も，個別資本であり，基本的に利潤率の増進をめぐって，産業資本や商業資本と競争する．すでに考察した商業資本と産業資本の関係と同じように，競争を通じて銀行業資本全体の社会的規模も結果的に調整される．

　利子率の水準も，このような競争関係のなかできまってくる．たしかに，銀行資本 P や，流通費用 k や貸倒損失 d などと，銀行の債権 Q の間には，生産技術的な関係があるわけではない．しかし，少なくとも同じ Q に対して，どこまでも P や k，d を縮小できるわけではない．それらは，個別銀行間の競争で，ある範囲に落ち着く．

　いま，銀行の債権・債務と，その形成に要する資本と諸費用の間に一定の比率があるものと想定すると，銀行の利潤率と利子率との間に一定の関係が生じる．この利潤率が一般的利潤率 R に規制されて与えられているとすれば，利子率の水準もきまってくる．銀行業資本にとって利子率は，産業資本における生産物の販売価格に匹敵する．もちろん，生産価格のように技術的な基準をそれ自体，もつわけではないが，受動的にその水準が与えられる点は同じである．

　このような利子率の水準は，与信や受信の状態に応じて変化する．受信要請が高まり，そのなかで返済に不安があるものが増えてくれば，銀行は貸付に際して，より多くの資本投下と信用調査などへの費用支出を迫られる．このような条件の変化のもとで，銀行業資本も産業資本や商業資本と利潤率をめぐって競争を展開する．その結果，他の産業とほぼ同じ水準の利潤率が得られるように，貸出利子率の水準も上昇する．逆に受信要請が増大しても，それが社会的再生産の順調な拡大を基礎にしていれば，与信のための資本投下や費用支出は銀行の債権の増大に比例しない．こうした条件では，貸出利子率の水準は下がる．また，与信要請が高まりながら，それに見合う受信要請が伸びず，貸出にコストがかかれば，預金利子率は下落し，逆ならば上昇する．こうして，銀行が与信と受信を社会的に媒介することで，利子率は変動するのである．

> **問題 146**
> 　銀行の利潤率と利子率の関係について，条件を単純化して確認し

てみよう．いま，月初に，異なる受信資本を相手に，それぞれ月末払いの25万円の手形を10件，20万円の銀行券を発行して，割り引くだけの銀行を想定する．この業務のために，準備金や営業資産に40万円の資本が投下され，信用調査に20万円が支出されたとする．そして月末に，貸倒は発生せず，10件すべてが円滑に返済されたとする．

1. 発行された銀行券がすべて即座に銀行に預金され，それに月あたり10%の預金利子が支払われたとする．このとき，銀行資本の利潤率は月間，何パーセントになるか．
2. 新たに5万円を貨幣取扱の費用として支出した結果，銀行券の半分は市中にとどまり，残りの半分が預金となった．このとき，銀行の利潤率は月間，何パーセントになるか．
3. 個別産業資本が競争するなかで，個別的な利潤率が月間ベースで25%で変動しているとする．銀行業でこれ以上の利潤が上がれば，資本が参入し，逆なら撤退する．その結果，個別銀行業資本の利潤率も25%になるよう，利子率の水準がきまるとする．いま，さらに5万円の貨幣取扱費用を追加支出し，その結果，すべての銀行券が市中に滞留するようになったと仮定する．このとき，銀行の貸出利子率は月間何パーセントになるか．

銀行間取引　このように利潤率が規定できる以上，個別資本にとって銀行業も基本的に製造業や商業と区別はない．複数の個別銀行が，それぞれ多数の受信者・与信者を顧客として，相互に競争する領域となる．ただそれと同時に，個別銀行間に新たな取引関係が発達し，独自の銀行組織が形成される．これ自体は競争が必然的に生みだす組織化である．現実にはこれに外的条件が作用することで，歴史的に多様な形態が現れる．本項と次項では複雑な変容を生みだす内的原理について説明するが，この両項も難しいと思ったらスキップしてよい．

個別銀行の間には，大別すると二つの関係が形成される．(1) 顧客間の経常的な取引に対する決済の集中と，(2) 受信・与信のアンバランスの調整，である．両者は密接に関連しているが，ここではひとまず分けて説明する．

まず，(1) について説明する．受信資本 $\mathcal{A}$ と与信資本 $\mathcal{B}$ が単一の銀行 $\mathcal{X}$ によって媒介されるとは限らない．$\mathcal{A}$ 対 $\mathcal{X}$，$\mathcal{B}$ 対 $\mathcal{Y}$ というように異なる個別銀行と取引していることもある．このとき，$\mathcal{A}$ が $\mathcal{B}$ から商品を買い，$\mathcal{X}$ の一覧払いの債務証書で支払うとしよう．与信動機をもつ $\mathcal{B}$ は，これで $\mathcal{Y}$ に預金することを望む．$\mathcal{X}$ と $\mathcal{Y}$ が多数の受信・与信の媒介をするなかでは，逆方向の取引も生じるので，$\mathcal{Y}$ もこれを受け容れるであろう．こうして，個別銀行の間には，相互に債権・債務の関係が形成されることになる．

このとき，$\mathcal{X}$ と $\mathcal{Y}$ が銀行 $\mathcal{Z}$ に口座を設け，準備金の一部を預託していれば，最終的な清算は預金残高の変更だけで済む．銀行 $\mathcal{Z}$ は，貨幣取扱業務の側面において，銀行間取引を媒介する機能を果たすのである．

> **問題 147**
>
> 銀行の数が増えると，相互の残高の支払いも重複が大きくなる．3 行のケースについて考えてみる．例えば，$\mathcal{P}$ 銀行は $\mathcal{Q}$ 銀行に 4 億円，$\mathcal{R}$ 銀行に 6 億円の債権をもつとして，これを $\mathcal{P}(0,4,6)$ と略記する．はじめの 0 は，$\mathcal{P}$ 銀行が $\mathcal{P}$ 銀行に 0 円の債権をもつという意味である．さて，この記法で表現すると，$\mathcal{Q}(5,0,8), \mathcal{R}(3,7,0)$ となるとしよう．各行は銀行 $\mathcal{Z}$ に，それぞれ，5 億円，預金があるとする．さて，どのように清算をしたらよいか．

次に (2) の受信・与信のアンバランスの調整について説明する．個々の銀行は，自己資本を投下し準備金を用意し，流通費用を支出することで，社会的な受信要請，与信要請の全集合のなかから，ある部分を取り込む．その結果，個別銀行の間には，有利な条件で信用を与えられる顧客を多くもちながら，銀行債務の維持にコストがかかるもの（こちらを u 銀行とする）や，逆に銀行債務は低コストで維持できるのに，それに見合うかたちで与信を拡大しようとすると，危ない債権をつかむ可能性が高いもの（こちらは v 銀行とする）がでてくる．

このような場合，u 銀行は自分の保有する債権の一部を，v 銀行に割り引いた額面で転売する手がある．例えば，u 銀行は 20 万円の自己宛て債権で割り引いた，1ヶ月後 25 万円払いの手形を，23 万円の現金と引き替えに v 銀行に譲渡する．満期まで抱えているのに比べれば，25 万円 −23 万円=2 万円

の損になるが，今 20 万円を預金のかたちで確保するには，22 万円（預金利子率月 20％）以上が必要であるとすれば，v 銀行の再割引に応じるほうがよい．v 銀行としても，もし自分の顧客に対して与信をしようとすれば，同じ条件ではもっと危険が高まると判断すれば，こうした取引に応じる意味はでてくる．要するに，u は相対的に有利な条件で与信し，その債権を相対的に有利な条件で受信できる v に転売するのである．

こうした個別銀行間の与信・受信条件の違いに基づく取引は，z 銀行のような上位の銀行を介在させた組織に発展する．v は過剰な準備を z に再預金し，u は z に再割引を依頼することで準備の不足を補うことができる．z 銀行は，u 銀行や v 銀行のような個別的な関係を一対一で仲介するわけではない．多くの銀行の受信・与信のアンバランスを集中して調整する．個別銀行が，多数の受信・与信を一括し，集中的に媒介したのと同じ原理が再現される．相対的に受信要請の高い諸銀行から債権を割り引いて受け容れることで準備金を供給し，逆に与信要請が高い諸銀行から預金を受け容れるかたちで，z 銀行は複数の個別銀行間の受信・与信のアンバランスを全体として調整するのである．

銀行間組織　このように銀行間の取引は，同格の個別銀行のなかから，相対的に上位にたつ銀行への要請を生む．個別銀行間の水平的な関係に対して，垂直的な組織化の力が潜んでいるのである．銀行間組織は，歴史的に複雑多様な現象を呈してきた．そこに貫く基本原理を捉えるためには，抽象化が避けられない．こうした対象に対しては，19 世紀中頃のイギリスの銀行間組織といった，特定の歴史的現象を純粋なすがたに近いと評価し，一般化するのではなく，逆にさまざまな現象を生みだす基本因子を分析し抽出すべきなのである．

原理的に導入できるのは，「銀行間組織のタテの分化が，どの個別銀行にとってもメリットをもつであろう」という命題である．「だれにとっても」という意味で普遍性はある．しかし，この「あるとよい」ということから，単純に「だからあるのだ」と推論してはいけない．銀行間の取引を効率化する力だけが一方的に作用し，上位の銀行が単一化するとはいえない．どの個別銀行が上位の銀行の位置につくか，ということになると，相互の利害は対立する．総論賛成，各論反対の世界である．足の引っ張り合いで，垂直的な関係は発生しな

い可能性もある．そして，タテの分化が発生しなくても，それだけで銀行信用が機能不全に陥るわけではないのである．

ここにもまた，開口部に特有な分岐構造が観察される．歴史的には，上位銀行を求める個別銀行の要請に応え，国家による特定の銀行券の法貨化や国庫の出納管理など，制度的な要因が作用してきた．「銀行の銀行」であると同時に，「発券の独占」，「政府の銀行」となった銀行を**中央銀行**とよぶ．最後に垂直的な分化を図示しておく（図 III.2.8）が，実際には，銀行の銀行を介さずに，直接に x が y 預金口座を設け，y が x 預金口座を設けるなどのかたちで水平的に結びつくことも可能である．

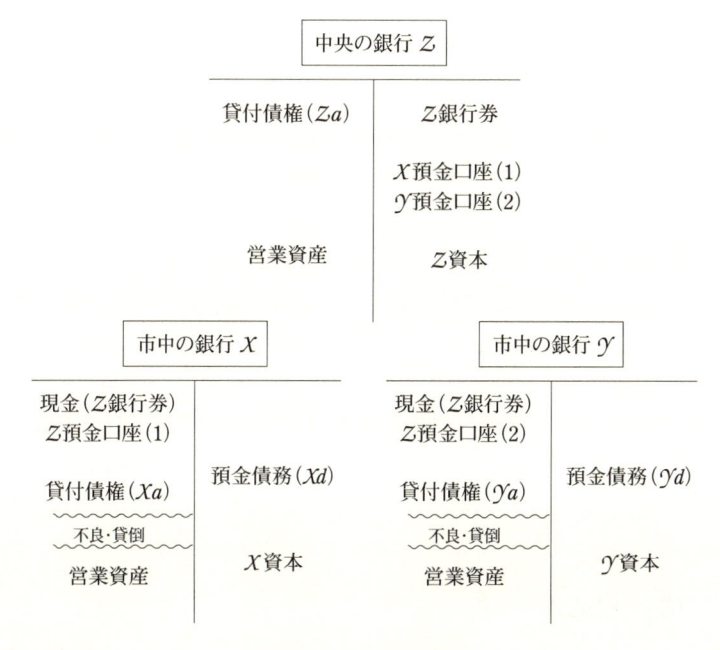

中央の銀行 Z	
貸付債権（Za）	Z 銀行券
	X 預金口座(1)
	Y 預金口座(2)
営業資産	Z 資本

市中の銀行 X			市中の銀行 Y	
現金（Z 銀行券）			現金（Z 銀行券）	
Z 預金口座(1)			Z 預金口座(2)	
貸付債権（Xa）	預金債務（Xd）		貸付債権（Ya）	預金債務（Yd）
〜不良・貸倒〜			〜不良・貸倒〜	
営業資産	X 資本		営業資産	Y 資本

図 III.2.8　銀行間組織

銀行業資本の社会的機能　銀行業資本が独立して信用業務を展開するようになると，与信や受信の動機をもちながら，直接的な商業信用の形成条件が満たされなかったような資本間にも，銀行を媒介に，信用関係が広く取り結ばれる．与信動機をもつ個別資本に代わって，銀

行は信用調査を代行し,そのための流通費用を節約し,預金利子のかたちで追加的な増殖の機会を提供する．こうして,銀行が存在せず信用関係が形成されなかった場合に比べて,与信動機をもつ資本の側の利潤率は上昇することになる．

受信資本の側でも,生産過程を中断することなく継続するのに必要な貨幣資本を節約することができる．また,生産の拡張が必要になれば,ある程度,信用によって原料などの追加的な手当をおこない,弾力的に生産量を増加することもできる．銀行の介在は,受信資本の側でも,このような利潤率の上昇を結果的に促進する．

銀行は個別的に無規律におこなわれる商品の売買関係から,生産過程の連続的な運動を維持し,固定資本の遊休を回避するために必要とされる,流通資本を節減させ,信用関係の形成のための費用を節約する．個別資本は利潤率をできるだけ上昇させるべく,可能な限り信用関係を利用する．このような私的な動機の意図せざる結果として,利潤率の均等化は社会的に促進されるのである．

労働力などの資源が充分存在し,生産が拡張の余地をもっているときには,銀行はこうして,市場による社会的な再生産の編成を円滑に進める役割を果たす．しかし,それはつねにこのように短期的なかたちで,利潤率の均等化を促進するだけではない．社会的再生産の拡張の余地がなくなった場合には,銀行はそのアンバランスを一時的に増幅させ,資本主義に特徴的な,より動的な再調整を促す要因にもなる．この点については,第3章の景気循環において考察する．

2.4 株式資本

長期貸付　資本の運動の内部には,市場の無規律な変動に対応するための短期の貨幣資本とは別に,固定資本の償却資金や新たな蓄積資金など,長期的な遊休を迫られる資金が形成される．例えば,10年間使用される1,000万円の機械装置は,同額で毎年,毎年100万円,売上金から回収され,貨幣資本のかたちでプールされる．また,工場設備を新設しようとすれば,何年かにわたって,利潤を積み立てる必要がある．

これらの長期の資金も，短期的な貨幣資本と同様に，商業信用や銀行信用を介して利用できる．しかし，それでは長期資金としての特徴を生かした利用にはならない．このような資金の保有者は，できれば長期で運用して，相対的に高い追加的利得をあげるチャンスを求める．

他方，こうした長期の資金を利用したいという動機も発生する．生産の拡張が進む部門では，自己の利潤からの蓄積資金に，外部から長期の資金を加えて，固定資本を増強したい資本が存在する．長期の資金をめぐって，それを提供する動機も，求める動機も存在するのだから，ここに長期の直接貸付が形成される可能性がある．

しかし，それは同時に大きな制限をもつ．例えば，10年後に1000万円返済できるかどうかには，かなり不確実な要因が絡む．しかも，その利子額は例えば毎年50万円というように固定されているが，年々の利子率は変動する．利子率が例えば10%と高くなっても，このままでは5%相当の固定額に甘んじなくてはならない．むろん，逆のケースもあるが，問題は利子額が一定であること自体，個別的な才覚で自由に運動したい資本にとって，むしろ制約要因なのである．

このため，長期貸付がなされる場合には，その商品化が求められる．貸付債権は，譲渡可能な一定の額面の有価証券に分割される．これを**債券**という．債券の価格は，定額の利子額をそのときの利子率で割った価格を基準に売買される．しかし，この債券の商品化が可能なのは，その返済能力が社会的に充分信頼される特定の資本に限られる．また債券の売買には，債券の返済能力などを調査する費用も無視できない．その結果，これに特化した資本の活動が不可欠となり，さらにそれを監視する公的機関の関与や，法制度による規制なしに自然に機能するものではない．こうして形成される市場は，これまで論じてきた市場一般ではない．多数の売り手と買い手が集中し，一斉に取引することで一物一価を制度的に実現する特殊な市場となる．このような市場を**取引所**という．債券を対象とした取引所が**債券市場**である．

問題 148

「債券市場は，人為的な法制度や公権力をバックにした規制によってはじめて作動する．経済主体による私的利得追求の動機だけで

は説明できない．したがって，これは原理論の考察対象から除外すべきである」．この主張について論評せよ．

出資方式　長期の直接貸付は，不可能ではないが，外的条件に強く依存し，また，貸付主体は証券化によって多様化しても，借入主体は限定される．その点で制約が多く，産業資本の長期資金の活用としては限界をもつ．それは貸付という方式自体がもつ限界である．その打開には，貸付以外の方式が必要となるのである．

長期性をもつ資金も，もともとは資本としてできるだけ早く投資したいものであった．流通の変動に対応する目的で準備された貨幣資本とは，性格を異にするのである．固定資本の規模に制約されて，やむなく資金として一時的な転用を迫られているだけである．だから，長期的な貨幣的準備は，できれば資本として出資して利潤を取得したいという動機を生む．他方，すでに述べたように（80頁）結合資本自体は，必ずしも，商品経済的な行動に対立するものでも，資本の概念に反するものでもない．他の資本と結合して，資本規模を拡大しようという動機はもともと存在する．こうして出資を受け容れれば，資本はそれぞれの出資額に分割され，出資額に応じて，利潤は分与される．これを**配当**という．配当はれっきとした資本の増殖分であり，資金の価格である利子とは氏素性を異にする．

株式証券　しかし，産業資本の長期資金の運用という観点からみると，単純な出資方式には大きな制約がある．出資は資本の投下であり，出資元本は一定の価額で表示されていても，貸付と違って返済ということはありえない．だから，元本を必要に応じて回収する方法がなければ，外的な増殖機会として自己の長期資金を流用することはできない．

そのためには，資本に対する持ち分が商品化されなくてはならない．それには長期貸付債権の商品化の場合と同様に，外的条件の動員が必要となる．とくに，貸付と異なり出資の場合は，出資した相手方の資本が負債を残し返済できなくなれば，出資分を失うだけではなく，出資した自分側の資本にも債務は遡及する．これではこまるので，本業の資本と，出資分を切り離す法的処理が

不可欠となる．出資額以上に，出資先の債務返済の責任を負う必要がないとする制限条項を**有限責任**という．出資方式による運用には，この法制化が前提となる．(1) 資本額を少額の均等な額面の譲渡可能な証券に分割し，(2) この証券に意思決定権と配当請求権を与え，(3) 有限責任制が適用された資本を，ここでは**株式資本**，この証券を**株式証券**あるいは株券とよぶ．

　株式証券には二つの顔がある．一つは，株式証券の額面に比例した配当を請求する権利を示す証券という顔である．配当は利潤の分与であるから，これを**利潤証券**という．もう一つは，1株1票という均等な大きさの決定権を表す証券という顔である．すでに述べたように，私的所有はその対象物に対して排他的な利用・処分の権限を意味する．株式資本の場合，単一の資本に対して，株式証券は細分化され，各株式証券は等しい決定権を与えられている．したがって，相対的に多数を所有すれば，単一の株式資本全体に対する決定権を握れる．部分の所有で全体をコントロールできるのである．この決定力を所有と区別して支配といい，株式証券のこの側面を利潤証券に対して，**支配証券**とよぶ．

　(1) 株式証券という制度的枠組が整えられたうえで，(2) 安定した利潤率が期待される資本が登場すると，そのような資本の株式証券は商品として売買できるようになる．ただし，これはまだ「可能性として」である．言い換えれば，株式証券が商品として競争的に売買される関係は，すべての産業資本に及ぶわけではない．(1) の法制度が適用されたとしても，(2) のような資本は限定されるため，部分的なものとなる．逆にいえば，例えば巨大な資本額を要する産業が発達し，資本間の規模に歴然とした格差が生じるといった条件がないと，株式証券の商品化は現実化しない．資本主義なら産業資本はつねに存在し，そこから商業資本や銀行資本は分化する．株式資本はこれと同じレベルで存在するとはいえない．ただ，このことはそれが原理論の考察の対象にならないということではない．どのようなかたちで外的条件が必要になるのか，その存立条件は理論的に推察できるのである．

株式市場　産業資本の内部に必然的に形成される長期資金の運用として，出資方式を考える場合，株式証券が登場するだけでは，まだ充分な条件がそろったとはいえない．この株式がつねに明示的な単一の価格をも

ち，その価格でいつでも販売できるような市場が必要となる．債券市場について述べたのと同様に，取引所が要請されるのである．商品化に適した限定された株式資本を対象に，同種大量の株式証券が売買される取引所が**株式市場**である．株式市場は資本市場とよばれることもある．さらにまた，株式証券と債券は，出資と貸付という基本的に異なる関係を表すが，証券売買という共通の形式をとるため，同じ取引所で売買されることがある．債券市場に株式市場が統合された取引所が証券市場である．

　株式市場が形成されても，すべての産業資本が株式資本となり，そこで株式証券が売買されるわけではない．株式市場のもつ意義は，これら一般の産業資本と，株式市場で売買される株式資本とに分けて考えてみる必要がある．

　(1) 株式市場が存在することで，一般の産業資本は，その運動のなかから不可避的に生まれる長期の資金に関して，出資方式による増殖の機会を得る．これにより，固定資本から回収される償却資金や，追加的な固定資本投資に必要な蓄積資金を，貨幣形態で積み立てる必要はなくなる．また，コストがかかる割には不確実な，直接的な長期貸付などに手をだす必要もない．株式市場で相場がきまる株式証券を利潤証券として保有し配当を追求すればよい．

　この観点からみると，株式証券も債券も基本的には同じことになる．配当は債券の利子とみなされ，株価も配当を利子率で割った値を基準に売買されるようになる．例えば証券の額面が100円，配当が年10円で一定しており，債券の利子率が年率5%であれば，200円を貸し付けて10円の利子を得るのも，額面100円の株式証券を200円で買って10円の配当を得るのも，同じことになる．ただ，配当や利子率が変化すれば，株価も変化する．そのため，転売によって追加的な利得を追求する活動が派生し，株式証券は投機の対象にもなる．

　(2) これに対して，株式市場で自己の株式証券が売買される資本にとって，株式市場は独自の意味をもつ．もちろんこの種の資本も，自己の長期資金の運用先に利用できるが，さらに新たな機能が追加される．他の資本から出資を募るかたちで，資本規模を拡張できるのである．たしかに，ただ規模を拡大しても，それだけでは利潤量が増えるだけで，利潤率が上昇するとは限らない．しかし，株式証券を新規に発行することで，今の例でいえば，10円の配当で200円の資本を追加できる．借入と違い返済の必要がないから，回収が長期に

及ぶ固定資本の拡張に適している．そして，利潤率が利子率を上まわる限り，これは利潤率にプラスにはたらく可能性を一般的にもつ．こうした増資によって，好調な生産部門や大規模な固定資本を要する部門にいち早く進出すれば，相対的に高利潤率を実現し維持できる．株式市場で株式証券が売買される資本は，自己の蓄積資金の枠をこえて運動するメリットを享受できるのである．

　しかし，出資を募って株式証券を増大させることにはデメリットもある．株式証券は支配証券でもあるから，それが他の資本によって買い占められれば，自己の資本に対する支配を失う．株式証券は，単に利潤証券として，多数の主体に分散的に購買されるだけではない．株式資本自体を支配する目的で，株式証券が買い集められることがある．例えば，衣料販売に携わってきた商業資本が，自社ブランドのデザインで生産するために縫製工場をもとうとする場合，工場建設に自己資本を投下する代わりに，株式証券を買い集めて，既存の縫製資本の買収にでることも考えられる．株式証券の分散は，このような買収，乗っ取りの危険を高める．そして，支配証券として買い集められる場合，株価は利潤証券としての水準をいくらでもこえる．また，買収が現実に展開されなくても，債券と異なり，株式証券には支配証券としての性格が潜在している．そのため，株価は，それに含まれる資産に対する評価や将来の業績に対する思惑など，利潤証券とは異なる要因で，投機的に上昇下落し，転売が繰り返されることになるのである．

社会的効果　株式市場では多種大量の株式証券が商品として売買され，それぞれの価格水準はだれの目にも明らかになる．すでに述べたように，市場は単に商品がただ一度，売買され，生産から消費に移る通過点ではない．その内部に，資産としての性格をもつ商品と貨幣のストックを抱え，転売を繰り返しながら，商品経済的富が保持される場でもあった（96頁の図I.3.3参照）．穀物とか原油とか，均質で大量のストックを形成する商品類は，こうした資産保有の機能を担う．株式証券それ自体は有用性をもつわけではないが，資産の保有形態としてみると，より適切な性格を具えている．それは，生産手段や商品在庫，現金や債権，その他さまざまな資産を利潤追求に活用するかたちで内包する，資本の運動を総合的に評価したものとして，価値をもつ．このような動的な資産として多数の主体により値付けされるのである．

この結果，株式証券は，単に産業資本の長期資金の運用の対象となるだけではなく，社会全体の私的財産を保有するうえで有力な手段にもなる．さまざまな私的財産が，株式市場を中心とする証券市場に流れ込む．これによって(1) 株式市場で株式証券が売買される株式資本は，この外部からさまざまな私的財産を追加的に資本化することができる．また (2) このような株式市場の拡充によって，市場の内部に，転売の対象となる資産の大きなストックが形成される．運動体としての資本そのものが，株式証券のかたちで間接的に転売の対象となる．商品の転売を通じて価値増殖する資本中心の市場像は，さらにもう一段アップグレードするのである．

このような証券市場を内包することで，一面で市場は安定性を増す．商品市場を通過するさまざまな商品の流れは変動を繰り返すが，商品経済的富はその変動を吸収するバッファの役割を果たす．蓄蔵貨幣の存在は，商品量の変動に対して，価格の変動を緩和する．株式市場は，このような貨幣の緩衝機能を増強する．蓄蔵貨幣として，直接貨幣形態で保有される量には限界があるが，証券市場において株式証券のかたちで蓄えられた資産は，その時点の株価でいつでも貨幣に転換できる，巨大な資産のプールとして，蓄蔵貨幣に代替する機能をはたす．

しかし，証券市場は他面において，市場に対して不安定化させる要因にもなる．私的財産は，株価の変動による売買差益を目的に流出入する．そのため，利潤証券による株価水準はもとより，支配証券としての株価水準の決定からも乖離して，投機的に変動する可能性をもつ．株式証券は，価値増殖を目指して運動する株式資本を外部から価値評価するものであるが，株価の上昇はその株式を保有する資本自身の価値評価を高める．全体でみると，自己の価値の上昇を，もう一度，再評価に組み入れるような，自己循環的なブースターの危険をはらんでいる．景気循環の好況末期において，これが自己拡張的な投機を引き起こし，その瓦解は急激な反動を社会的再生産に及ぼす可能性がある．株式市場は，資本主義に特徴的なダイナミズムを付与することになるのである．

> **問題 149**
>
> 原理論では，いろいろな「論理」を使って，さまざまな認識の次元を明らかにする．ある認識が事実かどうかというだけではない．

どのような述語を伴って成り立つのかが，同時に重要な意味をもつ．必然的だとか，可能性があるとか，絶対にありえない，といった次元の論理である．さらに，必然的なことと，可能性のあることの関係はどうか，という問題が派生する．こうした関係性にかなりこだわって全体を構成してきたので，もう慣れてきたと思う．そろそろ仕上げだ．

1. 貨幣がないと資本主義は成り立たない．
2. 株式市場がなくても資本主義は成り立つ．

両者はどのような関係にあるか．

第3章 景気循環

3.1 原理的アプローチ

　　　景　気　「景気」という言葉は、語源的にいえば、「景色」とか「気配」などとともに、まわりの様子を何となく指すのに用いられてきたようである．因みに景気にぴったりした一単語は英語にはないようで、強いていえば economic condition ということになる．**景気循環** business cycle という用語のほうがポピュラーで、これは、**産業循環**とも訳される．「景気循環」という概念が先にあって、「景気」そのものは独立の主語になかなかならないようだ．とはいえ、多少曖昧で漠然とした言葉だが、「景気」とでもよぶしかない事情があるのもたしかである．何か一言ではいえないものがあり、それが目にみえるいろいろな現象のうちに感じられるというニュアンスである．ここではさしあたり日本語の語意にしたがって、市場に現れた経済の状態を**景気**とよび、なぜこのような用語が使われるのか、その理由を探ることで概念化しておこう．

　(1) **状態としての景気**　考えられる第1の理由は、資本主義が何層もの複雑な内部構造をもつことによる．このことは本書の目次をみればわかる．各項目は入れ子状に関連しており、全体としての一つのシステムないし〈系〉を構成している．景気というのは、こうしたシステム全体の〈状態〉を意味する．ここに難しさがある．構成要素をバラバラに捉えても、「全体の状態」はわからない．「部分」に還元できないシステム「全体」の様子を示す概念が必要となるのである．

景気の概念規定に際しては，このような事情を意識する必要がある．それは単一の単純な指標に還元できない．実際，経済全体の状況は複数の指標を通じ，性格を異にする諸領域を見渡すかたちで，総合的に捉えるほかない．本書のこれまでの考察がここで役にたつ．全体を捉えるためには，バラバラの指標を多数取り上げるのは得策とはいえない．逆に最小限必要なポイントに数を絞ることが近道となる．その絞りこみ方については，後ほど考察することにして，ここでは景気という用語が「システム全体の状態」という含意をもつことを確認しておく．

(2) **環境としての景気**　第2の理由は，主体の観点からみた「状況認識」であるという点に関わる．景気は，ただ外部から一般的に把握されるだけではない．それは同時に，内部で活動する個別主体によって感じとられ，評価されたものである．もちろんシステムは外部から観察することもできる．しかし，それは今述べたように，複数の指標を介してそれぞれの領域で異なって現れる．どこに位置し，何を利害関心にするかによって，同じ状態が個別主体の目には違ってみえる．関連の薄い産業の景況は無視され，利子率の高低は与信者と受信者では逆の意味をもつ．

その意味で，景気は一種の「環境」という性格をもつ．環境は，そのなかで棲息する主体の観点からみると，さまざまに異なった態様で現れる．個々の主体は，その環境を認識し評価し行動する．異なる主体の多様な行動を介して，環境も再形成される．このような個別と全体との間の結びつきが，ある定常状態を持続させる．逆にこの関係が壊れると，個別主体の行動の変化が環境を変え，環境の変化が行動を変えるという，相乗効果で急速に状態が遷移する．この点は，後に述べるように，景気の転換局面を理解するうえで重要となる．ここでは景気という用語が，個別主体の「行動の場としての環境」という性格をもつことを確認しておこう．

運動論　景気循環論が，「システムの状態」や「環境」といった特異な対象を考察する以上，同じ原理論といっても，これまでとは次元を区別して論じる必要がある．本書ではこれまで，市場の基本構造と資本主義的生産様式を分析し，個別資本がこれら二つの構造を連動させる仕組みを明らかにしてきた．これらを一括して「構造論」とよぶとすると，景気循環論は「運

動論」とでもよぶべき，独自の領域を構成する．もちろん，構造論といっても，建築物のような静的な構造を考えてきたわけではない．ただ，時間の流れのなかで同じ関係が維持される再現性に焦点を当ててきた．もちろん，運動論といっても，それがまったく再現性をもたないならば，原理的な考察対象にはならない．ただ景気循環論では，時間の流れのなかで生じる不可逆的な変化，すなわち発展の原理が中心課題となる．

　運動論は，その点で現実の歴史過程に一歩近づく．しかし，それは構造論と区別されたのと同様，歴史過程の分析ともはっきり区別する必要がある．景気循環自体は，何年何月何日という歴史的時間のなかで進行するが，それを分析する原理ではこのような固有の日付は必要ない．両者は密接に関連しているが，その分，意識的に考察を進めないと，歴史過程を原理論の用語でただ記述しただけの中途半端な「理論」になる．原理論というのは「こんなふうに使うものか」という勘違いを生まないよう，はっきりいっておく．運動論は，資本主義のどの歴史的発展段階であれ，それらに通じる一般性を解明する原理論の一部である．運動論としての「景気循環論」はあくまで分析の「手段」であり，歴史過程としての「景気循環過程」は分析の「対象」である．

表 III.3.1　景気循環論の論理的次元

歴史分析	出来事の時系列	…… ⟶ 好況 ⟶ 恐慌 ⟶ 不況 ⟶ ……
経済原論	運動論	景気循環
	構造論	市場 ＋ 社会的再生産

問題 150
　「景気循環論は原理論の範囲をこえる」．この主張について論評せよ．

相の概念　　では，原理論としての景気循環論は，どのような分析視角を与えるのか．基本は，景気が二つの**相**をもつと捉えることにある．ここで〈相〉というのは，「システム全体の状態」の一種である．例えば，水は固体，液体，気体といった「状態」をもち，その「状態」のもとで，温度

や比重を変化させる．温度や比重が違っても，水は水であり，氷や蒸気とは基本的に異なる．相が違うのである．相という概念は，このように不連続な状態を含意する．しかし相はまた，同一システムの異なる状態であり，したがって，ある相は別の相へ変化する．この変化は，同じ相の内部での変動とは区別して**相転移**とよぶ．

さて，景気循環を相という観点から捉えるうえで，留意すべきポイントを3点ほど指摘しておく．第1のポイントは，「変動と相の区別」に関わる．資本主義的発展は，一様な状態で連続的に進行するわけではない．たしかに，再生産の規模なり，純生産物の総量なりをとってみれば，それは時系列的に連続して変化する．それは成長するだけでなく，場合によっては減少することもある．また増大するにしても，そのテンポは一律ではない．とはいえ，量としては連続性をもつ．零度の水も存在し，零度の氷も存在する．温度だけでみれば，連続しているが，状態は違う．温度の変動だけでは，相転移は把握できない．連続的な量的変化に還元できない状態に着目する必要がある．つまり，相という観点が不可欠となるのである．例えば，身体という系を考えてみると，体温や脈拍や血糖値などは絶えず変動しているが，それらを別々にみても健康状態はわからない．しかし，そうした諸現象を通して，平常か病気かは判断される．個々の値は変動するが，相としての健康状態は基本的に異なる次元に属するのである．

第2のポイントは，「相の数」に関する問題である．景気は，何よりも個別資本に共通に感知される状態である．その点で，物理学や化学が対象とする物質の状態より，生物学でいう「環境」という考え方に近いことはすでに述べた．しかし，個別資本の観点からみても，景気の認識は，つねにバラバラであるというわけではない．多くの個別資本にとって好環境であると評価される局面と，反対に停滞的であると評価される局面が現れる．前者を**好況**，後者を**不況**とよぶ．景気は大きく分けると，好況と不況という二つの相からなる．この限りでは，好況も不況も，直接的には現象に対する評価にとどまるが，その評価が共通にみえるのにはそれなりの理由がある．その一般的根拠を解明するのが景気循環論の課題となる．

第3のポイントは，「相と相転移」の区別に関わる．このように整理すると，景気は，好況と不況という二つの相をもち，その間に相転移が発生する

と捉えることができる．繰り返し注意するが，相というのは，変化する対象を外から観察して切り分けた時期区分ではない．時期区分としては，好況や不況に関して，初期・中期・末期といった細分化も許されるが，ここで問題にしているのは，それとは逆に，こうした変動にもかかわらず維持される安定した状態のほうである．相というのは，対象の単なる性質ではなく，対象を分析するために組み立てた独自の概念装置である．

相の概念が明確になれば，好況と不況の間の転換局面は，安定的な相とは異なる論理次元に属することもわかる．相転移が激発的で不連性をもつとき，これを**恐慌**という．恐慌は，好況から不況への相転移に観察されることが多いことから，通常，ただ恐慌といえば，この局面の相転移をさすが，不況から好況局面にも発生することがある．これは「中間恐慌」とよばれる．また，相転移と独立に発生する投機の破綻現象も「貨幣恐慌」とよばれるが，これらはあくまで現象に対する名称であり，理論的に規定されたものではない．これらの範疇は，歴史的アプローチで景気循環を理解するうえでは意味をもつが，直接原理的に解明できる範囲をこえる．景気循環の原理は，好況と不況という二つの相と，両相間の相転移という大枠に整理される．好況，恐慌，不況という三つの局面を時系列的に並べて描く方法はここではとらない．

相をきめる諸要因　景気循環は，好況と不況という二つの相の交替として規定される．ただ，相はシステム全体の状態であり，単一の要因に還元することはできない．かといって，無闇に多くの要因を列記してみても，全体像はわからない．相を特徴づける基本要因をどこまで整理し絞り込めるかが，理論化のポイントになる．

それには，次の二つの区別を明確にしておく必要がある．

1. 生産的要因と流通的要因の区別．これは，資本主義を社会的再生産と市場機構が接合した一つのシステムであると捉えてきたことの必然的帰結である．両者が同期し蓄積が順調に進展する相と，両者の不適合が顕在化し，蓄積が停滞する相が交互に現れるのである．したがって，相の分析には，社会的再生産と市場機構に対応する二層を正確に識別しておかなくてはならない．

2. 総量と比率の区別．たとえば，$x+y$ は一定でも x/y は変化する．総量が増大しても，比率が低下することもある．量の変化を考えているのか，率の変化を考えているのかは，つねに意識すべきなのである．

こうして，相を規定する基本的な指標は，(1) 生産的要因と流通的要因の二層のもとに，(2) 全体の規模を示す絶対量と内部構成を示す比率の関係として，表 III.3.2 のように整理される．

表 III.3.2 相をきめる諸要因

	総量	比率
生産的要因	生産規模・純生産物	一般的利潤率
流通的要因	流通資本	純利潤率・利子率

生産的要因と流通的要因　資本の観点からみて，状況が好調かどうかを示す直接の指標は利潤率である．生産力が上昇し純生産物が増大したとしても，その過程で実質賃金がそれ以上に上昇すれば粗利潤率は下落する．社会的再生産の動向は，粗利潤率をベースにした一般的利潤率 R の動向に集約される．

ただ，個別資本が，直接，景気の相を感知するのは，一般的利潤率ではない．個別の純利潤率 r の動向である．純利潤率は一般的利潤率の動向に規制されながら，その下方に分散する関係にあった．分散が一定ならば，一般的利潤率が上昇すれば，純利潤率の水準も全体として上昇する．しかし，同時に分散が変化すれば，純利潤率の状態はそれを直接反映しない動きを示す可能性がある．例えば一般的利潤率は安定していても，分散が縮小し一般的利潤率の水準に純利潤率が全体として引きつけられれば，個別資本には利潤率の改善として感知されるのである．

問題 151

「純利潤率が上昇すると，それに対応して蓄積率（蓄積額÷利潤額）も上昇し，逆なら逆になる」．この主張は正しいか．

一般的利潤率と個別的純利潤率の乖離は，商品の滞貨や流通費用といった流通的要因を反映している．ただし，流通的要因といっても，商品の滞貨は，見えないかたちで生産過程に潜在することもあるので，注意する必要がある．生産設備をフル稼働した場合は，現実に滞貨が増加する．滞貨には，保管費をはじめ固有の流通費用がかかる．そのため，資本は生産設備の一部を稼働しないことがある．フル稼働したときの生産量に対する，実際の生産量の比率を，**稼働率**という．滞貨が生じる場合には，稼働率を低下させることと，稼働率を維持して在庫に流通費用をかけることは，純利潤率に対して同じマイナス効果を及ぼす．滞貨が顕在化するのをきらい，稼働率で潜在的に調整されることもある．

　さらに，流通的要因を示す固有の指標として，利子率の動向も重要な意味をもつ．資本主義的市場は固有の機構化を通じて，社会的再生産の部門編成を促進する．産業資本と銀行資本の間の分業は，複雑な分岐を示し，利子率も単一の値に還元できない複雑な規制関係を示す．利子率は，銀行資本の利潤率を介して，一般的利潤率と内的な関係をもつ．しかし，利子率の動向はただ一般的利潤率を反映するだけではない．純利潤率と利子率とが異なる運動を示す可能性にも注意しなくてはならない．

総量と比率　　資本主義的発展は資本の蓄積を原動力とする．資本蓄積によって資本規模 $c+v$ は拡大する．この結果，純生産 $v+m$ の量は増大する．生産性が上昇すれば，その分さらに純生産の量は増大する．総量レベルでの増大は，好況だけではなく，不況であっても生じる．この点は多少注意を要する．不況では，再生産の規模が徐々に縮小するときめつけてはならない．社会的再生産の規模は不況期でも増大する可能性があり，ただ，増大のテンポが異なるのである．資本規模の増大の比率が異なるからであり，そして，それはけっきょく，純利潤率の水準が異なるからである．率が一定なら，総量は累増する．総量の増大のテンポは，相対的な率の高低である．純利潤率が上昇するから好況で，下落するから不況なのではない．純利潤率の水準が相対的に高い相が好況であり，低い相が不況なのである．

260　第 III 篇　機構論

> **★問題 152**
>
> 簡単にするために，純利潤率が一般的利潤率に一致し，利潤はすべて蓄積されるものとする．また，蓄積が進んでも，資本規模 $c+v$ と純生産 $v+m$ の比率は 0.5 で変化しないものとする．初期の資本規模を 1000 兆円として，以下の問いに答えよ．
>
> 1. 一般的利潤率 $\dfrac{m}{c+v}$ が 10% で 10 期持続する．すなわち，蓄積を通じて $\dfrac{c}{v}=\dfrac{3}{2}$，$\dfrac{m}{v}=\dfrac{1}{4}$ が不変のまま維持されるものとする．このとき，純生産はどのように変化するか．また，一般的利潤率が 7% で 10 期持続したらどうなるか．縦軸に純生産額，横軸に期間をとり，図示せよ．
> 2. 資本規模が毎年 100 兆円ずつ増大するとする．このとき，一般的利潤率はどのように変化するか．

3.2　好況と不況

労働市場と産業予備軍　　現象としてみると，好況とは高成長が持続する状態であり，不況とは低成長が持続する状態である．これは，純利潤率の平均水準が高位をキープする時期と，低迷する時期とに分かれることによる．純利潤率 r は一般的利潤率 R の下方に分散するのだから，その水準は，(1) 一般的利潤率の水準と (2) 下方分散の程度できまる．

まず第一の要因である，一般的利潤率について考えてみよう．一般的利潤率を左右する主たる要因は，(a) 実質賃金率 w/p と，(b) 生産技術 $c/(v+m)$ であった．

好況の初期条件は，労働市場に充分な産業予備軍が存在することである．蓄積に伴う雇用の増大のなかで，さまざまな労働の間の転換が円滑に進む限り，職種間の賃金格差は解消され，全体としてほぼ一定の実質賃金率が維持される．

このとき，資本の蓄積とともに，生産方法の改善が進行すれば，一般的利潤率は上昇傾向を示す．しかし，産業予備軍の吸収が進む過程で実質賃金率が

上昇すれば，一般的利潤率は下落傾向を示す．この両面は基本的に打ち消し合い，好況期の一般的利潤率はほぼ一定の幅に収まる．ここでは基本的に，一般的利潤率は一定の値 $R = \alpha$ を維持するものと考えることにする．

これに対して，不況の初期条件をなすのは，(1) 再生産規模の収縮によって生じた潤沢な産業予備軍と，(2) 好況末期に上昇した後，容易には下落しない高い実質賃金率である．実質賃金率が高いのは，後に述べるように，好況から不況への相転移の結果である．不況期の一般的利潤率は，低位の出発点からスタートして，上昇トレンドを示す．その原因は，(1) 生産力の上昇と，(2) 実質賃金率の下落である．

(1) に関しては，生産力の上昇が生産方法の改善によることは明らかだが，それがどのようなかたちで進行するかが問題となる．生産方法の改善が一時点に集中し，それが好況への相転移の契機になるということもある．しかし，このような集中に，必ずしも一般性はない．新生産方法の導入に関しては，好況・不況を貫いて濃淡の差はないかたちを標準形とし，このトレンドからの乖離を考えるほうが，原理的には無理がない．

生産方法の改善が同じトレンドで進むと仮定すると，好況期には，すでに述べたように，生産方法の改善が一般的利潤率の上方への乖離を生み，実質賃金率の上昇がこれを打ち消すというかたちになる．これに対して，不況期には，実質賃金率がさらに上昇することは考えられない．産業予備軍が過剰な状況だからである．ただ，実質賃金率は，労働力に対する需要供給関係ですぐに低下するとはいえない．その低下は，(1) の生産方法の変更が従来の労働の型を壊し，新たな型の労働力を吸収する過程を通じて徐々に進行する．実質賃金率 w/p の下落は，総労働時間 T の漸増とともに進むことで，労働者階級の所得額 $(w/p) \times T$ は，著しく縮減せずにすむのである．これに対して，生産方法の改善による生産力の上昇効果は，徐々に一定のペースで一般的利潤率を引き上げてゆく．要するに (1) の生産力上昇が一般的利潤率の上昇の基調をなし，これに (2) の実質賃金率の引き下げが加われば，一般的利潤率の上昇は促進されるかたちになる．

こうして，不況期における一般的利潤率は，好況期に比べて複雑な動きを示すが，基本的には，ほぼ一定の率で上昇し続ける．ここでは簡単化して，$R = \beta + kt$（ただし β は初期値で $k > 0$ の定数，t は時間の経過を示す変数）と考える

ことにする.

> **問題 153**
>
> 「労働者の立場からみたとき,好況か不況か,判断する指標は,けっきょく実質賃金率が上昇ているか,低下しているか,になる」.この主張について論評をせよ.

商業機構と信用機構　　個別資本の純利潤率は一般的利潤率の動きに規定され,それから下方に分散する.純利潤率のバラツキ具合もこの動きに影響すると考えられるが,その方向は確定しにくい.ここでは簡単に,純利潤率をその平均値に還元して捉えることにする.資本蓄積のテンポは,基本的にこの純利潤率の水準によってきまる.

この乖離は,純利潤率の計算において,分母を増加させる流通資本と,分子を減少させる流通費用の存在による.商業資本や銀行資本が産業資本から分化することで,一般的利潤率の規制力が強まる結果,この下方分散は収縮する.しかし,一般的利潤率と純利潤率の乖離の状態は,好況と不況とでは異なる.一般的利潤率の動向が景気循環を規定する第一の契機であるのに対して,そこから純利潤率の乖離度はその第二の契機をなす.

まず,好況に関しては,商業機構と信用機構が持つ利潤率の均等化の機能が前面に現れる.個別産業資本が自ら流通過程を担当した場合に比べて,商業資本が流通過程を分担する場合のほうが,純利潤率の下方分散は縮小傾向を示す.これと同じことは信用機構に関してもいえる.個別資本間に商業信用が形成され,さらに銀行信用がこれを媒介することで,純利潤率のバラツキは小さくなり,全体として一般的利潤率に引き寄せられる.こうして,好況期においては安定的な水準を維持する一般的利潤率の直下に,純利潤率の平均は位置する.この結果,純利潤率の水準は,不況期に比べて相対的に高位となり,それがまた,資本蓄積を促進し,商業機構や信用機構に利潤率均等化作用を発揮させるという好環境を形づくる.

これに対して,不況では問題は複雑となる.純利潤率が高位にあり,資本蓄積が円滑に進むという相互促進的な関係は影を潜める.下方分散がひとたび大

きくなると，商業機構や信用機構それ自体には，この分散を縮小させる力はない．競争は，一般的利潤率が規制力を発揮する環境のもとでは，均等化を結果的に生む．しかし，そうした基準が存在しないところでは，競争は不断の均等化の不断の不均等化に終始する．規制力を具えた一般的利潤率は産業資本の内部で形成されるのであり，これらの機構はあくまで，その規制力の補足機構にすぎないのである．

このため不況期には，一般的利潤率が漸増傾向をたどるなかで，純利潤率の水準がこれに必ずしも連動して上昇しない．この理由は次のように考えられる．まず出発点において，一般的利潤率が低位であることが直接の原因となる．この低い天井が，純利潤率を押さえ込み，蓄積は停滞する．再生産の規模がなかなか拡大しない局面では，広義の資本移動も進まず，純利潤率の分散は相対的に大きくなる．蓄積が円滑に進む場合には，社会的需要に対して相対的に供給が不足する部門で追加投資が進む．実際に既存の資本が部門間を移動しなくても，結果的に部門間のバランスは回復される．不況期における蓄積の停滞は，この副次的調整効果を殺ぐのである．

しかし，このような出発点での低水準の純利潤率は，一般的利潤率が漸増するなかで，徐々に解消される．しかし，ここには次のような問題が潜む．この一般的利潤率の漸増は，生産力上昇を基本に，実質賃金率の低下がそれを補足するかたちで実現する．つまり，一般的利潤率の改善が主で，必ずしも生産規模の量的拡大を伴うものではない．このため，純利潤率の下方分散が容易に解消せず，上昇傾向をたどる一般的利潤率に対して，純利潤率の水準が低迷し，両者のギャップは広がる．このギャップの拡大は，不況が急速な純利潤率の上昇の「可能性」をつくりだしていることを意味する．この潜在力は，不況から好況への相転移を特徴づける一因子となる．

さらに，固定資本の存在は，次のような問題を派生させる．機械設備などの稼働率は，すでに述べたように，商品在庫の変形という性質をもつ．生産規模の絶対的縮小をもってはじまる不況は，基本的に過剰な固定資本を生みだすことになる．一般的利潤率は，ある生産物を生産するのに技術的に必要な生産手段と労働量に基づいて規定される．固定資本もこの必要量において，100パーセント稼働していることを前提としている．量の拡大を伴わない率のみの改善では，過剰な固定資本による稼働率の低下に起因する純利潤率の低迷は，簡単

図 III.3.1　標準形

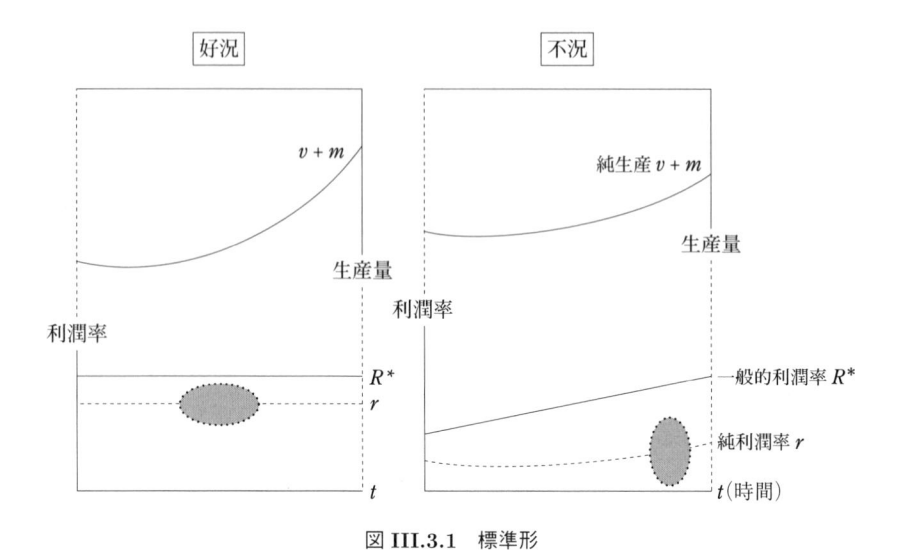

に解消しないのである．

標準形　　以上で述べた好況と不況の違いを，標準形にまとめておこう．ここで「標準形」というのは，「これが本来のすがたである」とか「純粋な状態ならこうなる」という意味ではない．好況と不況とは相として区別されるが，それぞれ，いくつかの因子が複合しているため，異なるタイプが発生する．しかし，標準形を設定することで，それぞれのタイプの関係は見通しやすくなる．これまで本書の構造論で何度か提示してきた変形論的なアプローチにおける基本構造を，運動論に拡張したものである．

好況の標準形は，一般的利潤率が一定であり，この下方近傍で純利潤率が分散するかたちになる．社会的再生産の規模は，純利潤が円滑に再投下されることで累増する．不況の標準形は，一般的利潤率は低位から漸増するが，純利潤率の下方分散は大きく，その平均は一般的利潤率と同じ歩調では漸増しない．そして，実質賃金率の動向，新技術導入の進捗具合，商業機構や信用機構の調整，生産過程に隠された在庫である固定資本の稼動状況などによって，この標準形からの乖離が発生する．その結果，社会的再生産の規模の拡張は，好況期に比べて低調になる．

ここで説明した標準形を図示しておく．図 III.3.1 は時間 t 軸に対して「率」として，一般的利潤率 R^* と，純利潤率 r の平均（左軸）を，「総量」として，純生産 $v+m$（右軸）の変化を，示した概念図である．

3.3 恐慌

不安定化因子　相転移は不連続性や激発性を伴う．好況と不況は，その末期に，それぞれ不安定な状態を生みだす．その結果，相自体の分析に比べて，相転移はより複雑で多様な変形をもたらす．好況と不況という相の規定に比べ，相転移の分析にはいくつかの要素を追加導入する必要がある．水が氷る純粋な局面はなかなか観察できない．全体を一様に冷やすということは原理的に無理だし，またそれに食塩が溶けていたり，砂糖が溶けていたりすると，氷り方も変わってくる．景気の局面転換においても，二つの相の内部では抑え込まれていた不安定化因子が，相転移の局面では活性化する．相に関しては，標準形とその変形というかたちでひとまず理論化できるが，相転移はそれも難しい不安定な局面となる．原理的に可能なのは，不連続性を特徴づける因子を拾いだし，それを関連づけることまでである．

ここではこうした因子として，(1) 貨幣賃金率の急騰，(2) 投機活動と価格変動，(3) 信用膨張と利子率の急騰，(4) 固定資本更新の集中，の四つをみておこう．

貨幣賃金率の急騰　好況の末期を特徴づける最大の因子は，貨幣賃金率の急騰である．これまで好況と不況の規定を与えるには，実質賃金率を用いてきた．貨幣賃金率 w と労働者の生活物資を構成する商品の諸価格の水準 $\bar{p}$ とは異なる動きを示すが，相を考察するレベルは実質賃金率 $w/\bar{p}$ に縮約してよい．

しかし，産業予備軍が枯渇し，労働市場が市場としての機能不全に陥ると，貨幣賃金率に独自の上方分散的な現象が発生する．労働力商品は，さまざまな職種の差異を含みながら，潜在的には何でも生産できる労働力として売買される．それぞれに必要なスキルは異なるが，それは労働の「型づけ」の問題として処理される．異なるスキルをもちながら基本的に同質な労働力一般として取

引できるのは，労働市場に産業予備軍というバッファが存在し，過剰なスキルに型づけされた労働力が，不足するスキルに型づけされなおされるからである．労働市場にこのような変換装置が内蔵されているために，労働市場に同質な労働力の売買という性格が現れるのである．

ところが，このバッファが破壊されると，職種間の差異が顕在化する．不足する型の労働力は産業予備軍から調達できなくなるので，資本相互で奪い合うことになる．その結果，特定の職種において貨幣賃金率の急騰が生じる．こうした部分的な急騰が繰り返されるなかで，貨幣賃金率はバラツキを拡大しながら，平均水準においても上昇してゆく．このタイプの賃金爆発は，労働市場の機能不全によるものであり，好況の標準形に対する乖離要因として想定した，実質賃金率の全般的な漸増とは原理的に区別される．賃金爆発が生じると，そのときの生産物価格の水準では，これ以上生産を継続しても，費用価格の回収が困難になる部門が発生する．こうした部門で生産が一時的に停止すれば，その部門に原材料を供給する諸部門に停止が波及する．これが，**産業恐慌**である．

投機活動と累積的価格上昇　将来の価格上昇を見込んで商品を買い溜めする活動を**投機**という．広い意味でいえば，資本の運動はすべて投機を含むが，主体間の予想に相乗効果がはたらく場合に，とくにこの用語を用いる．転売活動に専従する商業資本は，相転移においては固有の投機活動を展開する．商業資本の基本活動は，産業資本の販売過程を集中代位することで，生産価格より低い価格で仕入れて，生産価格で売ることであった．もちろん，この仕入価格は一律にきまるわけではない．販売期間にはバラツキがあり，たまたま滞貨に困っている個別資本からは，通常の価格以下で仕入れることもできる．しかし，将来に対する予想は，通常，個別資本によってバラバラになる．上昇するとみて，その分多く仕入れる商業資本もあれば，下落するとみて，買い控える商業資本もあり，全体としてみると，その効果は表にでにくい．

しかし，好況末期には事情が異なってくる．将来の相場価格に関して，予想が揃う可能性が高まる．諸商品の相場価格は，生産価格によって与えられる．例えば，好況末期に実質賃金率が急騰すれば，賃金部分が相対的に高い商品ほ

ど，生産価格は上昇する．どの個別資本も，最終の売渡価格は上昇するだろうと考える．予想が同期するのである．このような同期現象は，たとえば，土地生産物などに関しても生じる．蓄積が拡大し需要が増大するなかで，それに対応する供給を劣等条件に依存するほかないような生産物では，差額地代の原理で相場価格は上昇すると，どの個別資本も同じように予想する．投機の条件は，予想の同期である．こうした条件が，投機による価格の累積的上昇として発現するかどうかは，(1) 予想される生産価格の上昇幅（一定期間にいくら上がるか）と (2) その生産物の増産のスピード（一定期間にどれだけ生産量を増やせるか）によってきまる．

　投機による価格上昇に関しては，その部分性につねに注意する必要がある．すべての商品が，一律に投機の対象となるのではない．投機はあくまで特定の商品に集中する．もちろん，部分的であっても多発すれば，結果において，諸商品の価格の平均値は上昇する．しかし，これをすべての商品価格が同じ比率で増大する「全般的物価騰貴」と混同してはならない．好況末に貨幣賃金率が上昇しても，「全般的物価騰貴」が発生するので，実質賃金率はかえって下落する，という現象を，原理論のレベルで一般化することはできない．

　累積的価格上昇が部分的であることは，投機を破綻させる原因にもなる．投機の対象となる特定商品の価格は急騰し，その商品を生産する産業資本の利潤率も一時的に上昇する．しかし，その生産物を原料とする部門では，その生産物価格が同じように上昇するとは限らない．仕入価格が上昇し販売価格がそれについてゆけなくなれば，この部門の純利潤率は低落する．仕入価格が累増すれば，どこかで生産停止が生じる．いったん実需が収縮すれば，買い溜めされた商品在庫の価格は激しく下落し，上昇した相場で販売すれば生じたはずの潜在的な利潤は消滅し欠損が露呈する．このような投機的な在庫形成とその破綻によって，相転移における激発的な生産規模の収縮が生じる．これが，**商業恐慌**である．

信用膨張と利子率の急騰

　すでに述べたように，信用機構は販売過程の個別的変動から生じる価格分散を結果的に縮小し，一般的利潤率の規制力を強めるはたらきをする．これは，蓄積が活発に進む好況でとくに顕著に認められるが，不況でも作用しないわけではない．いずれの

相にも当てはまる基本機能である．しかし，このような調整機能は逆に，相転移において，信用機構を，不連続性を誘発する因子に変える．これは大きく二つの側面に分けて考えることができる．

　(1) 一つの側面は，銀行信用の膨張とそれに続く急激な収縮ないしは崩壊である．例えば，相場価格の上昇を見込んだ「買い溜め」には，しばしば信用が利用される．現在100万円の現金相場で資本 B が売ろうとしている商品が，1ヶ月後に110万円になると確信する資本 A は，1ヶ月後払いの信用価格が105万円であったとしても，1ヶ月後払いの約束手形を振りだして，その商品を買っておくだろう．この場合，資本 A は，再生産の継続のために必要な運転資金が，一時的にショートしたために，受信しようとしているのではない．この手形を銀行 X が100万円で割り引けば，X のもとに A に対する債権105万円と，B に対する債務100万円が形成される．将来の価格が累積的に上昇するような商品に対して，後払い形式で信用が後押しをすることになる．

　このとき，銀行の抱える債権と債務は並行して増えてゆく．銀行が保有する債権の背後は，買い溜めされた商品在庫があり，それが支払いの根拠となっている．しかし，それは将来の値上がりを見越した部分を含んでおり，もし，期日内にその商品が期待した価格で売れなければ返済は困難になる．好況末期に，一方で投機による累積的価格上昇が発生すると，こうした債権が大きな部分を占めてくる可能性がある．そして，もし，投機が部分的にでも破綻し，予定していた価格で売れないとなると，それは不良債務として表面化する．銀行の債務が，銀行券なり預金なりのかたちで保有され，その持ち手を変えることで，商品の所有権移転を媒介する貨幣の役割を果たせるのは，銀行の保有する債権が健全であり，その一部に回収不能なものがあっても，全体としてみると銀行の利潤と自己資本で充分補塡できるという関係を基礎にしている．投機の破綻などによって，銀行の抱える債権に対する返済が滞り，銀行の資産に不安が生じれば，銀行に対して債務履行を求める動きが生じる．兌換請求や預金の取り崩しである．こうして，部分的な債務不履行でも，銀行の資産全体の価値に対する信用を揺るがす．その結果，銀行を通じた貨幣的な決済システムは機能不全に陥り，社会的再生産の全面的な停止が生じる．これが**信用恐慌**である．

　(2) もう一つの側面は，銀行の貸出利子率の急騰，あるいは事実上の与信

制限である．銀行は与信に際して，(a) コストを支出して返済の確実さを調査し，(b) 返済されなかった場合に備えて自己資本を投下する．投機などにより不確定な要因が強まってくると，(a) が嵩み (b) は増大する．こうした要因は，銀行資本の利潤率を圧迫する．銀行の商品である資金の価格，すなわち利子率は，銀行が資本として一般的利潤率に規定された利潤率を得るような水準にきまる．したがって，相転換の局面では利子率水準が急騰する可能性がある．とくに，調査に費用をかけても，なかなか結果が正確に予測できないような状況では，銀行は与信の継続を拒否する．部分的にでも不確かな債権を増大させることは，資産全体の評価を毀損するからである．このような利子率の急騰や，信用供与の個別的な停止は，信用関係によって流通過程の負荷を回避してきた産業資本や商業資本に致命的となり，倒産を引きおこすことになる．特定の産業資本や商業資本の倒産は，それらを取引相手として，信用関係を結んできた生産系列全体に波及する．

> **問題 154**
> 「利子率が急騰するのは，利潤率の低落によって産業資本による資金供給が減少し，これに対して，債務の支払いなどのために資金需要が増大するためである」．この説明は正しいか．

> **問題 155**
> 「好況期においては，利潤率が徐々に低下してゆくなかで，利子率は逆に徐々に上昇してゆく．利子率と利潤率とが一致すれば，資本家は生産に資本を投下する意味がなくなる．この時点で生産は全面的に急停止する．これが恐慌である」．この説明は正しいか．

固定資本の蓄積　固定資本の蓄積は，それがある時点に集中すると，相転移に不連続性・激発性をもたらす．固定資本の定義はすでに与えたが，ここでとくに問題になるのは，産業資本における工場設備や機械装置などである．

　これらはいったん投下すると長期間にわたって利用され，景気循環の期間

をこえた耐用年数をもつものも多い．そのため，同一産業内で新しい生産方法が開発導入されると，既存の固定資本はその価値評価を引き下げられる．とくに相の転換点で，既存の固定資本の再評価が急速に進むと，生産設備の内容は変わらなくても，その価値の再評価が一斉に進み，廃棄が急速に進むことになる．利潤率計算における分母を小さくし，見かけ上，純利潤率が大きく上昇し，それがまた，資本の蓄積速度を加速させる可能性がある．不況から好況への相転移の局面では，固定資本投資が集中すると，このような一時的なブームと過剰が発生し，不連続で激発的な現象を生みだすことがある．

さらに，固定資本の稼働率には生産過程に潜伏した流通資本という面をもち，その低下は，在庫増加と同様に，個別資本の純利潤率を下方に分散させる要因となる．逆に稼働率が上昇すれば，一般的利潤率と純利潤率の乖離はそれだけで縮減する．不況から好況への相転移では，固定資本の稼働率の上昇により，この乖離が一気に縮まることで，純利潤率が急上昇したようにみえることがある．これもまた，この曲面で一時的なブームをもたらし，不連続性を生みだす可能性がある．

相転移の非対称性　　いくつかの不安定化因子がはたらくことで，好況から不況への転移と，不況から好況への転移は異なる様相を示す．相転移は可逆的なかたちで進むわけではないのである．物理化学的な世界では，一般に相転移は可逆的である．水が氷る過程と同じ過程を逆にたどって氷は溶ける．しかし，歴史的現象である景気循環では事情は異なる．好況から不況への経路を逆にたどって，不況から好況に再び戻るわけではない．相転移は二つの異なる経路をもち，不可逆的な性質を帯びるのである．

以上のように景気循環論は，標準形をもつ好況と不況という二つの相と，標準化が困難な相転移という二層構造で，原理的に再構成することができる．このような観点からみると，景気循環は一つの純粋型には還元できない．相転移の局面で作用する諸因子に，外的条件が結びつき，運動論としての景気循環論もまた，資本主義が固有の開口部を具え，自己変容するシステムであることを示す．歴史過程としての景気循環は，こうした運動論によって分析される対象となるのである．

問題の解答

解　答

序　論

1 （問題2頁）

　いきなりで面食らうかもしれないが，これから要所要所で問題をだしてゆく．どう答えてよいか，見当がつかなければ，解説と解答を読んで，おかしいところがないか，ともかく，自分で考えながら先に進んでほしい．

(解説)　さて，「資本主義とは何か」という問いに「答える」と本文でいった直後で，ちょっと気が引けるが，少し掘りさげてみよう．「Xとは何か」という問いかけは，よく見かけるが，かなりクセ者である．問われているXがわかっていなければ，そもそも「何か」といわれても答えようがない．わかっているなら，わざわざ，「とは何か」と問う必要はない．たいてい，何か言いたいことがあって，それに関心を引くために，ワザとこんな問いかけをしていることが多い．

　「何か」という問いかけは，ふつう「これは何か」とか「あれは何か」といったかたちをとるものだ．このような場合には，たとえば，「それは，二枚の刃が向かいあうように連結されて，柄の部分を操作して開閉する道具だ」というのが答えになる．もっとも，だれもこんな回りくどい答え方はせず，「それはハサミだ」というだろう．ナイフでも，鉛筆でもない，という具合である．いろいろな種類のハサミがあっても，「これは何か」ときかれれば，「それもハサミだ」ということができる．他のモノと混同することはまずない．識別できることが前提となって，ではそもそも「ハサミとは何か」という問いは成りたつ．そして，これに対して，上のような持って回った概念が定義される．けっして，概念がまず与えられており，それに照らしてハサミかどうかが判別されるわけではない．

　ところが「資本主義とは何か」という場合，**主語**が示す対象はハサミの場合のように明瞭ではない．「このような経済社会」という場合，「この」が指している中心はわかるが，その境界線がはっきりしない．このような対象について，「とは何か」

と問うのは，ハサミの場合とはちょうど逆の関係になる．つまり，識別 ⟶ 概念ではなく，概念 ⟶ 識別という関係になるのである．主語におかれた「資本主義」は，さしあたり，漠然とした「のようなもの」でしかない．ハサミの場合のように与えられた集合を定義するのとはワケが違うのだ．

だから，「のようなもの」に属すると思われる諸社会を観察して，共通項を選びだせばよい，というわけにはゆかない．また，その概念にぴったりしない反例が一つでもあれば，その概念は棄却されると簡単にいうわけにもゆかない．

「資本主義」という用語は，厳密な理論的規定を与えないと，ほとんど役にたたない空虚なラベルにすぎない．そして，この規定は経済原論全体を通じて，はじめて与えらえるのである．こうしたことは，多かれ少なかれ，どのような学問でもいえる．物質とは何か，生物とは何か，それは化学全体，生物学全体を通じて明らかにされるものだ，というのと同じである．

（解答）これは疑似問題である．「資本主義」という対象がはっきりしていないのに，それを主語に「何か」と問うことには無理がある．

2★ （問題8頁）

（解答）1. スミス：「商業社会に成長する」．マルクス：「産業の発展のより高い国は，その発展のより低い国，ただこの国自身の未来の姿」．宇野弘蔵：「従来の純化傾向を阻害される」．

2. スミスもマルクスも，収斂説にたつが，ただ，収斂した状態を「人間の本性」の開花とみるスミスと，「社会的な敵対」の激化とみるマルクスでは，その評価が正反対になっている．これに対して，宇野弘蔵は，資本主義化は「同一の過程を経るものではない」と収斂説そのものを否定している．

（解説）宇野弘蔵は帝国主義段階の資本主義の現実をふまえて，マルクスの歴史的収斂説を徹底的に批判した．そのうえで，資本主義の歴史的変容を正面から考察する方法を考えようとした．この点は高く評価できる．しかし，その原理論は，『資本論』以上に，単一不動の純粋資本主義像を想定する結果になっている．グローバリズムのもとで，宇野のこの論理的収斂説を根本から見直す必要がある点は，本文で説明したとおりである．

3 （問題10頁）

（解説）話はどんどん難しい方向に進んでしまうが，ちょっと辛抱していただきたい．そもそも「違う」ということを問う問題文に，その「違う」がはいっているのもヘンだ，と思うかもしれないが，「変わる」というのは，ただ「違う」といっただけではすまない，何かがある，ということはわかると思う．

まず，形式的にいえば，「違う」は「変わる」をその一部に含む，より広い概念である．A と B は違うというのは，$\langle A\ is\ not\ B \rangle$ という一般的な規定である．それだけでは，A が B に変わったということを意味しない．つまり，かつて X は A であったが，今は B である，という関係 $\langle X\ was\ A \rangle$ と $\langle X\ is\ B \rangle$ が成りたっているはずである．このことは，何かしら不変の本質 G があり，これに付随的な要素 A と B が結合して X ができている，つまり $X = G + A$ かつ $X' = G + B$ というようには考えないということを意味する．

「変わる」というのは，例えば，「オタマジャクシがカエルになる」とか，「枯れ木の冬山が新緑萌ゆる早春の山となる」とか，「水が氷になる」とか，こうした状態の変化をいう．同じ人 G が衣装 A, B を換えるのとはちょっとワケが違うのである．資本主義が変容するのも，不変の純粋な資本主義にさまざまな歴史的・文化的要因が付加して多様化するというだけではない．資本主義を資本主義たらしめている本質に，変わる力が内包されているということなのだ．

といっても，まだピンとこないと思うが，この先本書を読むとき，頭の隅においていただきたい．この解説は，実は本書全体を読んだ段階で，ふり返って得心がゆけばよい．本書のねらいは，「今までの経済原論」に対して，資本主義が変容するのはその本性によるのだ，という考え方を核心部分に埋め込むことにある．だから，いくら一般的説明としてはうまくいっても，肝心の理論内容に具現されなければ羊頭狗肉ということになる．ただ，「変わる」ということにセンシティブでないと，本書のねらいは読み取れないと思うので，はじめに少し注意を促したかっただけである．

解答　「変わる」は，「違う」に対して，(1) 変わる主体 X の存在と (2) 時間の経過とが追加的な必要条件となる，より限定された概念である．

4 （問題 16 頁）

解答　1.「社会的再生産の構造を分析しても，そこからは市場が説明できない」という命題自体は正しい．しかし，これだけでは，だから流通からはじめる，という結論を導くことはできない．逆に市場から説明すると，必ず，社会的再生産の説明につながるという積極的な主張がでてくるわけではないからである．その意味では，市場と社会的生産は相互に作用し反作用をうける関係にある．生産から市場が演繹できないように，市場から生産も演繹できないとすれば，市場から考察をはじめる理由にはならない．

2. どのような社会でも広義の経済活動は営まれる必要がある．しかし，それがもうけ目当ての企業活動によって，全面的に担われるところに，資本主義の特徴がある．そして，この営利企業は，貨幣が存在し，商品が売買される市場の存在する

ことを前提とする．したがって，資本主義を理解するためには，まず，市場とは何か，この考察からはじめるのが順当だ，という主張自体は，結果において誤ってはいない．しかし，現段階では正しいとも正しくないともいえない．これは，結論を先取りして根拠づけをしている面がある．ただし，この種の根拠づけは，多かれ少なかれ，論点先取り的にならざるをえない．ただ，この根拠づけは，とくに「資本主義とは何か」という答えるべき問いの答えを先取りしている点で，論点先取りの限界が著しい．資本主義は市場を基本とする社会であるようにみえるのは，市場を先に説明するからではないか，という疑問に完全に答えることはむずかしい．

　3．市場の内部構造が論理的に捉えやすいというのも，一種の先取りになっている．ただ，それは問題の直接の答えではなく，説明方法に対するものである．論理的にどちらが説明しやすいかは，ある程度試行すれば判断できる．市場の構造のほうに独自の論理的性格が認めやすいと思えば，まずその構造を明確にし，それを透かして，みえにくい社会的再生産の構造を捉えるという便法は許されるだろう．このことは，社会的再生産の側に原理的な構造は存在しないということではない．あくまで，説明の便宜の問題であり，一度その構造がわかれば，市場というフィルターを外しても，その存在は認識できる．

解説　なぜ，市場から説明をはじめるのか，という問いに対して，論理的に完全な答えをだすことはできない．通常は第2のような根拠づけがなされるが，第3のほうが説得的ではないかと思う．本書が流通論からはじめる理由はこれによる．

第I篇・第1章

5
（問題22頁）

解答　複製において，モノは媒体と内容という二重の存在形態をもつ．複製は媒体を増加させるが，内容を増加させることはない．

解説　例えばこの本は，物理的対象としては，印刷物を製本したモノ P である．しかし，主体にとっては，そこに書かれているモノ Q に関心がある．少なくとも著者としては，そうであってほしいと願っている．外観上はこの本と区別がつかない複数の本が存在する．印刷・製本は複製作業であり，それによって刊行部数は増加するが，どんなに増刷しても，書かれている内容が豊かになることはない．大量生産される工業製品も，一面ではみな複製物である．同じデザインと機能の自動車が多数生産される．自動車の場合は，それでも充分意味がある．しかし，知識や情報といったモノになると事情は違ってくる．印刷された内容や，デザインなどは情報といってもよい．複製によって，媒体であるモノ P は増えるが，情報にあたる

モノ Q は増えない．逆に，新しい知識やデザインは，メモや設計図のすがたでもモノ Q を増加させる．「コピーによって情報が生産される」などというのは，P と Q を混同するものである．

6 （問題 23 頁）

解答 たぶん「白」でしょう．こういうときは，白といえば充分で「非黒」などというべきではない．

解説 「非黒」といえば，たしかに，色相的には赤でも青で何でも非黒ということになるが，ふつう黒に対しては純粋に対極にイメージするのは，明度の観点から，白ということになるだろう．しかし，「非」が生みだす対称的否定概念には灰色をめぐる微妙な問題がある．つまり，非黒といえば，白も灰色の一種となる．すべては灰色であるというよりは増しだが，黒に対して白という対概念をたてるときのように，灰色の多様性を分析することはできない．黒と白が，独立に規定できるときには，あえて非黒などという必要はない．非黒という言い方をすることに意味があるのは，黒から白の存在を推定することはできるが，逆に白から黒を考えることが難しいときである．ここでいえば，所有のほうは明確に規定できるが，これに対してその対極をなすモノと主体のあり方を規定することが難しいから，非所有といった言い方をするのである．

　「非」なんていう語法は，私の馴染んできた言葉にはしっくりこないのだが，それでも，「非市場的要因」とか「非資本主義社会」とか，何かと便利で使ってしまう．こういうときは，なぜ，こうした語法を使うのか，一度反省してみる必要がある．ゆめゆめ「みんなが使うから使っていた」ということの無きよう，いわんや「みんなが使うから使ってよいのだ」なんていう姿勢で学問をなすべからず，である．

7★ （問題 25 頁）

解答 共有

解説 一般には，**共有**すなわち**共同所有**ということになる．とはいうものの，実際には共有一般というものはない．さまざまな共有のしかたがあるというのが実態で，概念的に規定するのは難しい．私的所有が「黒」であるとすると，共有というのは灰色を含む「非黒」の領域，「非私的所有」なのである．この概念のコアは，おそらく，複数の主体が利用できるということであろう．だが，食物などは共有物として保存されるとしても，最後は私的に消費するほかない．図書館の本とか，道路・公園とか，自然環境とかが典型的な共有であろう．建物などの生活空間には微妙なところがある．家族は家を共有していて，自由に歩きまわることができるだろ

うが，他人に勝手に歩きまわられては困る．

今日，私的所有は，それを取り巻く非私的所有の世界に深く食い込んでいる．このため，「この知識はだれのものか」「このことばはだれのものか」「この自然環境はだれのものか」「遺伝子はだれのものか」などという面倒な問題が次から次に発生する．これらはみな，私的所有を前提に，その目線で周囲を見回すとき発せられる問いの形式である．だが，私的所有のほうが自然であるようにみえるのは，そうみえるようなイデオロギーのもとで生きているためだ，ということもできる．今日の社会でも，「だれのモノか」をトコトン問い詰めることは，友人関係や家族関係を壊すだろう．逆に，そうした関係が社会全体を覆っていた時代に，別のもっと濃密な「空気」を吸って育てば，私的所有の概念は，それほどわかりやすいものにはみえないはずである．

8★ （問題28頁）

解答 財・サービスの交換の場

解説 モノは属性と有用性をもつが，マルクス経済学以外ではこの有用なモノのことを**財**とよんでいる．財という用語は，主に有体物を指すので，これに無体物を加えて，財・サービスということも多い．このような立場では，まず所有主体にとってどの程度有用か，という観点からモノを捉える．このような観点からみると，すべてのモノは半ば自分のための使用価値をもち，半ば他人のための使用価値をもつ財・サービスとなり，「純粋な商品」というのは極端な想定だということになる．

主体はそれぞれ自分の所有する財・サービスのなかから，一部を他の財・サービスと交換して，相対的にもっとも満足のゆく財・サービスの集合を構成しようと努める．市場は消費者からみて，交換を通じて各自の財・サービスのセットを選択する場とみなされる．ここから導きだされる市場像は，商品から出発する本書の市場像とはかけ離れたものとなる．「財・サービスの交換」と「商品の売買」とは，基本的に対立する概念である．財・サービスという用語は「商品の売買」という概念と反りがよくないので本書では避ける．

9 （問題29頁）

解答 (1) モノは自然的属性を異にするが，外見が違う別の種類のモノでも，ある割合で等しいとみなすことができる．例えば，「小麦1トンと鉄1キログラムとは等しい」というとき，「等しい」とされる，「同質のなにか」が想定されている．自然的属性を異にするものが，ある量的比率で等しいとされるとき，この等しいとされる質を価値という．この価値は重さとか長さとかいった自然的属性をこえた次元で，量的規定を有する．これを価値量という．(2) 価値を積極的な目的に所有

されるモノを商品とよぶ．(3) 商品はモノの特殊なあり方であり，モノがもっている使用価値という性質を引き継ぐ．ただ，商品の使用価値は，それがないと他の商品と等しいという性格も失うという消極的な要因となっている．それは価値をもつために必要条件であり，「他人のための使用価値」に変化しているのである．

解説 本文は，モノ→使用価値→商品→価値となっている．これに合わせて，モノ→価値→商品→使用価値という説明を試みてみた．こちらの方向でも，説明できると思うが，「他人のための使用価値」から考えることを推奨する本書では，あまり気合いのはった解答になっていない．逆の説明に関心があれば，ご自分で思う存分追求されるのとよいだろう．

10★ (問題 29 頁)

解答 使用価値による制約があるから．

解説 商品には価値があり，他の商品との交換を可能にするが，それはどの商品に対しても，同じように発揮されるのではない．商品は，他の商品と，いつでもすぐ交換できるとは限らない．自分が交換を望む相手が，同時に自分の商品との交換を望むという欲求の指向性が一致する場合以外は，ある商品を別の種類の商品と直接交換することはできない．どの商品とも交換可能であるという意味で同質な商品の価値は，特殊個別的な商品体によって制約されている．商品の交換性は，使用価値の特殊性によって方向づけられているのである．

例えば，次のような単純なケースを考えてみよう．パンの所有者が肉をほしいと思い，肉の所有者がをビールをほしいと思い，ビールの所有者がパンをほしいと思っているとしよう．商品としてのパンも肉もビールも，他の商品を引きつける性質を潜在的にもつ．しかし，パン商品の価値は，パンという使用価値に制約されており，パンを食べたいと思わない肉の所有者に対して，直接，交換を実現することはできない．商品には潜在的な交換性はあるが，それぞれの商品は同時にまた，特定の使用価値をもっている．特定の必要を満たすものとして，ある人には有用だが他の人には無用であるという制約がある．普遍的な有用性，「効用一般」というものがないため，商品の交換性は潜在的な可能性にとどまるのである．

11 (問題 30 頁)

解答 必要ない．

解説 こういう難しい話は，そういうことをいう人にあったときに考えればよいことだが，ただそのときのために，ちょっと心の準備をしておこう．本文の主張は

$$
\text{価値} \begin{cases} \text{価値の形態} & \cdots \quad \text{交換価値} \\ \text{価値の実体} & \cdots \quad \text{労働の量関係} \end{cases}
$$

という概念的区別にたっている.

　この「価値の実体」という概念は『資本論』に由来する. そこでは, 冒頭の「商品の二要因」のなかで, 商品の等置関係から出発して, その背後に「共通の第三のもの」の存在が抽出され, さらにそれが「抽象的人間労働」に還元されている. この場合の質規定とは, 自然的属性を異にするモノの間で比較・等置を可能にする第二の属性, 外見が違う商品の間に同質性を保証するもののことである. 「価値実体」という用語は, もともと, このような同質性の導出に結びついた概念である. これに対して, 価値量については, その生産に平均的な技術水準で標準的に必要となる「社会的平均的必要労働」によって規定されている. 要するに, 『資本論』では

$$
\text{価値} \begin{cases} \text{価値実体} & \cdots \quad \text{抽象的人間労働} & \cdots \quad \text{質規定} \\ \text{価値量} & \cdots \quad \text{社会的平均的必要労働} & \cdots \quad \text{量規定} \end{cases}
$$

というかたちになっているのである.

　しかし, 価値概念を同質性としてではなく「交換を求める性質」と規定すると, 価値実体＋価値量というように「二重化」する必要はない. さらに, これを価値形態＋価値実体というように言い換えると, 質規定だった「価値実体」が量規定にネジれてしまい, 無用の混乱を生む. 本書では, 「価値実体」という用語は省き, (1) 商品は「価値」という性質をもち, (2) それは「価値量」という量規定を与えられ, (3) この価値量の表現形態が「価値形態」である, というように, 「価値」⟶「価値量」⟶「価値形態」と直列に説明する. 商品の「価値」という性質の量が「価値量」であるという (1) ⟶ (2) の関係は, モノに「重さ」という性質があり, その量が「重量」であり, 「長さ」という性質があり, その量が「距離」である, というのと変わらない. もちろん, 商品はモノと違うが, それは「価値実体」という用語を使って二重化する理由にはならない. その違いは, 価値という社会的性質の量がどう表現され計量されるのかという (2) ⟶ (3) の関係に現れる.

　価値に関しては, この種の概念用語がやたらにでてくるが, 本書のモットーは「必要にして充分な用語に限定し, 定義を明確にして, 正しく使おう」である. 「マルクスのいわゆる価値の実体」などと, 定義づけを権威づけで飛ばして, 安易に用語をふやすことは厳に戒めた. この精神に則って, 「価値の形態と実体」という対概念を本書は捨てたのである.

12★ (問題31頁)

解答 誤っている．

解説 価値量は種に属する概念である．同種というのは，同じ自然的属性のモノが多数存在することでいえることだ．しかし，モノのなかには，個性的で同じモノはこの世に二つとないというのもある．こうしたモノは商品となり，交換性という意味での価値はもっても，価値量はない．ゴッホの「ひまわり」が商品となっても，その価値量を考える意味はない．よく「骨董品や美術品の類には，価格はあっても価値はない．だから，商品論の埒外におくのだ」というような言い方をする人がいる．しかし「価値のない商品」というのは語義矛盾で，「価値量の規定が適用できない商品」というべきところである．

多少，敷衍しておこう．労働生産物は「いくらでも同じモノがつくれる」という意味で同種性をもつのがふつうだ．これを逆に「同じモノがつくれるのが労働である」と定義しなおすと，価値量のベースには同じ人間労働がある，というようにみえてくる．そこで，「このような商品の同種性を生みだす人間労働を，マルクスは『抽象的人間労働』とよんだのだ」といってみたくなる．問題中の問題で恐縮だが，さて，この解釈は正しいか．

これは解釈問題だから，『資本論』を読んでいないと答えようがないが，「微妙にしかし完全に誤り」が正解だ．マルクスの「抽象的人間労働」はリンネルと上衣といった異種商品の間における「共通な第三のもの」を指している．同種商品には，一定の価値量が内在する，という文脈で労働がもちだされることはない．むしろ，この側面は，リカード (Ricardo, David, 1772-1823) が，価値論の考察範囲を，労働を通じて生産量を自由にふやせる財（任意可増財）に限定した論法に近い．自分の考えを古典に読み込んで正当化するのは，誰しもあることだ．注意しよう．

13★ (問題32頁)

解答 同じではない．

解説 あえて「等価」というのは，ふだん使う「同じ」という言葉が多義的だからだ．「等価」というのは「同じ」の一種ではあるが，見た目が「瓜二つ」というのではない．見た目で区別がつかないときは「同種」という．「等しい」というのは，見た目は「違う」が「何か」が「同じ」なのである．この「何か」が「等価物」なのだ．

14★ (問題33頁)

解答 「価値対象性」は「価値物」と同義．この対は「商品体の感性的にがさが

さした対象性」．

解説 価値表現を通じて，それ自体は目にみえない価値が，特定の商品体を価値物とし，その物量で表現されるのである．

15★ (問題 33 頁)

解答 言い換えになっていない．

解説 織布労働を P，裁縫労働を Q，人間的労働を X とすると，下線部で述べられているのは，Q is X. P is Q. So P is X. という「回り道」．これは P is X. Q is X. So P is Q. というのとは違う．

16★ (問題 34 頁)

解答 上衣の「自然形態」でリンネルの「価値」が表現されている．

17★ (問題 35 頁)

解答 同義ではない．

解説 一般に表現という場合には，表現される対象自体 X と，表現のために利用される手段 Y とが存在する．そして，「X は Y に似ている」，「X は Y に等しい」，「X は Y である」といった関係づけがなされる．「X は X である」というのは，命題としては正しいが，何も表現したことにはならない．表現であるためには，X とは異なる Y をもってきて，その Y のうちに表現したい X の属性をみいだす必要がある．

X と Y とは同一ではないのだから，逆は必ずしも成りたつとは限らない．X のある特徴に注目して，その典型が Y に見いだされる，といっているだけで，Y の特徴を表現するに，X が適切かどうかは，別の問題である．「君はマリリン・モンローみたいだ」といわれたからといって，「マリリン・モンローって，私のように魅力的なのね」と思い込んではいけない．あなたの魅力を表現するのに，モンローが使えるとしても，モンローの魅力を表現するのにあなたが打ってつけかどうか，それはわからない．彼はあなたにそうあってほしいと願っているだけなのだろう．価値表現も，こうした表現論の一般原理に則っている．等置という表現形態は，逆を含意するものではない．

18★ (問題 39 頁)

解答 or の関係．

解説 拡大された価値形態を「4 キログラムの茶と 1/2 キログラムの鉄と 1 キログラムの小麦と……と」というように，直接的な欲求が拡大する形態であると理解

する立場もある．手持ちのリンネルが 100 ヤールあるとすれば，これで交換できるものを，必要なものから順に and の関係でリストアップしたのが拡大された価値形態であるとみるのである．このように考えると，リスト下に向かって，相対的に有用性の低い商品が並ぶことになる．しかし，リンネル所有者は不要な商品をあえて今交換する必要はない．and のような考え方は，商品が，交換手段であると同時に，資産としての性格をもつことを見過ごすことになる．拡大された価値形態は，直接的欲求が拡大するのではなく，交換の媒介となる手段が拡大するのである．「4 キログラムの茶か 1/2 キログラムの鉄か 1 キログラムの小麦か……か」が手にはいれば，それで直接的欲求の対象である 1 着の上衣と交換できる．つまり，どれかが手にはいればよいのである．

19★ (問題 41 頁)

解答 リンネル所有者の目線でいえば，リンネル 20 ヤール ⟶ 茶 4 キログラム ⟶ 1 着の上衣となっている．簡単な価値形態の 1 着の上衣は，リンネル所有者の直接的な欲求の対象であることから，一つに絞られた．これに対して，一般的価値形態の茶 4 キログラムは，目的の商品を得るための手段として，社会的に単一になったのである．

20★ (問題 43 頁)

解答 正しい対比とはいえない．

解説 同じ質量の物質は，地球上では $Mg = 1\,\text{kg}$，月面では $Mg' = 0.16\,\text{kg}$ というように，(A) 同じ単位で量ったときに，その重量に差がでる．これに対して，ある大きさの価値をもつ同種商品が，日本で ¥100 で，合衆国では \$1 というのは，(B1) 同じ商品が異なる市場で異なる評価を受けるということに，(B2) 異なる貨幣名で表示されるということが重なって生じた複合現象である．もし，\$1 = ¥90 という換算が保証されていれば，(B3) 日本では缶ジュースの価値が，$Wh = ¥100$，合衆国では同じ缶ジュースの価値が $Wh' = \$100/90$ として現象する．強いていえば，(A) に対比されるのは (B3) ということになる．

21 (問題 45 頁)

解答 誤っている．

解説 表現には，何か，だれにも同じにみえる具象，オブジェが必要である．そして，価値のオブジェとしては，金銀がぴったりだ，といっているだけである．「商品の価値とはどんなものか，そのイメージを何かオブジェで表してみろ，といわれたら，金銀ということになるのじゃないかい」といっているのである．たしか

に，どのような大きさにでも分けることができ，そのどの部分をとってみても同質で，またいっしょに混ぜても変質しない，そんなオブジェは混じりけのない金銀をおいて，なかなかみつからない．そして，イメージの世界でなら，金銀は純粋なすがたになれる．だが，手でつかめる金貨や銀貨が，この純粋な金銀かどうか，確かめるのはけっこうたいへんなのである．鋳造された金貨や銀貨も，その点で価値のオブジェたるべき貨幣としては，なお不完全な存在なのである．

22 （問題 48 頁）

解答 誤っている．

解説 鋳貨を鋳造する公的機関を**造幣局**という．造幣局に金属素材を持ち込むと，無料で品位を鑑定し保証する制度を**自由鋳造**という．「自由」の意味は鋳貨を自由に地金に溶解してよいという意味でもあるが，本来は「無料」で品位を保証するという意味である．それは国家による度量基準の制定の延長である．鋳造は少しも貨幣の量をふやすことにはならない．それは金属素材の鑑定を，売買の当事者にかわっておこなうにすぎず，新たに貨幣を創りだすものではない．

23 （問題 48 頁）

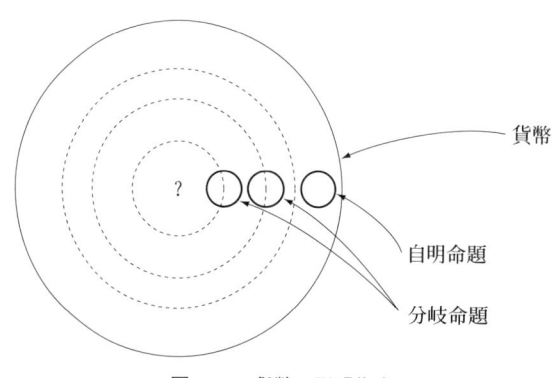

図 A.1 貨幣の説明集合

解答 妥当とはいえない．

解説 前半の命題はつねに真であり，貨幣であるための必要条件の一つ．後半の命題は，貨幣であるための条件が単一である，という論証なしの断定．貨幣であるための条件のうち，前半のトリビアルな命題で，貨幣を多態化させる分岐命題を無意味だとするのは，悪意のレトリックである（図 A.1）．ヘタに前半の命題を否定し，別の理由で貨幣は流通するのだと主張すると，ただちに論理的エラーとなる．「人間は死ぬ，だから君は死ぬしかないのだ．」と繰り返す人には，「ご説ごもっとも．とはいえ，だからといって，どう生きるか，考えることが無意味になるわけでもないでしょう．死ぬまでは，生きているようですから．」と答えて先を急ごう．

第I篇・第2章

24★ （問題 49 頁）

解答 「価値尺度」と貨幣の度量基準の区別には，やはり原理的意味がある

解説 貨幣の度量基準と区別された「価値尺度」とは何か，というと，実は，価値形態論の規定内容に帰着する．その本質は，「商品の価値はそれ自身価値のある貨幣商品によってはじめて表現される」という商品貨幣説なのである．この基本原理は，物品貨幣あるいは金貨幣だけではなく，信用貨幣にも妥当する．今日の日本でも，信用貨幣として日本銀行券の法貨規定のうちに，この商品貨幣説の基本原理は貫徹している．

貨幣の度量標準のほうは，広義の金本位制をとらなくても，規定可能だが，このことは決して，貨幣の存在が価格単位の規定に還元できるということではない．商品価値の価値形態は，それ自身のうちに貨幣商品を生みだすという点が，消えてなくなるわけではないのである．

この区別の意味は，デノミネーションを考えてみればわかる．デノミネーションというのは，例えば「通貨の額面価格の単位」100円を今後は1円とよぶ，というように法改正するのである．商品価格は一律に100分の1になる．しかし，仮に1ドル＝100円であれば，100円の商品は相変わらず1ドルのままである．1ドルから1セントになることはない．旧100円，新1円の貨幣の価値は，貨幣単位の名称を変えても，1ドルのまま変わるわけではない．商品の価値を表示するのは，価値をもつ貨幣による「価値尺度」であり，度量基準の変更はこの機能には影響しない．

25★ （問題 52 頁）

解答 誤りである．

解説 不可逆性自体は，契約一般の特性によるもので，売買に固有のものではない．仮にモノとモノを直接交換したとしても，自動的にもとに戻せるわけではない．売買の不可逆性自体は貨幣の特性によるのではない．より基礎的な契約の特性が，価格の確定という貨幣固有の機能に転じたのである．

26 （問題 52 頁）

解答 必ずしも正しいとはいえない．

解説 商品価値の大きさを量るという意味で重要なのは，それまで変更可能だっ

た価格が，特定の売り手と買い手の間で，ひとまず固定されることである．買い手が支払いに必要な貨幣を現在もっていれば，その貨幣を実際にいつ渡すかによって，商品価値の測定に基本的に違いが生じないのは明らかである．

難しいのは，手元に現在貨幣がない買い手の場合である．これは，売り手が買い手の将来の支払能力を信用しておこなう信用売買にあたる．信用売買で，商品価値の大きさがいかに測られるのかは，後で考察するが，信用売買でも貨幣の支払いに先行して商品価値は不可逆的に確定される点は変わりない．しかし信用売買のケースがどうであっても，少なくとも，現金を保有していながら貨幣の支払いが後になるケースが存在する以上，本問の主張は偽となる．（表 A.1）

表 A.1

貨幣の受け渡しが後になる場合	価格の確定と同時に貨幣が渡される場合	価格の確定で価値は実現する
	買い手が必要な貨幣量を保有している場合	価格の確定で価値は実現する
	信用売買がなされる場合	不定

27★

(問題 53 頁)

解答 この主張の背景には，「価値の性質」と「価値の大きさ」の混同がある．同じ種類の商品は共通の価値 $value$ をもつ．そして，その大きさが多数の売り手によって，異なる時点で，またさまざまな場所で，いろいろな価格 $price$ で表示される．同じ価値をもつのだから，同じ価格がつくはずだというのは，重量や長さのような物理的な量の計測を，社会的な価値評価の問題に機械的に当てはめる誤りである．

また，同一種類の商品でも違う価格がつくとすれば，異なる大きさの「個別的価値」があるはずだと考えるのも，同類の誤りである．商品価値は，ある個人の音楽的才能や数学能力に対する評価ほど，多面的で把握しにくいものではない．しかし，やはり一種の評価であり，個別的な判断の総和として，その値が現れる点は相通じる．同種商品が共有する価値の大きさを，多数の売り手と買い手が相互に，いわば模索するかたちなのである．「この商品には本来 100 円の値打がある，今 80 円という値段なら買い得だ」というように，同じ商品の価値は価格の形態を通じて秤量されるのである．

自分の商品の価値は 100 円だ，と思って値札をつけてみても，だれかが実際に 100 円を払ってくれるまでは，その価値はまだ実現されていない．しかし，その商品が今すぐ売れないからといって，ただちにその商品に 100 円の価値がないとはいえない．売れるまでその 100 円の価値は，潜在的なかたちで存在しているのである．その潜在的な価値は，だれかがそう認めてくれるまでは，売り手の主観的な

評価にとどまる．それは適切な評価でないためになかなか実現しないのかもしれないし，あるいは運が悪くて，なかなか売れないだけなのかもしれないのである．

28★　(問題 53 頁)

解答 誤りである．

解説 前問と同じことだが，もう一度説明する．ジュース 1 缶に 100 円という価格をつけたとしよう．これは「100 円玉には，ある大きさの価値があり，ジュース 1 缶の価値の大きさもそれに等しい」というのと同じだ．では，両方とも大きさが同じなのだから，ジュース 1 缶と 100 円玉はまったく対等か，というとそうではない．100 円玉をもっていれば，すぐにジュース 1 缶が手に入るが，ジュース 1 缶をもっていても，すぐに 100 円玉が手に入るわけではない．ジュースは買われるのを「待つ身」なのである．

同じ大きさの価値でも，100 円玉の 100 円はどのような商品に対しても 100 円として交換する能力をもつ．ところが，缶ジュースの 100 円は，ジュースを求めているものに対してだけしか，交換する能力をもたない．缶ジュースと 100 円玉で，価値の大きさに差があるわけではないが，いつでもすぐに買えるという主導権，イニシャティブをもっている貨幣の価値と，買い手が現れるのを待つしかない 100 円の缶ジュースの価値とでは性質が異なるのである．100 円玉も缶ジュースも同じ「交換力」をもつが，その「交換性」が決定的に異なるのである．

29　(問題 55 頁)

解答 難しい問題だが，考えてみよう．「同種商品は同じ価値をもつ」というのが，「想定」だというのはその通りである．そして，「個別的価値」があるというのも，同じく，別の「想定」である．この想定は，事実に照らしてどちらが正しいかを争っても決着はつかない．事実は，価格がバラつくという現象であり，どちらの「想定」が現象の意味をうまく解釈できるか，というあたりがポイントとなる．

さて，「同種商品は同じ価値をもつ」という想定だが，これは売り手・買い手が自然に抱く観念だろう．混ぜたらわからなくなる，同じ自然的属性の商品でも，所有者によって価値が違うとすれば，それは売り手の顔をみて，違う値段で買う，といった行動をとるということを意味する．これでは商品の売買といいがたくなるが，ましてや，同じ売り手のかかえている多数の同種商品でも，1 単位ごとに異なる「個別的価値」があるとは考えられない．

同じ大きさが複数の異なる数値を通じて測られる，という例としては，ある学生の数学能力を測るような場合が考えられる．数学能力を直接測る装置などもちろんない．数学の試験をするわけだが，1 回のテストで本当にその能力が測れるのか，

というと怪しい．何回かテストをすると点数はバラつく．だからといって，その学生には同じ数学能力など存在しない，それぞれの点数に対応する「個別的数学能力」が存在するだけだ，とはふつういわない．「同種商品は同じ価値をもつ」という想定はこれに近い．数学能力も商品価値も，直接みえない対象に対する一種の評価であり，バラついた値で現れても「同じ何か」に対する評価なのである．

このように考えてくると，「同種商品は同じ価値をもつ」という想定は，それほどヘンなことではない．そして，この想定は，価格のバラツキを説明するのに役立つ．そこで今，逆に「同種商品は同じ価値をもつ」(P) と売り手が考えて行動すると想定しないと，価格のバラツキ (Q) はどのような論理回路で説明されることになるか，ちょっと探ってみよう．価格のバラツキ (Q) は，例えば，「情報の不完全性」とか「経済主体の個性」とか，いずれにしても，商品価値とは直接関係のない別の想定 (X) によることになるだろう．

本書では，価値から価格に向かう論理回路 $P \longrightarrow Q$ をとる．ただし，P が個別的な価値表現を要請し，その結果，販売期間の分散が生じ，価格のバラツキ (Q) がもたらされるということの証明は後で与える．これに対して，$X \longrightarrow Q$ という説明は，その後半に $X \longrightarrow Q \longrightarrow P'$ という価値に関する論理回路を残している．「個別的価値」というのは，この P' である可能性が高い．もちろん，$P' \longrightarrow Q$ という説明も可能かもしれないが，価格がバラついているから，バラバラな個別的価値があるはずだ，という推定には意味がない．

30★ (問題 56 頁)

解答 「一物一価」が「法則」というよりも「想定」の問題であることはその通りである．しかし，そう想定した市場が「一般的な市場」であるということにはならない．実際にそれが妥当するのは，青果物市場や商品取引所のような特別なケースである．それらは制度や規制によってつくられた「特殊な市場」なのである．通常の市場では，分散的な取引が随時なされ，商品価値は個別的な購買を通じて量られる．

もちろん，どちらの想定にたつのが妥当かは，一概にはきまらない．理論の想定は，何を主たる課題にするかという関心に依存する．一物一価を想定し，i, j 種の商品価格を p_i, p_j として，この比率 p_i/p_j の決定に焦点を絞った理論では，市場がその姿かたちを変えるという課題の解明には役にたたない．はじめに，一物一価が成りたつ市場こそが理論的に分析できる唯一の市場だというように前提してしまうと，市場の変容がなぜ，どのようにして生じるのか，という問題は理論の視野から消えてしまう．逆にこの変容に関心があるから，あえて一物一価の法則を前提にしないのである．

31 (問題 56 頁)

解答 誤っている．

解説 同じく交換といっても，商品と貨幣とではその動きが本質的に異なる．商品は市場の外部から入って，売られると市場の外にでてゆく．貨幣は，市場の内部で購買を繰り返し，市場の外部にでることはない．このように考えることで，市場の内部と外部が，理論的に区別できるようになる．売買を交換一般に還元できると考えると，市場という理論上の時空も消えてなくなる．その点で，商品流通と貨幣流通の区別は，単なる物々交換から，市場という場を概念的に区別するカギとなる．想定の違いは，導きだされる市場の理解に拡大されて反映され，導出された結果において，現実との対応の違いがはっきりする．この点で，両者の区別は重要な意味をもつ．この区別をはっきりさせるため，「貨幣流通」に「通流」という訳語を当て，商品は「流通」し，貨幣は「通流」するというように，用語で区別するテキストもあるが，本書ではこの「通流」という造語は用いない．ただこの区別は重要なので，必要なときには「商品流通」に対して「貨幣流通」とよぶことにする．

けっきょく，商品流通と貨幣流通を区別する必要があるどうかは，無意味・有意味や正誤の問題ではなく，理論的帰結における適否の問題である．実際の理論的説明では，想定，推論，帰結が複雑に絡み合い，推論の途中で隠れた想定が導入されたり，先行する推論が想定の理解に必要とされていたり，かなり錯綜している．形式的な明晰さのみを優先させて，想定，推論，帰結を単純に割り切ろうとすると，かえって，理論の内容を貧弱にする逆効果を生むが，本問のような基本的な疑問に対しては，この区別を意識して答える必要がある．（表 A.2）

表 A.2 理論における想定・推論・帰結

想定	それ自体で理解可能な記述であるか	意味・無意味
推論	論理的に首尾一貫して展開されているか	正誤
帰結	現実に対して説明能力があるか	適否

32★ (問題 57 頁)

解答 完全なかたちで現れている商品流通は $W \longrightarrow W$, $W' \longrightarrow W'$ の二つである．貨幣流通は $G \longrightarrow G \longrightarrow G \longrightarrow G$ である．

解説 ときどき，W—G—W′ をもって商品流通という人がいるが，誤用である．W—W′ は商品どうしの直接的な交換である．この直接的商品交換が困難であるために，貨幣流通に媒介されて社会的な交換の場が開かれたのである．W—G—W′ も，売買による間接的なかたちに発展してはいるが，概念的には商品交換の一

33★ （問題 58 頁）

解答 結果と動機の関連づけにおいて，正しいとはいえない．

解説 等価交換であっても，効用の面でメリットがあることがわかったとしよう．しかし，だから，商品所有者が等価交換をめざして行動するという結論はでてこない．より高く売ろう，より安く売ろうという主体の利得動機の可能性を，この論理で排除することはできないのである．

図 I.2.1 は，市場とは本来，不要な商品を売って必要な商品を買うための場で，効用の側面でメリットをえることが交換の目的であり，価値の側面での利得追求は商品流通のなかで副次的，派生的な動機であるという誤った連想を生む．それはまた，あえて儲けを追求しない自営業者や独立農民を想定し，このような主体が等価交換を通じて，相互に分業関係を形成する市場経済を標準とみなすことにつながる．この模式図を絶対視すると，すべての売買が，消費を目的になされているかのようにみえる．しかし，後段で述べるように，市場の中心には売っては買い，買っては売るという活動を繰り返す商人の活動が存在する．市場の根幹には，この模式図で示すことのできない変容の因子が潜んでいるのだ．この点は，本節の中心論題に関わるので，ここで強調しておく．

34★ （問題 59 頁）

解答 1. 需要量と供給量は，全体としては一致している．
2. 20000 円，5000 円
3. 正しくない．

解説 1. いわゆる三角取引のケースである．リンネル 20 ヤール，上衣 1 着，茶 4 キログラムを W_1, W_2, W_3 とすれば，図 A.2 のようになる．

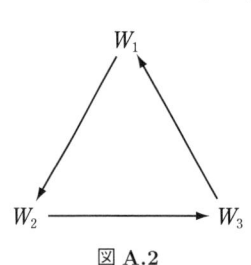

矢印のでてゆくほうが供給で，入ってくるほうが需要である．どの商品にも，供給量に等しい需要量がある．

2. この価格決定は需要量と供給量との一致が前提になっている．忘れそうなら，この前提にアンダーラインを引いておこう．

3. もちろん，例えば A が 20000 円の貨幣 G をもっていれば，交換は可能になる．

図 A.3 は，図 A.2 でいえば，貨幣が A から出発して反時計まわりに回っていって，また A に戻ってくるかたちである．つまり，欲求が相互に一致しないから，けっきょくもとに戻るだけだが，余分な貨幣がないと

図 A.2

交換できないのだ．アダム・スミスも『国富論』第1編第4章「貨幣の起源および使用について」のなかで「社会のあらゆる時代のあらゆる慎慮の人は，自分自身の勤労に特有な生産物のほかに，あれこれの一商品の一定量，すなわち，たいていの人がそれとかれらの勤労の生産物とを交換することを拒まないとかれが考えるようなあれこれの一商品の一定量を，いつでも自分の手もとにもっているというようなしかたで，自分が当面する問題を処理しようと自然に努力したに違いないのである」といっていた．「なるほどね……」なんて，ここで妙に納得しないでほしい．

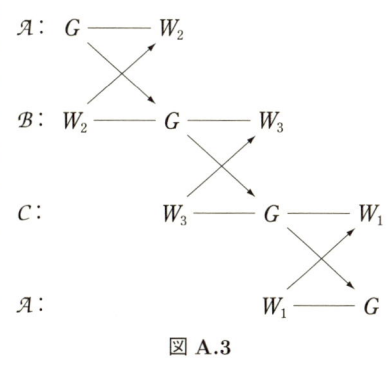

$$A: G \longrightarrow W_2$$
$$B: W_2 \longrightarrow G \longrightarrow W_3$$
$$C: W_3 \longrightarrow G \longrightarrow W_1$$
$$A: W_1 \longrightarrow G$$

図 **A.3**

というのも，交換される商品のほかに貨幣がなくても，例えば，Aが図A.4のように間接交換をおこなえば，三者は必要なものがそれぞれ得られる．今の条件のもとでは，実は，手元に戻ってくるような流通手段としての貨幣を準備しておくことは必要ない．特殊な商品が貨幣になるという商品貨幣説の立場からいえば，これが正解なのだ．需要量と供給量とが合致しているなら，だれも自分の商品と交換を望んで寄ってくる相手と交換してやればよい．無数の商品所有者がいたって，同じことだ．いずれはみんな，自分のほしい商品にゆきつく．セイ法則の世界だ．

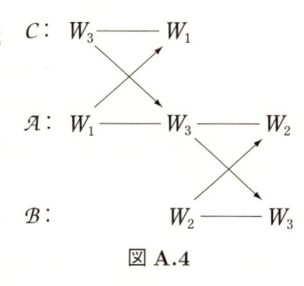

$$C: W_3 \longrightarrow W_1$$
$$A: W_1 \longrightarrow W_3 \longrightarrow W_2$$
$$B: W_2 \longrightarrow W_3$$

図 **A.4**

ただ，こんな，まだるっこしいことをしていたら日が暮れてしまう．どこか中心に商品を集めて取引すればよいではないか，そう考える人もいるだろう．

図A.5のようにすれば，なんだかうまくゆきそうだが，実はこれは怪しい．市場というと，取引主体が一箇所に集まる場所のように考える人は多い．しかし，空間的に距離が縮っても，それだけではなんの解決にもならない．どうやって交換するのか，手順がきまらないと解決にはならない．例えば，中心に倉庫があって，そこに商品を納めて商品の価格が記してある証書をもらう．この証書で，その額の欲しい商品が倉庫から引きだせる，こんな証書を発行する主体がいないとうまくゆかない．この証書は，物品貨幣にかわる一種の持分証券である．だが，こうした第三の主体が，商品所有者のなかから，そう簡単に生まれるとは考えられない．ということになると，市場は何か制度的な枠組をつくる外的条件が必要なのだ，と考えた

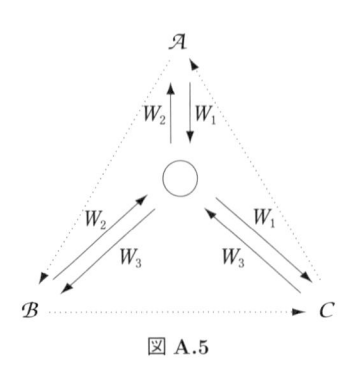

くなるだろう．

　物品貨幣にかわる代理物は，そう簡単につくりだせないかもしれないが，信用貨幣のほうは内在的に説明できる．例えば，$\mathcal{A}$ はリンネル20ヤールを $\mathcal{C}$ に渡して，かわりに茶4キログラムに対する債権証書を入手するのである．この債権証書には「この証券を持参される方には，いつでも茶4キログラムを支払います．$\mathcal{C}$ 何某」と書いてある．この証券と引換に，$\mathcal{A}$ は $\mathcal{B}$ から上衣1着を手に入れる．$\mathcal{B}$ はこの証券を $\mathcal{C}$ に示して，茶4キログラムを入手する．この債権証券は信用貨幣である．

図 A.5

　この証券はその素材に価値があるわけではない．ただ，この証券はリンネル20ヤールの存在なしに発行されるものではない．リンネル20ヤールという商品がもつ交換力としての価値が，茶4キログラムに対する債権証書として分離されて現れたものなのである．リンネルという商品の価値から独立に，外部から注入されるフィアット・マネーと本質的に異なるのである．

　このように考えてくると，商品と独立の貨幣が実在し，それを通じて，商品の持ち手が変わるという，商品流通というのは本当なのか，疑問が湧いてくるのではないか．「図I.2.1って，ちょっと見，わかったような気にさせるけれど，怪しいんじゃない……」そう思えてきたら，次の問題を考えてほしい．

35★ (問題59頁)

解答　1. 一致していない．2. 正しい．

解説　1. 上衣や茶に関しては，供給量と需要量は一致しているが，リンネル20ヤールに対する需要量が存在しない．

　2. 問題34では，全体としてみると，供給量と需要量は一致していた．その結果，交換可能な価格が先に決まる．そして，この交換比率でなら，間接的な交換を通じてどの主体も必要な商品を入手できる．主流派の経済学の市場像は，通常，このかたちになっている．先に「均衡価格」が決まって，その後に交換がおこなわれるのだ．その比率でなら，どんな手順でも，物々交換でよい．さしあたり，欲しくない使用価値であっても，相手から交換を求められたら，素直に応じていればよい．やがて自分の欲しい商品のほうから，交換を求めてくる．いつか王子様はやってくる．どう交換していっても，最終的に同じ結果にゆきつく．逆にいえば，欲しい商品所有者に，この価格で交換を申し込めば，拒まれることはない．どの商品

も，貨幣に即身成仏しているのだ．けっきょく，独立した貨幣など存在する必要がない市場像なのである．

これに対して，マルクス経済学が想定している市場像は，本問のかたちである．需給均衡で価格が決まる，とは考えていない．[解答 34] のアンダーラインを引いてもらった箇所を思いだそう．この前提が存在しないのだ．だから「均衡価格」というものが成立しない．「均衡価格」という用語を，本書では意識的に避けている．この解答を読んでくれた人には，本書のちょっと常識外れな仕掛けがわかったかもしれない．

各商品は市場に持ち込まれる段階で，すでに，ある大きさの価値をもち，売り手はそれを個別的に貨幣価格で表現する．この商品を貨幣所有者が購買することで，商品の大きさは個別的に確定される．そして，今度はこの貨幣所有者が，他の商品価値を実現することで，その大きさを量ることになる．「売って買う」と過程が次々と連鎖するかたちで，市場像は描写される．図 I.2.1 の真の意味は，両端が開いている点にある．つまり，需給一致を想定した市場像を拒絶しているのだ．ここでは，ある時点で止めてみると，これから売られようとしている商品（在庫）と同時に，買うために準備された貨幣が実在していることになる．これが本書の基底にある時間のかかる市場像である．

36★ (問題 60 頁)

解答 商品価格が一律に 2 倍になる．

解説 はじめに断っておく．本文の想定 1, 2, 3 はいずれも，表 A.2 でいえば「無意味な想定」にあたる．ただ「無意味な想定」のもとでも，「正しい推論」をおこなうことはできる．解答はこの推論の結論である．そして，この結論は現実との関係でいえば「不適合な」な帰結である．

このことを確認したうえで，ともかく論理的に推論してみよう．

$$
\begin{aligned}
20000\,円 \times 3 \;=\; & 20000 \;\;[円/着] \;\;\times\;\; 上衣 \;\; 1\,着 \\
+ \;\; & 5000 \;\;[円/kg] \;\;\times\;\; 小麦 \;\; 4\,kg \\
+ \;\; & 1000 \;\;[円/ヤール] \;\;\times\;\; リンネル \;\; 20\,ヤール
\end{aligned}
$$

という関係が成りたつ．貨幣の量が倍増すると，

$$
\begin{aligned}
40000\,円 \times 3 \;=\; & 40000 \;\;[円/着] \;\;\times\;\; 上衣 \;\; 1\,着 \\
+ \;\; & 1000 \;\;[円/kg] \;\;\times\;\; 小麦 \;\; 4\,kg \\
+ \;\; & 2000 \;\;[円/ヤール] \;\;\times\;\; リンネル \;\; 20\,ヤール
\end{aligned}
$$

となる．貨幣量の増加に比例して諸商品の価格が一律にあがる．これは商品量の構成には影響を与えないという想定にたっているからである．

一定期間の取引量のベクトルを $\mathbf{T}$，価格ベクトルを $\mathbf{P}$ とする．内積 $\mathbf{PT}$ は取引総額になる．また，貨幣の量を M，流通速度を v とする．このとき次の関係が成りたつことになる．

$$Mv = \mathbf{PT}$$

そして，貨幣の量が x 倍になれば，価格ベクトルの各要素が x 倍になる．

$$(Mx)v = x(\mathbf{PT}) = (x\mathbf{P})\mathbf{T}$$

いくつかの想定をおくと，貨幣量の変化は，商品価格の間の相対比を一定に維持したまま，ただその絶対水準だけを比例的に変化させるだけだという結論を導くことができる．価格水準が一律に上昇すれば，貨幣の購買力は下落するし，逆なら逆になる．貨幣の価値の大きさが購買力であるから，けっきょく，貨幣価値は貨幣量に反比例するということになる．これが貨幣の数量が貨幣の価値をきめるのだという**貨幣数量説**である．一般の商品では，供給量が増えれば価格が下落する．貨幣もこれと同じだ，というのである．本書はこの説は「無意味」にして「不適合」だとして，棄却する．

37★ (問題61頁)

解答 いずれともいえない．昨年を基準に考えれば下がったように，今年を基準に考えれば上がったようにみえる．

解説 $\mathbf{P_2 X_2}/\mathbf{P_1 X_1} = (200 \times 50 + 50 \times 200) \div (100 \times 100 + 100 \times 100) = 1$ だから変わらない，などといってはいけない．これは取引総額の名目成長率を計算しているだけだ．価格水準の変化が知りたければ，取引量を共通の大きさにそろえなくてはならない．昨年の数量ベクトルを基準にすれば，

$$\mathbf{P_2 X_1}/\mathbf{P_1 X_1} = (200 \times 100 + 50 \times 100) \div (100 \times 100 + 100 \times 100) = 1.25$$

となり，物価指数は 125 に上昇したことになる．つまり，昨年買ったのと同じ商品セットを今年買おうとすると，支出増を覚悟しなくてはならない．物価は上がり，貨幣の購買力は下落したことになる．

ところが，今年の数量ベクトルを基準にとると，

$$\mathbf{P_2 X_2}/\mathbf{P_1 X_2} = (200 \times 50 + 50 \times 200) \div (100 \times 50 + 100 \times 200) = 0.8$$

となり，物価指数は 80 に下落したことになる．今年買ったのと同じ商品が，去年はもっと高かったのだ．物価は下がり，貨幣の購買力は増大したことになる．

購買力で考えると，貨幣の価値は上がったようにも下がったようにもみえる．「結果が逆にみえるのは，ウェートが偏っているせいだ，去年と今年の取引量の中間をとれば，こんな極端な結果にはならない」という人もいるだろう．「そのとおり．そして，物価指数が変化しないようなウェートだってつくりだせる．$P_2X_0/P_1X_0 = 1$ とすればよいだけの話だ．」ウェートをどうとるか，という技術的な問題ではないのだ．

因みに，$P_1X_2/P_1X_1 = 1.25$ は何を表すのだろうか．商品の一方の量は増え，片方は減った．これはその増減を去年の価格で比較した値，すなわち，実質成長率である．$P_1X_2/P_1X_1 = (P_2X_2/P_1X_1) \div (P_2X_2/P_1X_2)$，つまり「実質的成長率＝名目成長率÷物価指数」となる．「名目的には去年と今年で取引額は変化していないが，物価が20％下落したために，実質成長率は25％上昇した」のである．

しかし，これは物価指数を今年をベースに算定したせいであることはもうわかると思う．物価指数を昨年ベースで算定すれば，逆に，「物価が25％上昇したので，実質では20％縮小した」ということもできるのだ．複数の要因で構成された「状態の変化」を，単一の指標で捉えることには無理がある．同じデータに基づくかぎり，物価が上がったか下がったかは，誰がみても同じになるはずだと，安易に信じてはいけない．それは評価する主体の判断ぬきには考えられない．このあと景気循環のような，より複雑な「状態の変化」でも同じ原理が再現するので，頭の片隅にメモしておいてほしい．

38★ （問題62頁）

解答 正しい．

解説 貨幣が，つねに瞬間的に支出される電気火花のような存在であるとすれば，そもそも貨幣量という量概念を考えることさえできない．その期間は長短さまざまであろうが，貨幣がだれかによって保有されるから，平均的な流通速度という概念も成り立つ．商品の持ち手変換に一定の期間がかかるという流通速度の概念は，すでに鋳貨準備金という規定をすでに含んでいる．だから流通速度が低下するということは，鋳貨準備金としての機能が強まったことの現れと解釈してよい．貨幣量を流通手段と鋳貨準備金に量的に分割することはできないのである．

39 （問題63頁）

解答 本書の想定のもとでは成立しない．

解説 「売りは買いである」という，いわゆるセイ法則の成否が問われている．むろん，ある論理命題が成りたつかどうかは，条件次第である．商品が売れると，

間髪入れず必ず買わなければならないと仮定すれば，この命題は成りたつ．しかし，この想定は無意味であり，貨幣が実在し，鋳貨準備金あるいは蓄蔵手段として機能する市場を想定すれば，この命題は成りたたない．

40 （問題 64 頁）

解答 成立しない．

解説 実際に資産としての性格をもつ貨幣が実在する市場では，買いに比して売りの圧力が強くなる．このことは，一定の時間をかけて売るということを容認すれば，それ自体市場の不備を意味するわけではない．しかし，経済活動の停滞が感じられる不況期には，しばしば，貨幣の蓄蔵手段としての機能が非難の対象とされてきた．本来の市場では，供給に見合う需要が発生するはずなのに，貨幣の滞留がそれを妨げている，という通念が支配するようになる．貨幣改革を通じて，実体経済の不調を改善できるという，表面的な考えである．おおむね，この立場の論者は，貨幣はペーパー・マネーがよいと考え，そして貨幣の保有に対して何らかの制約をかける必要があるという主張を展開する．例えば，貨幣の価値すなわち実質的な購買力が，保有していれば次第に減価してしまうようにすれば，有効需要の発現につながり，商品が売れないという困難は解消すると主張するのである．

貨幣の蓄蔵機能の理解のしかたには，市場そのものの本性をめぐる対立した考えが影響している．かつて，19世紀の社会主義者たち，とくにマルクスによって批判されたプルードンなどのアナーキストは，国家＝権力にかわって，社会を自立的に秩序づけるシステムとして，市場を高く評価した．19世紀にはこのような「市場社会主義」が主流だったのである．国家か，市場か，という現代風の問題は，19世紀における社会主義者の中心テーマであり，アナーキストつまり無政府主義者は当然，アンチ国家，プロ市場という立場であった．かれらは，もちろん，現実の資本主義をそのまま擁護したわけではない．物品貨幣を廃し，「労働貨幣」によって貨幣をペーパー・マネーに換えることによって，現行の市場の不備を改善する政策を主張したのである．『資本論』の貨幣論は，市場社会主義者の自己調整的な市場像に対する批判を目的に書かれた面をもつ．20世紀の社会主義の歴史は，このような市場社会主義を反市場的「マルクス主義」が圧倒してゆく歴史であった．

20世紀末に，ソ連型社会主義が崩壊し，反市場的な計画経済が挫折したという認識が強まるなかで，それでも現行の市場経済，資本主義に問題を見いだし，根本的な改革を求める動きのなかで，市場社会主義も復活し，さまざまなローカル・マネーが提起されるようなったりもしている．しかし，その市場理解は，マルクスが指摘した欠陥を相変わらず抱えたままである．

41 (問題65頁)

解答 (1) 正しくない．金塊を貯めこむ行動は，致富衝動による．(2) 正しくない．富を貨幣額で評価するということは，貨幣を貯めこむということではない．

解説 埋蔵金のような現象は，市場とは相対的に独立に存在する致富衝動に由来する．市場の発達は，富を特定の素材から分離し，貨幣に一般的富という性格を与える．貨幣が一般的富になると (1) 資産はすべて貨幣額に換算されて評価されるが，(2) 全財産が貨幣の形態で保有されるわけではない．市場の発達は，埋蔵金を生むというより，それを消滅させる．致富衝動と一般的富は区別して考えるべきである．

42 (問題66頁)

解答 一つの構造を記述するうえで，何を正則とするかは，分析する側の判断によって変化する．

解説 対象の側にあるのは，複数の関係の間の変形法則である．むろん，複数の関係のうちのある特定の関係から出発しないと，他の関係が導きだせない，という場合もある．例えば，商品と貨幣と資本の関係について，この展開序列は変更できない．このように方向づけられた諸関係の束を導出するのが「分化・発生論的アプローチ」である．

しかし，本問の場合には，どちらから出発しても他が導出される可能性がある．能動態を正則とすれば，受動態が変則となるが，受動態を正則としても同じ変換規則で，能動態に変換できる．いずれの態が正則かは文法規則の内部ではきまらないのと似た関係にある．この種の関係の束の分析は，分化・発生論に対して，本書では**変形論**とよぶ．多様な現象として観察される歴史的社会を，一つの基本構造の変容として理論的に解明するためには，対象の分析以上に，それを分析する論理自体を意識的に分析しておく必要がある．

ここでは，売りと買いは別であるというのが根本であり，売りが出発点か，買いが出発点かは，両者の関連づけをめぐる派生問題である．そして，どう関連づけるかには，対象自体の属性だけでなく，認識主体の思考慣習も作用する．売りと買いといえば，通常は「売買」という手順を思い描く．だから，これを正則とみるのが自然であろう．逆に「買売」を正則と考えて，「売買」を変則として導出しようとすると説明は複雑になる．しかし，意識的に試みてみる意味はある．

43 (問題66頁)

解答 二つの要因を考える必要がある．第1の要因は，売り手の間の牽制作用で

ある．もし，ある売り手が，周囲よりも低い価格をつけようとしても，もっと価格を下げる売り手がでてくる可能性がある．買い手はつねに周囲の売り手たちの顔色をうかがっている．こうしたなかでは，多少値段を下げれば即座に売れる，というわけにはいかないだろうと，どの売り手も予想する．同じような予感を生む客観的環境下に棲んでいるのだ．同種商品は，いわば，水平に張られたネットのうえにおかれているボールのようなもので，自分のボールを押し下げれば，周囲のボールの位置も変化することが，どの売り手にもみえているのだ．こうした状況では，自力で，有意な価格差を生みだすことは容易ではない．売り手も買い手も，相手の出方を見越すから，同種商品の価格に大きな差を期待することはしない．こうした相互牽制が，価格というネットをほぼ水平に維持する張力となる．

第2の要因は，商品価値の実現に対する売り手の姿勢である．売り手は自分の商品には，ある大きさの価値があると信じ，それに相応する価格を自ら判断し表示する．そして，それを実現しようとする．売り手が自ら価値評価し，価格設定するのであり，他人まかせで自動的にきまるとは考えていない．早く売ろうとはするが，それはあくまでも適正な価格で，という条件のもとでである．いくらでもよいから，ともかく売れればよいというわけではない．このような価値実現をめざす主体的行動が，主体間の牽制作用によって張られた価格ネットのうえで，在庫という現象を生みだすのである．

44★ (問題 67 頁)

解答 $1 - \left(\dfrac{9}{10}\right)^{10} \fallingdotseq 0.65$

解説 もし球が列になっており，古いものから順に取りだされるとすれば，どの球も10回目にでてくる．しかし，列をつくることなく，新旧の別なく対等に競うケースでは，10回目よりも早くに取りだされることもあるが，それより遅れることも覚悟しなくてはならない．回数が10回，20回，30回と大きくなれば，取りだされる確率は次第に1に近づくが，どこまでいっても1になることはない．販売期間のバラツキは，需要と供給のランダムな変動を直接反映したものではない．この例が示すように，このバラツキは需要と供給の変動がなくても発生する現象であることを再確認しておこう．

45 (問題 70 頁)

解答 この乖離の大きさを一般的に説明する原理はない．

解説 これは，当事者の見込みによるものであり，個別的な事情で変化する．だからこそバラつくのである．しかし，価格差の水準を明確に規定する法則が理論的

に確定できないということは，信用価格の現金価格からの乖離の発生が説明できないことを意味するわけではない．価格差を一般的に規定することができないということは，信用売買が形成される個別的事情を反映し，乖離の幅はまちまちになるということである．ただ，そうしたバラツキを生みだす環境の存在までは説明できるのである．

46 （問題 71 頁）

解答 必ずしもそうといえない．

解説 今，商品 W の売り手 A が，商品 W′ をその売り手 B から，後払いで買おうとしているが，B が A の支払いを信用できない，とする．(1) B が C の支払いなら信用できるといい，(2) C が A から商品 W を後払いで買ってもよいと考えているする．このとき，A は C に商品を後払いでまず売り，C から将来支払いを受けることを B に示して，B から W′ を後払いで買うかたちをとる可能性がある．「受信のための与信」とよばれる，ちょっと複雑な取引である（231 頁で詳述）．A は売り手であり，同時に買い手であるが，A の一連の取引は受信動機に基づいている．A と C との取引において，A は売り手ではあるが与信者ではない．C は買い手ではあるが，受信者ではない．だれがだれの将来の支払いを信用するのか，は売買の形式だけをみたのではわからない．そのため，買い手・売り手と区別して，受信者・与信者という範疇を用いる意味がでてくる．

47 （問題 71 頁）

解答 信用売買は並列的，価値形態論は直列的

解説 後払いには，もちろん，ほんとうに支払いがなされるかどうか，つねに不安が残る．そのため，いつでもそれが選択できるとは限らない．さまざまな売り手と買い手が交渉するなかで，このような取引方式が生じる可能性があるということにすぎない．値引きによる売買が，必ずつねに信用売買に変わるという一方向の必然性はない．

　価値形態論では，出発点をなす簡単な価値形態は，最後の価格形態へと直列に展開されてゆく．これに対して，信用売買は値引き販売から導出できるが，それによって値引き販売が消滅するわけではない．両者は並列に並んでいるのであり，違いは明らかであろう．

48 （問題 72 頁）

解答 正しくない．

解説 法貨の規定を貨幣の生成と混同してはならない．国家にできるのは，商品

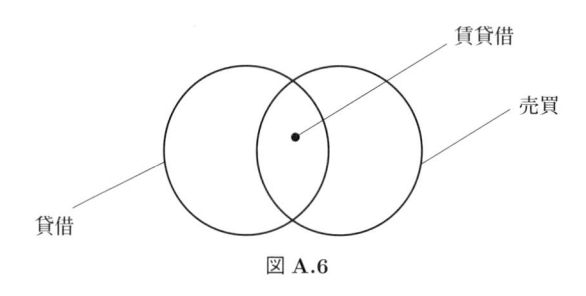

所有者たちが選びだした商品貨幣に，法貨という地位を与えることまでである．これは，国家が独自に貨幣を創造できるということではない．

国家といえども，1万円と印刷された紙券を発行して，それで1万円の商品を自由に「買う」わけにはゆかない．「買う」といってきても，商品所有者は拒絶することができる．それでも，商品を持ちされば，そのような行為はふつう「買う」とはいはずに「奪う」という．

たしかに国家は徴税権をもち，国民に納税義務を課している．その意味では，国民は国家に対して一種の金銭債務を負っているといってもよい．だが，その支払いに必要なのは，納税者が自己の商品を市場で売って，既存の貨幣を獲得することである．この場合，国家が新たな紙券を支出する機会はない．

国家が，商品のかわりに交付した紙券による納税を認めるということはあろう．だが，納税に使えるからというだけで，この紙券で他の商品所有者から，自由に商品が買える保証はない．恣意的に発行される可能性のある紙券は，ある期間抱えているには危険が大きい．さっさと納税に使って，チャラにしたいと思う．国家が直接，紙券で「買う」と迫ったときと同様，売り手は拒否するだろう．個別の取引主体が貨幣を選びだす力を無視して，「けっきょく，国家が貨幣をきめる」というわけにはゆかないのである．

法貨規定の本質は，現存の貨幣に決済機能を認定することである．それは，貨幣の度量基準の制定と同レベルの，国家による市場への関与なのである．何をもって1メートルとよぶか，その定義を与える権限があるからといって，1メートルのモノを無から自由に創りだせるわけではない．

49★ (問題73頁)

解答

図 A.6

（賃貸借／売買／貸借）

50 (問題73頁)

解答 「この本」というと，ふつう，印刷物を製本したこの物的存在のことだと思うであろう．たしかにこのモノの所有権はあなたに移っている．焼こうと破こうと自由である．しかし，このモノは，書かれた内容を伝えるための媒体，メディアにすぎない．本を買ったことで，この媒体の所有者はあなたになった．だがそれを，「この本」に書かれている内容，コンテンツを買ったのだと勘違いしてはならない．この本を買っても，その内容まであなたの考えだと主張し，それをそのまま他人に売ることはできない．本はメディアの売買を通じて，コンテンツの用益を売買しているのだ．その意味では，賃貸と似た面がある．ちょっと違うのは，一般の賃貸では一定期間を経たら借りたモノを返還しなくてはならないが，本の場合にはその必要はない．利用期間に制限はない．ただ媒体である本の部数には制約がある．勝手に複製してはならないのである．

少しだけ，付言しておこう．資本主義は，このような「著作権」の形態を通じて，知的活動をも商品売買の世界に取り込む傾向を秘めている．その点で，売買と貸借の関係はしっかり理解しておく意味はある．この根底には，広い意味の知識に対して，私的所有という概念がどこまで適用できるのか，という問題がある．「この本」の内容も，けっしてゼロからの創造ではない．ある意味では，私が読み聞きした知識の言い換えにすぎない．またそうでなければ，読者が読んで理解できないだろう．知識というのは，それを理解できる集団の共有物である．だから一般に，出典を明示すれば，「この本」の内容を引用参照する自由が与えられている．このような知識の共有性を解体し，何もかも私的所有に帰属させ，商品売買の原理で処理する方向に極端に進むところに，資本主義の無理がある．とはいえ，著者である私は，「この本」の海賊版をつくることで，資本主義への「たった一人の反乱」を試みることは薦めない．知識と市場の関係について，原理的考察をともに究めんと願うのみである．

51 (問題75頁)

解答 初歩的な誤り．

解説 「返す」という概念は，借りたモノと返すモノとが同種であるかぎりで成りたつことである．商品を借りて，貨幣を返すというのは，語義矛盾である．信用売買の場合，貸されるモノは物財であり，これを「商品を貸して」と捉えることはできない．信用売買の本質は，商品の売買であり，ただそれを後払いの形式で高く売るというにすぎない．

52
(問題 75 頁)

解答 考えられる.

解説 4週間1トンの小麦を借りたとすれば，4週間後に同じ品質の小麦1トンを返せばよい．これはモノとしての小麦の貸借であり商品の貸借ではない．1万円の貨幣を借りたとすれば，1万円の貨幣を返せばよい．返すのは元本であり，利子は賃料として支払うのである．これに対して，小麦という「商品を借りる」ということは，借りたのと同じ小麦商品を返す必要がある．商品を借りても，それは使用するわけにはゆかない．使用できるとすれば，すでに買われて単なるモノになったからで，もはや商品ではなくなっている．「商品を借りる」という以上，それは用益の売買にはならないし，賃料を伴うこともない．賃貸借ではないのである．

4週間，小麦という「商品を借りる」というのは，4週間後に返す，その「小麦商品」を，4週間後の価格を現時点で約定して借りるということになる．この商品は現時点では架空の存在である．

例えば，4週間後の小麦商品1トンの価格が1万円であると想定して，現時点で借りるのである．借りた時点での小麦商品は1万円だが，4週間後にその価格が1万5千円に上昇していたとする．借りたのは1万円の商品だが，返さなければならない商品は1万5千円である．つまり，同じ商品を返すには5千円ほど足りない．この差額を貨幣で支払う必要がある．逆に，小麦価格が5千円に下がっていれば，1万円で借りた小麦をそのまま返すと5千円，過払いとなる．値下がり分5千円を逆に相手に支払わせてよいことになる．

これは売買関係に翻訳することができる．4週間後の小麦商品を現時点で1万円で売買したと考えても同じである．現時点で商品を「借りる」というかたちで，4週間後の商品を「売る」のであり，「貸す」というかたちでそれを「買う」のである．4週間後に1万5千円になっていれば，その額を支払って市場で小麦商品を買い，それを1万円で売らなければならない．5千円の損失であるが，この差額の5千円を直接支払って，相手に1万5千円で小麦商品を直接買ってもらっても同じことだ．逆に小麦商品の価格が5千円に下がっていれば，5千円で小麦商品を買ってそれを相手に1万円で売るかわりに，差額の5千円を直接もらって取引を清算しても同じである．現時点で価格を約定した将来の商品を先物という．商品の貸借は先物の売買なのである．

このような取引は，一種のギャンブル的性格を帯びる．先物価格が現在の価格に等しければ，将来価格が上がればその分がもうけとなるし，下がれば損になる．将来価格が上がると思えば，商品で貸しておこう，あるいは，先物を買っておこう，とするだろうし，下がると思えば，商品を借りておこう，先物を売っておこう，と

するだろう．上がると思うものが，下がると思うものより多ければ，先物価格は現在の価格よりも上がり，逆なら下がる．現在 1 トン 1 万円の小麦商品だが，4 週間後の先物価格がすでに 1 万 2 千円になっているなら，それが実際に 1 万 5 千円になったときは，売り手は 5 千円ではなく 3 千円支払えばすむ．要するに，将来の価格変動が先物価格以上になるか，以下になるか，予想して賭け金を積んでいるに等しい．

このような先物の売買はどのような商品に対しても成りたつわけではない．貴金属とか原油とか穀物のように，同質な商品が大量に存在し，しかも競り売りなどでその価格を一物一価できめるような，制度が整った商品取引市場の存在が前提となる．個別的な売買がさまざまな場所でおこなわれる通常の市場では，期日の約定価格が特定できない．その点で，貸借の対象となる商品は，同質大量の在庫として市場に滞留する商品に限られる．

53 （問題 76 頁）

解答 一方的な発展ではない．相互にメリット，デメリットを抱える関係にある．

解説 販売代位は，借り手である a に依存しないですむという点では，貨幣的余裕を積極的に活かすという性格をもつ．しかし，a が予定した期間に相場で売れない可能性もあり，この場合の損失は全面的に a の負担となる．信用売買や資金購入の場合のように，販売の不確かさを当の商品所有者 a が負っているのとは異なる．その点で信用売買や貨幣貸付より，販売代位のほうが，必ず有利だというわけではない．両者は，信用売買とともに，売って買うという売買の正則から並列に派生した取引方式である．販売代位と貨幣貸付とは相互に変形によって導出され，理論上対等な位置にある．その点で，例えば，拡大された価値形態と一般的価値形態の間に存在する理論的な発展関係を考えることはできない．

54 （問題 77 頁）

解答 正しくない．商品売買の変形は，価格分散を結果的におさえ，一般に商品種ごとに固有な価値の大きさを，市場における現金相場として実現する環境を整える．

解説 たしかに，個別主体 a の動機は，この分散を拡大させることにある．しかし，こうした個別的な動機と，それらの集合効果とは異なる．これは，信用売買や資金貸付にも妥当することで，総じて，一方に販売期間が運悪く延びてしまい，やむなく投げ売りする主体が発生すれば，他方に，運良く早く売れ，貨幣に余裕のある主体が発生するものである．こうした主体は，貨幣的余裕を活用し追加的な利

第I篇・第3章

55 （問題 80 頁）

解答 誤りである．

解説 資本投下と貨幣支出は明確に区別する必要がある．資本投下自体は，商品経済的に価値を有するものでなされればよい．もちろん，貨幣ならその金額で資本として投下されるが，商品を資本として投下することも可能である．商品も市場の相場でその価値の大きさを評価され，一定の価額として投下される．この価額の確定は資本投下に必須の要件である．そして，この確定という点において，実現されていない商品価値は，貨幣による資本投下に比べて，独自の困難を伴うのである．

　G—W—G′ という図式にこだわると，資本の運動は貨幣の支出 G—W ではじまり，貨幣の回収 W—G′ で終わるように思ってしまう．しかし，これは明らかに資本概念を歪める．資本は，多数の購買と販売を統括した総合的な運動である．投下資本は，ある期間を通して何度も購買と販売を経由する．けっして，ある時点ですべて貨幣として支出され，別の時点ですべて貨幣の状態に戻るわけではない．「資本が貨幣の額で評価される」ということを，「資本の運動はつねに貨幣をもってはじまる」と誤認しないよう，注意する必要がある．

56 （問題 81 頁）

解答 正しくない．

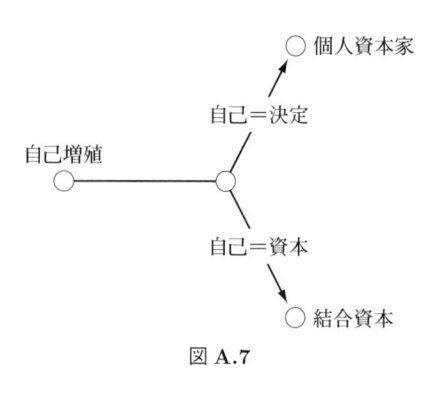

図 A.7

解説 結合資本は，自己増殖という場合の「自己」の範囲を外部に向かって明確にする効果をもつ．しかし，その「自己」の内部は分裂状態にある．反対に，個人資本家の場合，「自己」の統一性は堅持されるが，その「自己」の境界が不確かなのである．個人資本家という形態も，結合資本という形態も，ともに自己増殖という概念の不完全な表現型にとどまる．個人資本家こそ純粋な資本のすがたであるとか，結合資本のほうが本来の

資本のあり方を示すとか，という関係にはない．自己増殖という概念自体が，二律背反的な性格を内包しているのであり，それを同時に満たす表現型は存在しないのである．自己増殖という概念を分析してゆくと，資本がともに不完全なものとして，個人資本家として，あるいは結合資本として，歴史的な状況によって支配的な形態として発現することがわかる．原理論に潜む開口部の一つである．(図 A.7)

57 （問題 82 頁）

解答 同義ではない．

解説「価値形態」という用語は，「商品価値の形態」という意味で使われる．商品に内在する価値は，けっきょく，貨幣の量で，すなわち価格という「形態」で表現される．これに対して，他の商品に対する交換力という意味での価値量が商品にも貨幣にも内在していると考え，価値を主語にして，価値の現象形態が商品である．あるいは貨幣である，というのが「価値の姿態」という用語法である．「価値形態」という用語は，「商品の価値形態」という意味から，「価値の形態」というように拡張され，本文にいう「価値の姿態」と混同される．用語法の問題だから，ある程度自由であるが，「商品価値が貨幣によって表現される」ということと，「価値は，商品のすがたでも，貨幣のすがたでも存在する」ということはしっかり区別する必要がある．「形態」と「姿態」はともに同じ Form の訳語であるが，本書では異なる概念を表わすものとして用いる．

58 （問題 82 頁）

解答 正しくない．

解説 これは，論理的混乱である．価値とは，商品がもつ他の商品に対する交換可能性である．貨幣も，特殊な商品として価値をもつ．商品の価値は，使用価値がさまざまに異なるため，何とでもすぐに交換できるという性質は制約されている．貨幣の価値は，この制約を解除された価値の姿態である．

資本は価値の姿態変換の運動であるが，それ自身は価値の姿態ではない．資本は売買をおこなう主体であり，けっして売買される対象でない．資本が売ったり買ったりするのであり，資本自身が売られたり買われたりするわけではない．価値は「買われるもの」（商品）と「買うもの」（貨幣）という以外の姿態をもつことはない．価値という抽象的な用語は，その意味を明確に規定し，厳密に用いてゆかないと，すぐに曖昧でワケのわからない言説を次々に派生させる．注意しよう．

59★ （問題 84 頁）

解答 商品として抱えている小麦 0.5 トンの価値評価によって変化する．

解説 売上総額 $= 110 \times 4.5 = 495$ 万円，仕入総額 $= 100 \times 5 = 500$ 万円したがって粗利潤 $=$ 売上総額 $-$ 仕入総額 $= -5$ 万円つまり，5 万円の損失である．……でも，なんかヘンだ．1ヶ月後の資本の内容を考えてみると，貨幣 95 万円と小麦 0.5 トンで構成されている．「小麦はこれまで，1 トンあたり 110 万円で売れてきたのであり，この価格に相当する価値をもつはずだ」と考える資本家は，小麦という商品の姿態で 55 万円の価値が存在すると見なすだろう．計上された売上総額は 495 万円だが，55 万円の在庫分も加えて，売上高は潜在的には 550 万円あるのだと思いなおして，粗利潤は実は $550 - 500 = 50$ 万円に修正すべし，というかもしれない．だが，「いやいや，捕らぬ狸の皮算用，これはあまりに能転気，在庫が残るのは，1 トンあたり 110 万円もの価値がもうなくなったせいだ」と慎重に考えるかもしれない．0.5 トンの小麦が仕入値で売れればもっけの幸いと，その価値を 50 万円と見積もり，粗利潤は 45 万円と控えめに申告するかもしれない．さらに悲観的な資本家は，「在庫は来月以降ももう売れないのだ」と腹をくくり，0.5 トンの小麦をチャラにして，実は 5 万円の損失したのだと訴えるかもしれない．これは極端な例であり，また現実の資本の運動はずっと複雑である．ただ原理的に重要なのは，粗利潤の量が商品の価値実現という問題と結びついており，そこに予想や期待という要因が介在する余地があるという点である．

60★

(問題 85 頁)

解答 M がストックで，$PT(= Mv)$ がフロー．

61★

(問題 86 頁)

解答 流通費用，資本の回転数．

62

(問題 89 頁)

解答 正しくない．

解説 交換比率だけから，増殖基盤を特定することはできない．たとえば，このうち，イギリス国内の交易関係「砂糖 50 ポンド＝綿布 200 メートル」だけが特別な意味をもつわけではないことはすぐわかる．たしかに，「砂糖 50 ポンド＝綿布 100 メートル」であれば，投下された砂糖量と支配できる砂糖量とは一致し，この整合的な交換比率のもとでは増殖できない．世界的な一物一価が成立すれば，循環取引による譲渡利潤は消滅する．

しかし，整合的な交換比率となるには，アフリカ西海岸での「綿布 100 メートル＝奴隷 1 人」とイギリスにおける「砂糖 50 ポンド＝綿布 200 メートル」のもとで，アンティル諸島が「奴隷 1 人＝砂糖 25 ポンド」となるべきなのかもしれ

ない．あるいは，イギリスにおける「砂糖 50 ポンド＝綿布 200 メートル」とアンティル諸島における「奴隷 1 人＝砂糖 50 ポンド」のもとで，西アフリカで「綿布 200 メートル＝奴隷 1 人」となるべきなのかもしれない．

　三角貿易を通じて形成される利潤は，全体としてみれば，交易の外部から流れこんできたものであることはたしかである．しかし，どの市場からどれだけ吸収されたのか，それはわからない．この限りでは，奴隷からの収奪ではなく，イギリスの労働者からの搾取が主たる基礎である可能性も否定できないわけである．

63 (問題 89 頁)

解答 正しくない．

解説 これは余剰に関して，吸収という側面だけに問題を絞った一面的な主張である．歴史的に存在するさまざまな社会は，多かれ少なかれ，余剰を生みだす．余剰である以上，それが資本の運動に吸収されても，ただちにその社会が成りたたなくなるわけではない．

　資本主義は，さまざまな慣習や軍事的・政治的な要因などを背景に，三角貿易に代表されるような不整合が交易関係を形成・維持し，それに依存しながら価値増殖を遂げるかたちで誕生した．15, 16 世紀のイタリア諸都市にはじまり，スペイン，ポルトガルを経由してオランダの資本主義に頂点をみながら，やがてイングランドの台頭のもとで衰退する，一連の商品経済の展開は，資本主義の前史的存在とか，不完全な資本主義と位置づけるべきではない．これもまた，一つの資本主義のあり方であり，本来の意味で，重商主義的資本主義とよぶことができる．

　さらに，姿態変換外接型に基礎をおく資本主義の歴史的形態は，この時期に限らず，前世紀末から変容を遂げつつ登場してきた，今日の資本主義の歴史的意味を理解するうえでも，無視しえない．このスタイルの資本を，次に述べる産業資本に比して，それ自身，増殖の基礎を欠く不完全な資本の増殖運動とみなし，重商主義的発展を資本主義としては不完全なすがたとみなしてきた通説は，理論的にも再検討してみる必要がある．

64 (問題 91 頁)

解答 販売過程の延長という考え方は可能だが，それは「生産過程の流通過程化」ではなく，「消費過程の流通過程化」になる．

解説 販売過程の延長線上にあるのは，消費過程である．もし，消費が文字どおり生産と対立する概念であると規定すれば，どのように販売過程を延長しても，「生産過程の流通過程化」にはならない．しかし，通常消費過程として考えられている事象のうちに，労働とみなされる要因が隠されていれば，販売のうちにこの種

の労働が取り込まれることある．例えば，食材を買って料理するという場合，食材をただ販売するのではなく，料理しやすいかたちに加工して，その分，高く売るということはある．ケア・サービスのような領域に資本が進出する場合には，そこに「消費過程の流通過程化」と呼んでもよい特徴がしばしば濃厚に現れる．（図 A.8）

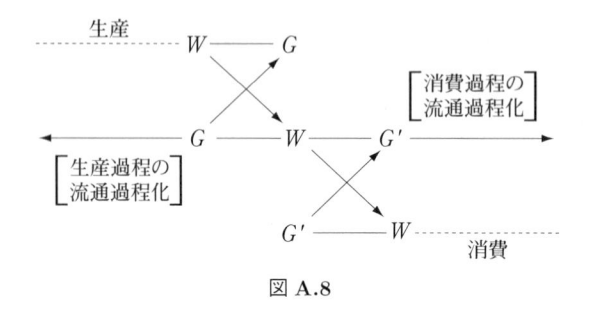

図 A.8

65 （問題 92 頁）

解答 労働力を商品として売買するうえでの個別的な特殊性と，労働力が大量に商品化され，労働市場が形成されるという構造的な特殊性とは区別するべきである．個別な特殊性をもつ商品は，労働力以外にもある．流通論の諸前提は，個別資本が労働力を部分的に購買する余地まで否定するものではない．

解説 たしかに，労働力は，人間の主体的な能力であり，買った後にさまざまなかたちで使われる．その使用価値は，可塑的でいろいろな活動として消費される．何時間の労働力というように取引の外形をきめても，実質的に何を買ったのか，はっきりしない面もある．そのほか，労働力を商品として売買しようとすると，この種の特殊性が邪魔をする．

ただ，このような使用価値の面での特殊性は，例えば品質が一定しない工芸品とか，保存のきかない生鮮食品とか，使用期間中の性能保証が必要な耐久財とか，それぞれの商品種に独自のかたちで特殊な要素が随伴する．だが，この種の特殊性は，商品として売買されることをただちに困難にするものではない．それぞれの使用価値的特殊性に応じた契約形態を生みだし，独自の商慣習や法制度によって補完されることで，売買されるものなのである．労働力にこの種の特殊性がとくに集中しているとしても，それで労働力だけが商品として売買されないという結論を導くことはできない．

ただ，次の点ははっきり区別しておくべきである．「労働力を商品として売買すること」といっているのは，あくまでも，(1) 資本と労働者との個別的な取引である．この労働力の個別的な売買関係の存在と，(2) さまざまな産業で大量の労

働力が商品として自由に売買され，それを基礎に，社会全体の生産過程が全面的に資本によって編成されるようになるということとは別の次元に属する．一般に「労働力の商品化」という場合には，後のほうを指す．もちろん，(2) は (1) を伴うが，だからといって，(2) がなければ (1) もない，という関係にはない．

(2) については第 II 篇で詳論するが，それに先だってまず，個別資本が，購買過程を拡張し，生産手段だけではなく，労働力も商品として売買することで，生産過程に浸透し，それを姿態変換のうちに包摂する性質をもつことを明らかにしておくことは重要である．ただし，繰り返すが，個別的包摂の延長線上に，全面的な「労働力の商品化」が実現するわけではない．(2) の意味での「労働力の商品化」は，原理論における外的条件の最たるものである．その点で，商品と貨幣だけでなく，このような資本を生みだしたとしても，やはり，「市場は社会的生産に対して部分的であり，外面的である」という命題は誤りではない．しかし，逆に，「個別資本には，本来，労働力を商品として購入し，生産過程を姿態変換のうちに包摂しようという性質はないのだ」という命題をそこから導くことはできない．市場があるかぎり，資本が存在し，資本は個別的に生産過程に浸透する．ただ，それを延長すれば，社会的生産の全体に及ぶと，簡単に推論してはならないというのがポイントだ．個別と全体の関係で，論理の次元が異なるのである．生産過程に価値増殖の基礎をおく「産業資本的形式」を，単純な転売で価値増殖する「商人資本的形式」と対置し，「産業資本的形式」の資本の登場をもって，資本主義成立の指標のように考えることは誤っている．

社会的な生産全体に対して，外面的・部分的な商品経済が，どの程度の広がりをもち，持続できるかは，歴史的な事実に即して確かめなくてはならない．ただ，これまでの原理論は，この個別産業資本の存立自体に対して懐疑的にすぎた．資本が個別的に労働力を商品として購入し，「安く買う」変形として「安くつくる」ことまで否定する必要はないのである．

66 (問題 94 頁)

解答 正しくない．

解説 資本の価値は，商品か貨幣かの価値で構成されるが，価値増殖するのは，投下された資本の価値である．増殖の主語は，あくまでも資本の価値である．商品の価値や貨幣の価値が，自己増殖するわけではない．

投下された資本は，姿態変換する

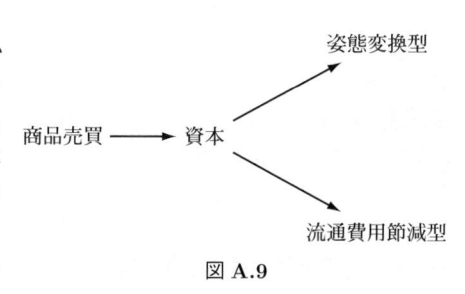

図 A.9

部分だけではなく，姿態変換のための資財や労力に支出される．運動体としての資本は，後者を費用化し，両者を統合するフレームをなす．このフレームが増殖の母体となるのである．したがって，価値増殖は姿態変換する商品・貨幣部分だけではなく，資本のフレームに取り込まれた流通費用の節減からも生じる．両者は，別個の軸であり，どちらかに還元できるものではない（図 A.9）．

同じ商品を人より安く買うというのは簡単なことではない．資本には姿態変換を通じて，市場の外部に広がろうとする浸透圧がある．商品の原価を低下させるため，生産を包摂する傾向である．しかし，資本による包摂は，商品の売買にまつわる活動を統合する方向にも進む．市場の発展は，物流や情報通信，物財の保管・管理などを資本のもう一つの活動の場に変える．これらの費用化は，物的な生産をこえて，人間の社会的活動の総体を取り込んで拡張を続けている，今日の資本主義の特徴を理解するうえで無視できない側面である．

67★ （問題 97 頁）

解答 軸芯を構成する G—W—G′……は，多数の資本の束であると理解すればよい．

解説 所詮図解である．

第 II 篇・第 1 章

68★ （問題 102 頁）

解答 主体の目的関心によって，複雑な「モノの反応過程」から切り取られた一部であるため．

解説 主体はまず目的をきめる．関心は終点にある．次に，それを実現する手段として，必要なモノが列挙されるのである．例えば，モノの反応過程は $HCl + NaOH \longrightarrow NaCl + H_2O$ だが，食塩に関心がある主体は，自然過程を $HCl + NaOH \longrightarrow NaCl$ と捉えるのである．

69 （問題 103 頁）

解答 労働が全面的に廃棄された社会といったものは，原理的に考えられない．

解説 人間の労働は，生命の維持に必要な最低限の食物摂取とか保温とかといった生物学的な必要をこえる．それは，人間的な欲求を満たすために不可欠な回り道である．何が食べたいのか，はっきり意識せず，ただ素材を物質として摂取しただけでは，人間の欲求は充足されない．睡眠中に胃の中に流動食が流し込まれても食

欲は充足されない．素材を料理し，食事を自分で摂る過程を通じて，はじめて満足できる．労働は，欲求の充足に不用な，余計な活動ではない．欲求の充足に不可欠な契機をなすのである．

70 （問題 104 頁）

解答 妥当ではない．

解説 「自己の直接的欲求から離れて，目的を追求できる」ということから，ただちに「欲求の充足に関わる労働は考察の外におくべきである」という結論を導くことはできない．労働には，他人の欲求を読み取り，それをどのような目的・手段の関係に具体化するかという能力も含まれている．自分の欲求ではなく，他人の欲求充足の過程に浸透する活動は，資本主義の発展とともに深化している．原理論には，こうした現象を分析する理論的枠組を与える役割もある．

例えば，「おいしいものを食べたい」という欲求と，「美しいスタイルを保ちたい」という欲求は，しばしば対立する．この矛盾は，「どのような食材を買うか」だけではなく「どのような食生活をおくるか」に解決を求めなくてはならない．

労働は食材の生産で簡単には終わらない．その先の加工・摂取の過程につながっている．たしかに作った人と食べる人は別だが，どう食べるか，という領域にも作った人が関わっている．作った後は，すべてがプライベートな領域として，遮断されているわけではない．美食や健康といった欲求と，食材という労働の目的は，食生活という回路で結ばれている．「太らずにおいしいものを食べたい」といった欲求を，どのように実現するかという方向に，労働の領域は拡大してゆく．

せっかくだから，ここで，市場と労働の接合面について，もう少し突込んで考えてみよう．市場に現われる漠然とした欲望を，労働の目的となりうる対象に具体化する局面は，商業の主戦場である．商業労働や接客労働は，他人の欲望を労働対象として，合目的的にそれにはたらきかける活動である．ここでは，まず労働する主体自身の欲求（売り手の好み）と労働の目的（顧客のニーズ）とがはっきり分離されなくてはならない．そのうえで，例えば，メニューをただ渡すだけではなく，選ぶプロセスにできれば介入しようとする．相手の欲求充足の手段は，食材──料理というかたちで，目にみえている．料理は，こちらからみれば，さしあたり労働の目的である．料理という欲求充足の入口はみえているが，その向こう側の欲求がどのように延びているかはわからない．食材から食生活へと，相手の欲求充足の過程を手繰りだす方向に労働は展開されてゆく．はじめに相手の欲求の源泉をみつけて，そこから何を買うかを導きだすことは難しい．「こんな本を買ったあなたは，こんな本も欲しいでしょう」という逆方向のアプローチが自然なのである．

このように，市場はそこに固有な労働を介して欲望に深く干渉するが，ただこの

ことを，本来の欲望のすがたが商品経済のもとで歪められていると簡単に決めつけないほうがよい．欲望は，どの時代においても社会的な性格を帯びている．商品経済はこの社会性を脱色した後，個人化された欲望に浸透し，それに適した色に染めるにすぎない．繰り返しになるが，人間の欲望は本来プライベートなものだという考え方自体が，商品経済が生みだすイデオロギーなのである．

欲求と目的の問題は，さらに介護や医療，教育や育児における労働の位置づけなど，原理論が今まで明示的に扱ってこなかった複雑な問題に発展するが，ここでは両者の分離可能性が労働概念のコアをなすという命題を確認して先に進む．

71★ (問題104頁)

解答 II：完全オートメーション，IV：廃棄物処理．

解説 「非労働の結果が生産である」という強い因果関係を考えるのはさすがに無理だが，もし第II象限を，「労働がおこなわれなくても生産でありうる世界」だと解釈するならば，**完全オートメーション**の世界が考えられる．また，採取産業は，人間の手をへずにもたらされる大地の恵みや山海の幸を基礎にしている．豊かな自然環境は，ある意味では完全オートメーションの世界だ，と見なすこともできる．18世紀後半，フランスを中心に発達した重農学派は，生産物を**自然のたまもの**と捉えた．そこには，自然自体の生産力が直観されている．

また第IV象限を，「人間が目的意識的に活動しながら，モノが減少するという世界」であると考えると，生産とともに生じる廃棄物（例えば小麦の種子に対する麦ワラ）を，ゴミとして処理するような労働が考えられる．さらに一般化していえば，モノを消費する過程にも，目的意識的な活動は含まれている．また，すでに述べたように市場における商品売買にも独自の目的意識的活動が不可欠である．家事労働や商業労働の多くは，第IV象限に属する．

72 (問題109頁)

解答 労働が商品を生みだす可能性をもち，労働力が商品となる可能性をもつこと．

解説 これは可能性であることを強調しておこう．労働があれば必ず商品があるとか，労働力は必ず商品となる，という意味ではもちろんない．ただ，資本主義は本来，人間の労働に対して無理なことを，外的な力で一方的に強制しているわけではない．「人間の労働力を商品として扱うことは是か非か」といった倫理的判断だけでは，なかなか資本主義をこえることはできない，一つの理由である．

73★ (問題 113 頁)

解答 30 秒．

解説 1人が遅れると，全体が遅れる．9人は相変わらず実質2秒で渡せるが，1秒のアソビが入り3秒で同期する．30秒かかるバケツ・リレーを外から観察しても，どの主体も3秒かかっているようにみえ，遅れの原因となった主体を特定することは思うほど簡単ではない．作業がちょっと複雑になれば困難は累乗的に増すだろう．

74 (問題 114 頁)

解答 競争心は，顔かたちをもった個々の主体の性格，いわゆる人格の意識を基礎に作用する．これに対して，市場における個別主体間の競争は，非人格的な競争である．

75 (問題 115 頁)

解答 指揮監督労働は，協業の原理が不完全にしか作動していないから必要とされるのであり，集団力に必須の要因ではない．

解説 労働の結合は，何よりも，主体相互の間にはたらく内的な力にその基礎をもつ．このような結合は，必ずしも人間集団に固有なものとはいえない．群れを構成するある種の動物にも，その原始的なすがたが観察できる．例えば，廻遊する魚の群れ，空を旋回する鳩の群れ，草原を疾走する馬の群れなどをみると，個々の個体は互いに競い合う性向にしたがっているだけである．遅れた個体は，前に前に出ようとする．個体に埋め込まれた性向が，いわば意図せざる結果として，集団をかたちづくる．それはリーダーが存在し，その指図にしたがう集団とは構成原理を異にする．運動し続ける限りにおいて，群れのかたちは維持され，停止するとバラバラになってしまう．人間の場合，主体間の相互意識ははるかに複雑なかたちをとるが，作業の継続が生みだす内的な力が，結合の根本であることは同じである．協業に関して，しばしば，指揮監督する労働の重要性が強調される．しかし，これは協業の原理を補完するにすぎず，協業に不可欠な契機であると考えるのは誤りである．合図自体が集中や同期を創出するのではなく，ただ促進・媒介するにすぎない．資本が集団力を自らの力とするのは，資本家が指揮監督労働を担当するからではない．もちろん，そうした機能を果たすこともあろうが，それ以前にすでに，労働力を買い集めること自体で，自生的な集団力が資本の力となって現れるのである．

76 （問題118頁）

解答 現実と理論の関連づけが明確にされていない．ピン工場の具体例から，(1)から(3)のような特徴を，直観によって導くかたちの考察方法になっている．しかし，逆に，「すべて」の分業に，この特徴が現れる保証はない．例えば，(1)の熟練や(3)の機械化がなくても，過程の分割による注意力の集中だけでも，効率化は生じる．このように考えれば，分業のコアは「意識が向かう先をモノに集中させる」ことだという結論になり，その他は派生効果だということになろう．この結論が正しいかどうかは，さしあたりおくとして，問題はこのような方法的な反省がまず必要だという点にある．

別の事例から，例えば，技能の分解，作業の単純化という特徴を付け加えることもできる．事例をふやしてゆくと，特徴の集合 P は大きくなる．この P を一般化された「理論」だと考えると，この「理論」は現実の現象に対して，そのうちのどれかは当てはまるだろうが，何が当てはまるかは，理論の内部からはわからない．集合 P の元の数の増大は，現実妥当性を高めても，逆に説明能力を低下させる．いろいろな特徴をみつけるための一次的接近として，具体的事例からの直観による抽出は有効かもしれない．しかし，こうした諸特徴は，構造化されない限り，さまざまな現象を解明する真の理論としては使えない．

77 （問題119頁）

解答 いずれか一方というわけにはゆかない．

解説 過程の分割が自然過程によって決定され，単一不変だとはいえない．分割の節目はいくつかあり，始点と終点をどこにおくかには，ある程度の自由度がある．どう分割するかは主体の能力に依存する．しかし，逆に，主体の考え方次第で，いかようにも分割できるわけではない．一連の労働過程を，機械的にすべて10秒単位の工程に分割するのは無理だ．作業には一定のまとまりがあり，中途でやめて次に送るわけにはゆかない．作業の区切りは，身体も含めてモノどうしの反応過程が有する自然的な性質に基礎をおく．だが，主体がそれをどう構想するかによって，任意ではないが決定的でもない関係が潜んでいる．

78 （問題122頁）

解答 穀物は自然過程としてはさまざまな植物と混生している．特定の穀物だけが生育する畑という環境をつくり，土壌や水といった要因を制御することで最大の収量をめざす農業技術が追求される．畑は一種の自動化された自然過程である．

金属を含む岩石に高熱が作用し融解すれば分離が生じる．それから不純物を除去

されれば，純粋な金属が抽出される．これは自然現象のうちに，ごく希に観察されたことから学んだことであろうか．こうした知識の集積のうえに温度や外力を巧みに操作する方法がわかれば，確実に金属をもたらす反応過程が詰めこまれた溶鉱炉が生みだされることになる．溶鉱炉を機械とよぶことはないが，自動性をもつという意味では，自動化された自然過程なのである．

自然繊維は，一定の力を加えながら回転させると撚糸となる．この自然過程も，そこに含まれる諸要因を制御すれば紡績機として自動性をもつことになる．

79★ （問題 124 頁）

解答 「理解を促すヒント程度のもの」という了解のもとで，とりあえず，具体例を入れておこう．

第Ⅲ象限は，例えば無人島にたった1人漂着した船員とか，ジャングルに逃げ込んだ敗残兵とか，といった例が思い浮かぶ．しかし，いかに原始的な状況を想定してみても，これは自然にでてくる状況ではない．逆に，近代の個人主義的主体のイデオロギーが，このようなロビンソン・クルーソー的イメージに現実味を与えるのである．もし，「個別主体が異なる作業をおこなうだけでは分業とはいわない」とすれば，この象限には原理的に空白になる．

第Ⅱ象限は，単純協業の世界である．古代の巨大建造物などは，こうした労働組織の存在を想像させる．しかし，これも昔は熟練の程度が低いはずだという先入観による思い込みで，実際には徹底した分業がおこなわれていた可能性のほうが高い．ただ，古い時代において，戦闘のような局面では集団力が決定的だったことはたしかである．また，狩猟や漁労，収穫など集中を要する農作業など，ある局面で単純労働の集積が重要な意味をもったであろう．

第Ⅳ象限は，自分の労働手段でモノをつくり，それを相互に交換するような生産者の世界が例となる．このような生産者を**独立小生産者**という．これに対して，第Ⅰ象限は「協業に基づく分業」の領域である．今日の製造業における大多数の企業は，多数の労働主体を雇用して協業をおこなうが，同時に分業によって内部工程を編成している．現実的な分岐の軸は，この第Ⅳ象限と第Ⅰ象限にあるが，第Ⅲ象限と第Ⅱ象限を想起することは，その意味を理解する補助線として役にたつ．

80★ （問題 125 頁）

解答 (1) 誤り．(2) 正しい．

解説 (1) 独立小生産者間の分業は，社会的分業のみで構成されている．図Ⅰ.1.6の第Ⅳ象限の存在である．厳密にいうと，論理命題として偽なのである．この種の分業が実在したかどうかとは別の問題である．

(2) 社会主義計画経済のもとで，計画当局がすべてを事前に決定する，一国一工場モデルのケースである．これもまた，論理命題として真という意味であり，現実に遂行できるかどうかは別の問題である．

81 (問題 125 頁)

解答 一般的に考えると，労働力商品が部分的にせよ発生すると，資本は多数の労働力を結合し，集積効果を武器に，分散的な独立小生産者との競争において有利な立場にたつ．第Ⅰ象限に位置する資本は，協業と分業の複合的な効果によって，分散的な独立小生産者を打ち負かすと考えられる．

しかし，これは必ずしもすべての労働組織が第Ⅰ象限に収斂するということを意味するものではない．労働編成の原理として，分散効果が強くはたらくタイプの労働過程においては，資本による労働組織と対立する．そのため，資本による労働組織の周辺には，独立小生産者の分業組織が存続する．こうした可能性が，原理的に推論できるのである．

たしかに，独立小生産者だけからなる商品流通を想定することには無理がある．それは，このような商品流通は，それ自体として安定的ではなく，資本の運動を誘発するからである．資本が登場すれば，協業をベースにした資本による労働編成が発生する．したがって，第Ⅳ象限は，第Ⅰ象限と少なくとも併存せざるをえない．そして，一般的には後者は前者より優位性を有する．しかし，ベースとする労働過程によっては，分散効果が集積効果を凌ぐケースも排除できないのである．

82★ (問題 129 頁)

解答 (1) 単純に頭割りで考えると，ケースAが 48000 本 $\div 10$ 人 $= 4800$ 本，ケースBが 48000 本 $\div (4+8)$ 人 $= 4000$ 本となり，ケースAのほうが多い．

(2) ケースAが (4×10) シリング $\div 48000$ 本，ケースBが $(4 \times 4 + 2 \times 8)$ シリング $\div 48000$ 本で，ケースAのほうが多い．ケースBは，1人あたりの生産量は低いが，1本あたりの日当は下がっている．これが，バベッジ的効果である．

(3) 熟練度を何で測るかは難しい．しかし，少なくともケースAに比べてケースBで熟練の程度があがったとはいえない．ケースAでもケースBでも，ピン生産の工程に変化はない．同じ作業がおこなわれ，同じ数のピンが生産されている．外から観察する限り，仕事の内容には変化がないのだから，作業内容からみれば熟練度に変化はない．ケースBでは，そのなかで工程の一部が不熟練の補助労働者に任されているのだから，熟練度が下がったと考えることも可能である．アダム・スミスは，分業を通じて，熟練の度合いが高まる結果，生産力が上昇するというのだが，二つのケースを比較すると，熟練度が低下しても，あるいは，少なくとも，

熟練度に変化がなくても，分業により効率性は高まるという命題が成りたつ．

83 (問題130頁)

解答 仔細は各自の経験に委ねるが，個人経営の医者の場合，受付から診察，事務処理，会計など多くの付帯業務をおこなうことになる．これが，病院経営の場合，高賃金の医師は診療に特化し，看護師，病院職員，受付係など，多様な職種の労働者が雇用される．バベッジ的効果が発揮されるわけである．法律事務所とか，大学組織とか，さまざまな領域において，資本主義的労働組織の導入はみられる．マニュファクチュア型労働組織の現代的展開は，20世紀末に，先進資本主義諸国において福祉国家的政策が後退し，新自由主義が台頭する過程で派遣労働やアウトソーシングのかたちで進展し，賃金格差を生みだしていったのである．

84 (問題133頁)

解答 機械制大工業は，歴史的事実でも，理論展開のための想定でもない．それ自体，まず理論的に分析し再構成すべき概念である．資本主義的労働組織の原理を追求すると，論理的に二つの軸が浮かびあがってくるのである．

たしかに，資本主義はどんな労働組織のもとでも可能かといえば，そうはいえない．資本は一般に，機械制大工業を生みだす傾向をもつ．だが逆に，機械制大工業でないと資本主義本来のすがたが歪むという強い対応関係はない．純粋資本主義の想定を受け容れたとしても，それと機械制大工業を想定することとの間には，まだ大きな溝がある．

解説 純粋資本主義論の琴線にふれる，ちょっと論争的な問題なので質問者のボルテージがあがっているようだ．この主張は，資本主義には最適な労働組織があるはずだという大前提にたっている．だがこの前提は充分吟味しておかないと，誤りのもとになる．「純粋」と「単一」とは同じことではない．純粋資本主義を主張する人々のなかには，時折，この簡単な区別がつかなくなっている人をみかける．ついでにいっておくと，「純粋」と「単純」も別の話で，「純粋に複雑」な対象というのもある．開口部でよくお目にかかるこの種の対象は，原理的に追いつめてゆくと，対極的な軸が抽出されることが多い．「単一」になることだけが「必要性」の証ではない．「単一」にならないという論理的「必要性」もある．「単一」でなければ，あとは無限に多様なだけだ，などと，短絡的に考えてはならない．こういう対象に対して，あれこれ目につく特徴を列挙するのでは理論にならないが，かといって，一つだけ拾いだせばよいというものでもない．分岐のポイントを抽象化し絞りむ必要があるのである．

(1) 資本主義に適合的な生産様式というものが存在するのか，理論的に構成さ

れた「純粋な資本主義社会」を想定する場合，それは生産様式も特定のかたちになると考えるべきか，あるいは，(2) 生産技術の進歩や，社会生活のあり方（例えばモータリゼーションや情報通信技術の進展が引き起こす）などによって，異なるかたちをもちうると考えるべきなのか，本書は (2) の立場にたっている．資本主義の歴史的発展を捉える理論はどうあるべきか，に関わる大問題である．序論で一般論は述べたが，ここでは実地に真価が試される．

85 （問題 133 頁）

解答 機械化は，一方的な熟練の消滅を意味するかというと，そうとばかりはいえない．そもそも，自然過程を機械化する重要な手がかりは，労働そのもののうちに求めるほかない．どんなに自動化が進んだとしても，自ら新しい機械体系を構想し，設計し，つくりだすことのできる機械などというものは存在しない．機械には，欲求も意識もない以上，どんなに発達しても新たな目的を設定し，自然過程のうちに実現の手段を探る活動をするようになることはありえない．機械が自ら労働するということは，語義矛盾となる．万が一，そのような機械が誕生したとすれば，それは人間が手段として使用する機械の域を脱して，再び自然界の鳥や獣と同様，独立した生き物に返ることになる．このようなことが生じるかどうかはともかく，人間が欲求を感じ，自然過程に対して目的意識的にはたらきかける主体である以上，自然過程に潜む未知の要因を身体を介して制御する，新たな熟練が繰り返し発生する．そして，それは再び機械化によって解体される対象となるのである．

機械制大工業型の労働組織は，マルクスが没した 19 世紀末以降，新たに勃興した重化学工業を中心に，本格的に進んだ．巨大な装置産業による大量生産を支えたのは，単なる熟練の単純労働への置き換えではなく，機械体系による労働力の排除，オートメーション化であった．ただ，鉄鋼や石油化学製品のような素材を，大衆的な消費物資に加工する過程では，マニュファクチュア型の組立労働が支配し，大量の労働力が吸収されていった．機械化された繊維産業が，周辺に手工業的なアパレル産業を発展させたのと，基本的には同じ関係が再現されたのである．

そして今日，20 世紀を支配してきた，大量生産・大量消費型の産業構造は，再び，大きな転換点にさしかかっている．新興資本主義国の勃興を視野に収めると，手先の労働という意味でのマニュアル・レーバーが完全に過去のものとなったとはいえないが，知的労働における熟練が，コンピュータや情報通信技術の発達のもとで，新たな分解の標的とされ，資本主義的労働組織に独自の変容を生みだしている．このような機械制大工業の歴史的展開自体は，「マニュファクチュアの展開形態」で述べたのと同様，経済原論の窓の外に広がる課題である．ただ，理論と現実との関係に関して方法論的な特徴が端的に現れるので，本書の範囲を逸脱して，論

争問題に多少ふれた次第である.

86★ （問題 135 頁）

解答 （1）のガソリン型が建前．だが，実は，200 時間の中味は不揃いであるのを承知でまとめ買いしている可能性もあり，（2）のバナナ型に通じる面をもつ．

解説 時間賃金の形態は，どの 1 時間労働の品質も同質であるというのが建前．

87★ （問題 135 頁）

解答 いずれとも異なる．

解説 しいていえば，腐ったバナナを選り分け，不揃いなバナナ 1 本ごとに，品質に応じて支払う方式である．同じ 1 時間でも，出来高に応じて，異なる賃金率が適用される．

88★ （問題 136 頁）

解答 もちろん無理．

解説 だれが最後の 1 人か，決定する原理はない．自分が抜ければ，岩は動かないのだから，自分が動かしたのだと各自が主張すれば，協業は成立しない．こういう場合には，みんな対等だとみなして，均等に 10 分割するのが関の山であろう．みな対等だというイデオロギーでプッシュしないかぎり，そっと力を抜くものがでてくる．集団力を形成するには，リバタリアン的価値観を排除するイデオロギーをインプリメントする必要があるのである．

89 （問題 137 頁）

解答 必ず後払いになるとはいえない．

解説 二つの問題がある．（1）資本家にとっては都合がよいが，労働者にとっては，逆にほんとうに後で賃金が支払われるかどうか，わからないという懸念が残る．それでも，労働者は立場が弱く，後払いに応じざるをえないのだということはできる．しかし，はたらいた後で怠けていたといわれ，賃金カットされるくらいなら，はじめから多少怠けておくかもしれない．（2）後払いでも，はじめに賃金率を定めてしまえば，積極的な目的意識を取りこむことはできない．賃金額の後決め，その再評価と修正ができなければ，「主体性を引きだすアメ」という，後払いの効果はほとんど期待できない．主体的な参加意欲を誘発しようとする気がなければ，後払いが優越するとはいえない．

第II篇・第2章

90 (問題142頁)

解答 正しい.

解説 ただし,ここには難しい問題がある.生産期間という概念は,自然過程に対するものであった.生産がどこからはじまって,どこで終わったかをきめるには,主体の観点が不可欠である.「生産期間は客観的で不動なものか,それとも主体に依存し操作可能なものなのか」は悩ましい問題だが,始点や終点の決定は主体の判断により動くが,その間を結ぶ期間は客観的に定まる,といちおう答えておく.

91 (問題144頁)

解答 2種類では察知できないが,n種類にすると新たに何かが察知できるということはまずない.逆に2種類で洞察できたことが,説明しにくくなるだけである.n種類にする意味は,2種類で直観でき(すぎ)る可能性を制限する点にある.直観に検証は必要だが,n種類にふやしても新しい認識がプラスされるわけではない.再生産の概念は,単一生産ならすぐピンとくる.これは次元を2にあげて検証してみる必要がある.社会的生産の概念は,2種で直観できる.その検証は3でほぼ充分である.形式的に次数をあげて,無理に直観を抑止するには及ばない.

92★ (問題144頁)

解答 パンの生産過程は,小麦の生産から独立には成りたたない.しかし,小麦の生産はパンの生産が存在しなくても可能である.社会的生産の概念的コアは内的関連性にある.「内的」というのは,生産過程が「相互に」依存しているという意味である.相互性を欠く,小麦とパンの例では,充分条件を満たさない.

93 (問題145頁)

解答 現実には夥しい数の生産過程が複雑に連鎖している.そのなかから,連鎖の本質を絞りだすための抽象化の手法である.ここでは,現実に近づけることが理論の一般性を保証するわけではない.貨幣の本質を「簡単な価値形態」にまで抽象化して捉えたのと同種の,原理的な考察方法である.その意味では,本文の例もまだ抽象しきれていない.鉄 ⟶ 小麦,かつ,小麦 ⟶ 鉄,すなわち

$$鉄\,4\,\mathrm{kg} \longrightarrow 小麦\,14\,\mathrm{kg}$$
$$小麦\,8\,\mathrm{kg} \longrightarrow 鉄\,16\,\mathrm{kg}$$

というような形式まで，内的関連性は追いつめることができる．

94★ (問題 146 頁)

解答 誤り．

解説 投入される小麦は何倍かの産出となる．同じ 14 kg の純生産を得るのに，小麦の投入が 6 kg ですむほうが，36 kg かかるよりも優れている．モノの量としては，産出の小麦から投入の小麦をそのまま引くことは可能であるが，生産技術を純生産ベクトルに還元することはできない．純生産ベクトルは，生産技術から，ある一面を捨象したサブセットの範疇である．

95★ (問題 147 頁)

解答 1. 図 A.10 の $\overrightarrow{ON'}(10, 0)$ を，$\overrightarrow{ONw}$ と $\overrightarrow{ONi}$ に分解すればよい．

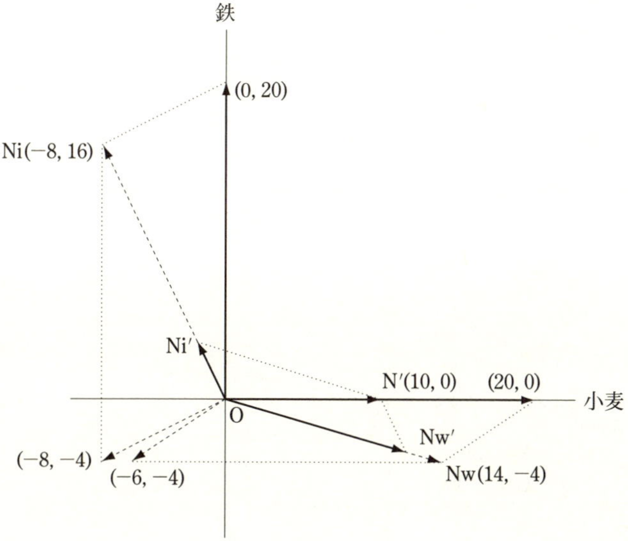

図 A.10

2. $u \times \overrightarrow{ON_w} + v \times \overrightarrow{ON_i} = (10, 0)$ を解いて，$u = 5/6, v = 5/24$ となる．つまり，小麦産業を 5/6 に，鉄産業を 5/24 に縮小してやれば，社会的再生産を通じて，純生産物として小麦 10 kg だけが得られる．

3. 同様にして，$u' \times \overrightarrow{ON_w} + v' \times \overrightarrow{ON_i} = (0, 10)$ を解いて，$u' = 5/12, v' = 35/48$ となる．

96★ （問題 147 頁）

解答

1. 第 1 の生産過程の純生産ベクトルは $\overrightarrow{ON_1}$，第 2 のほうは $\overrightarrow{ON_2}$（図 A.11）．

2. ワラを無視すれば，第 1 の生産過程のほうが，小麦生産としては効率的である．したがって，第 1 の生産過程だけを用い，その規模を 1/2 にすればよい．

3. $u(20, 18) + v(5, -3) = (10, 0)$ より，$u = 1/5, v = 6/5$．つまり，第 1 の生産過程を 1/5 に縮小し，第 2 の生産過程を 6/5 に拡大し，社会的再生産を構成すればよい．

4. $\overrightarrow{ON_1}$ と $\overrightarrow{ON_2}$ を合成しても，タテ軸上に達することはできない．したがって，ワラだけを純生産することはできない．これは，ワラにはそれを減らす生産技術（2 番目の生産過程）があるのに対して，小麦にはワラをふやしながら，小麦を減らす生産技術がないためである．

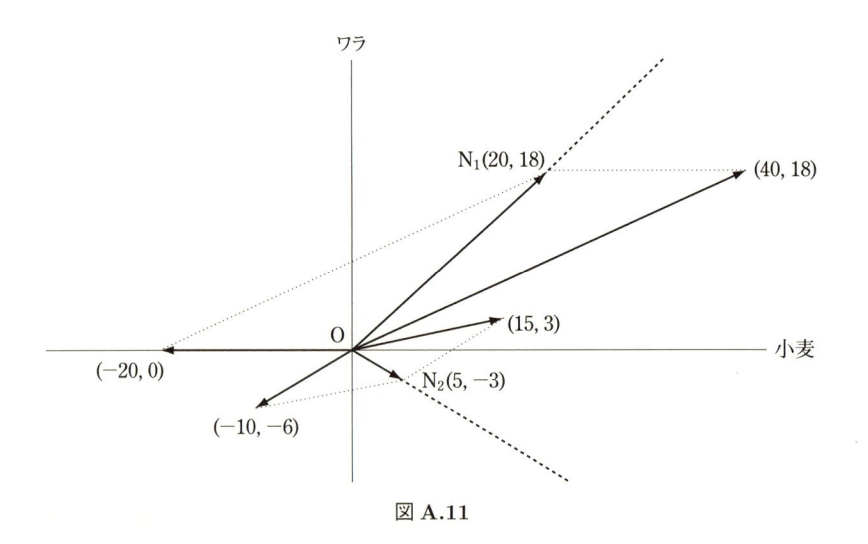

図 A.11

97★

(問題 149 頁)

解答 (1) 労働時間も生産期間もともに 16 時間．(2) 労働時間は 16 時間だが，生産期間は 8 時間．

解説 同じ単位で示されるが，時間と期間は別の概念である．

第 1 に，「労働期間をこえる生産期間」（図 A.12 の B）の存在がある．葡萄酒の発酵過程や製品の乾燥など，労働期間 A, C 以外の生産期間 B が存在する．オートメーション化も同じく生産期間と労働期間とのギャップを生む．このため，労働期間 $\leq$ 生産期間 となる．

第 2 に，同じ労働期間に，複数の労働者が同時に携われば，対象化された労働時間の総計は大きくなる（図 A.12 の A と C の傾きの差）．n 人が協業して 8 時間労働すれば，生産期間は 8 時間だが，「生産物に対象化された労働時間」は $8n$ 時間となる．

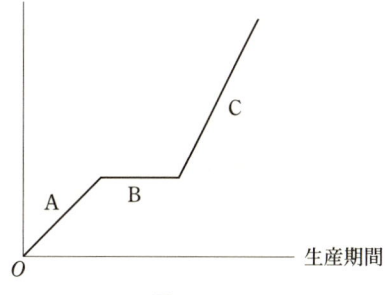

図 A.12

98★

(問題 150 頁)

解答 7/12 時間，13/24 時間．

解説 問題 95 によれば，$5/6 \times \overrightarrow{ON_w} + 5/24 \times \overrightarrow{ON_i}$ により，小麦 10 kg が純生産される．$5/6 \times 6 + 5/24 \times 4 = 35/6$ 時間の労働時間で，小麦 10 kg が純生産される．小麦 1 kg を生産するのに直接・間接に必要な労働時間は，7/12 時間となる．

同様に鉄の場合は，$5/12 \times 6 + 35/48 \times 4 = 65/12$ 時間で，鉄 10 kg が純生産されるのだから，1 kg には 13/24 時間となる．

生産過程のなかでおこなわれている労働は，その内容は変わらないが，結果からみると，小麦生産のための労働にも，鉄生産ための労働にもなるのである．

99★

(問題 150 頁)

解答 完全に正しいとはいえない．

解説 この例では，農耕労働が製パン労働の一部をなすことは説明できるが，製パン労働が農耕労働の一部であることは説明できない．農耕労働は製パン労働の下位範疇ということになる．互換性を完全に定義するためには，単線的な連鎖 $A \longrightarrow B \longrightarrow C \longrightarrow \cdots\cdots$ ではなく，循環的な連鎖 $A \longrightarrow B, B \longrightarrow A$ による必

100 (問題 153 頁)

解答 異なる．

解説 与えられた条件をもとに理論的に推論しても，一つの結論にたどりつけないという意味では，開口部と同型の問題になる．ただし，開口部は市場のサイドからの推論に関わる．これに対して，未決定項は，市場の外部に広がる生産概念が，余剰の分配と処理をめぐって生みだす問題である．同型であるが，方向が逆である．未決定項は，どのような社会でも独自の方法で閉じる必要がある．市場を基礎とする資本主義は，これを資本の運動を通じて独自に閉じる．未決定項を閉じるのであり，開口部として残すのではない．

101 (問題 154 頁)

解答 不適切である．

解説 労働力の形成を「生産」に結びつけて理解しようとすると，その本質を見失う．「生産」の意味を拡張して「労働力も特殊な生産物だ」とみなそうとするのが通説だが，それは生産概念を使いものにならないほど曖昧にする．

102 (問題 155 頁)

解答 内側のボックスは，労働力を外部から取り入れているという点では閉じていない．しかし，取り入れるべき労働量は，生産手段に対応して客観的にきまる．これに対して，外側のボックスは，外から何も取り入れていないという意味では閉じているが，純生産の分割，および生活物資と労働量の関連にアソビを残している．その内部に自由度をもった未決定要素を抱えている点では閉じきっていないのである．

103 (問題 160 頁)

解答 1. $p_1 x + p_2 y = k$ だから，k 円すべてを小麦に支出すれば $(k/p_1, 0)$，鉄に支出すれば $(0, k/p_2)$ が買える．k 円で買えるのは，この 2 点を結ぶ，傾き $-p_1/p_2$ の線分上の商品セット (x, y)．

2. $\overrightarrow{OA}$ と $\overrightarrow{OP}$ のなす角度を θ とする．定義により，$|\overrightarrow{OP}| = 1$ だから，$(x, y)(p_1, p_2) = \overrightarrow{OA} \cdot \overrightarrow{OP} = |\overrightarrow{OA}||\overrightarrow{OP}|\cos\theta = |\overrightarrow{OA}|\cos\theta = OH$．つまり，$\overrightarrow{OP}$ が位置する直線 $y = \dfrac{p_2}{p_1} x$ に直交する直線上の点 (x, y) は，すべて同じ価格総額 $OH = p_1 x + p_2 y$ 円と評価される．座標平面上に定義された価格ベクトル $\overrightarrow{OP}$ の

向きが変わると，それに応じて，同額に評価される商品セット (x,y) も変化することを確認してほしい．

3. 労働者の生活物資の投入を表す物量ベクトル $\overrightarrow{OB} = (-5, -5)$ を，小麦，鉄の生産に投じられた労働量 $6:4$ に分割して，それぞれの純生産ベクトルに加えた $\overrightarrow{OMw}$ と $\overrightarrow{OMi}$ を合成すればよい．$\overrightarrow{OMw} = \overrightarrow{ONw} + \dfrac{6}{10}\overrightarrow{OB}$, $\overrightarrow{OMi} = \overrightarrow{ONi} + \dfrac{4}{10}\overrightarrow{OB}$, $\overrightarrow{OM} = \overrightarrow{OMw} + \overrightarrow{OMi}$.

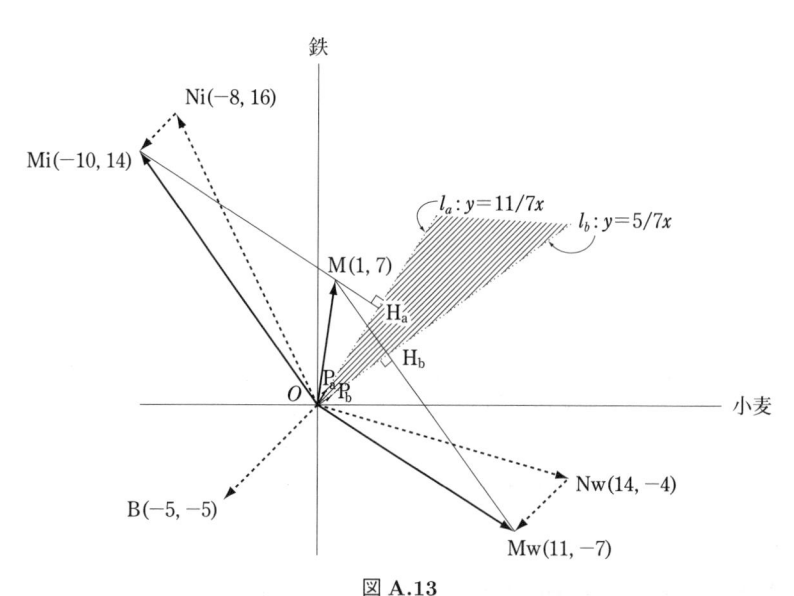

図 A.13

4. $\overrightarrow{OMw}$ と直交する価格ベクトル $\boldsymbol{p}_a$ と，$\overrightarrow{OMi}$ と直交する価格ベクトル $\boldsymbol{p}_b$ に挟まれた範囲．価格ベクトルの定義により，$|\boldsymbol{p}_a| = |\boldsymbol{p}_b| = 1$ だから，$\boldsymbol{p}_a$ のとき，$\boldsymbol{p}_a\overrightarrow{OMw} = 0$ となり，すべての剰余生産物は鉄生産者によって取得され，その額は $\boldsymbol{p}_a\overrightarrow{OMi} = \boldsymbol{p}_a\overrightarrow{OM} = |OH_a|$ となる．また，$\boldsymbol{p}_b$ のとき，$\boldsymbol{p}_b\overrightarrow{OMi} = 0$ となり，すべての剰余生産物は小麦生産者によって取得され，その額は $\boldsymbol{p}_b\overrightarrow{OMw} = \boldsymbol{p}_b\overrightarrow{OM} = |OH_b|$ となる．価格ベクトルがこの中間にあれば，剰余ベクトル $\overrightarrow{OM}$ に相当する剰余生産物は両者に分割される．

104 (問題 161 頁)

解答 1. $\boldsymbol{t} = (7/12, 13/24)$ であった（151 頁）から，剰余価値率は

$$\frac{T}{Bt} - 1 = \frac{4+6}{(5,5)\left(\frac{7}{12}, \frac{13}{24}\right)} - 1 = \frac{7}{9}$$

2. 小麦生産, 鉄生産をそれぞれ u, v 倍して, 次の関係を満たすようにすればよい.

$$20u - (6u + 8v) : 20v - (4u + 4v) = 5 : 5$$

これを満たす u, v には, 例えば $4, 3$ がある. このとき,

小麦 24 kg ＋ 鉄 16 kg ＋ 農耕労働 24 時間 ⟶ 小麦 80 kg

小麦 24 kg ＋ 鉄 12 kg ＋ 製鉄労働 12 時間 ⟶ 鉄 60 kg

小麦 18 kg, 鉄 18 kg ⇢ ○ ⇢ 労働 36 時間

3. 生活物資ベクトル, 純生産ベクトルは, $\boldsymbol{B}' = (18, 18)$, $\boldsymbol{N}' = (32, 32)$ で, 同一直線上にならぶ. だから, 剰余ベクトル $\boldsymbol{M}' = \boldsymbol{N}' - \boldsymbol{B}'$ は,

$$\boldsymbol{M}' = \frac{7}{9}\boldsymbol{B}'$$

となる. この $7/9$ が剰余価値率に相当する.

(解説) 剰余価値率は, ふつう, 本問 1. のように対象化された労働量 t を媒介に計算する. しかし, 本問 2. 3. で試みたように, 生活物資と純生産物の構成比が一致するように生産過程の規模を調整してやれば, t を計算しなくてもわかる. (1) 投入と産出の生産技術的関係と, (2) 生活物資 $\boldsymbol{B}$ と総労働量 T が表す分配関係によって, 剰余価値率は決まるのである.

105★ (問題 162 頁)

(解答) あくまで近似にすぎないが,
1. $400 \times 10^{12} \div (8 \times 5 \times 50 \times 5 \times 10^7) = 4.0 \times 10^{14} \div 10^{11} = 4000$ 円
2. $m/v \fallingdotseq (400 - 250)/250 = 60\%$

106 (問題 164 頁)

(解答) $\dfrac{5}{3}$

(解説) 小麦と鉄それぞれ 1 kg に対象化された労働量を t_1, t_2 とおくと, 次のような関係が成りたつ.

$$12t_1 + 8t_2 + 6 = 40t_1$$
$$8t_1 + 4t_2 + 4 = 20t_2$$

より，$t_1 = \dfrac{1}{3}$, $t_2 = \dfrac{5}{12}$．［数値例（3）］における値，$t_1 = \dfrac{7}{12}$, $t_2 = \dfrac{13}{24}$ に比べ，小麦だけではなく鉄でも対象化された労働量は減少している．剰余価値率は

$$m' = \frac{T}{Bt} - 1 = \frac{10}{\left(\dfrac{1}{3}, \dfrac{5}{12}\right)(5,5)} - 1 = \frac{5}{3}$$

となり，［数値例（3）］における $\dfrac{7}{9}$ より上昇している．相対的剰余価値の生産がなされたのである．

107 (問題 164 頁)

解答 真．

解説 労働者の生活物資を構成せず，さらにその生産にも直接・間接に用いられないような生産物を**奢侈品**という．本来は，宝飾品などの贅沢品という意味であるが，ミサイルや戦艦などの軍事物資もこの性格をもつ．奢侈品の生産部門でいくら生産性が上昇しても，相対的剰余価値の生産にはつながらない．奢侈品の生産に必要な労働量が減少しても，Bt は減少しないからである．相対的剰余価値の生産がおこなわれるならば，必ず，どこかの部門で生産性の上昇が発生している．しかし，部門を問わずどこでも生産性の上昇が発生すれば，必ず相対的剰余価値の生産が進むというわけではない．逆は成りたたないのだ（図 A.14）．このことは，剰余価値の根拠が，生産力一般にあるわけではなく，純生産物の分割にあることを示している．

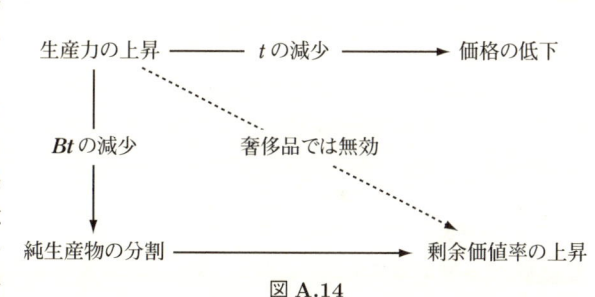

図 A.14

第II篇・第3章

108★ (問題 165 頁)

解答 偽．

(解説) 生産力が低下し，あるいは労働者の生活物資が増大して，剰余価値部分がマイナスとなれば，縮小再生産となる．しかし，剰余価値が充分形成されていても，それ以上に消費すれば，やはり再生産は縮小する．例えば，社会的再生産とみなされている領域において生産力が上昇しても，同時に自然環境が破壊され，その回復のために剰余生産物を割かざるをえない事態も考えられる．あるいは，生産の極端な効率化が犯罪の増加や薬物の乱用といった社会的荒廃を招き，その対処に剰余価値の充当が避けられなくなることもあろう．こうした極端な場合には，剰余価値が生みだされながら，縮小再生産となる．限られた地球環境のなかで，人類の活動が永久に加速度的な拡張をするわけにはゆかない．人類史を長期的に展望すれば，意識的に縮小再生産が求められる局面に，あるいは直面するかもしれない．

109★ (問題 166 頁)

(解答) 1. 偽．2. 偽．

(解説) 1. 生産規模の拡大が，すべて，拡大再生産によるわけではない．原始的蓄積は再生産によらない生産規模の拡大である．拡大再生産は，剰余生産物の蓄積である．

2. 資本の蓄積というかたちをとらなくても，資本主義以前から拡大再生産は存続してきた．「資本主義的蓄積 ⟶ 拡大再生産」は真だが，「拡大再生産 ⟶ 資本主義的蓄積」は偽．

110★ (問題 167 頁)

(解答) 資本家が剰余価値率に応じて蓄積率を調整しているという意味であれば，正しいとはいえない．結果的に蓄積率が変化するという意味であれば否定できない．

(解説) 資本家は私的消費を抑制し，できるだけ多く蓄積しようという衝動に基づいて行動している．剰余価値率が低下したからとして，蓄積を止めて剰余価値を私的消費にふり向けるという選択がなされるわけではない．

ただ，蓄積にふり向けられる剰余価値の量は，剰余価値率によって変化するので，結果的に蓄積率が剰余価値率と同じ方向に変化することは考えられる．

$$蓄積率 = \frac{剰余価値 - 私的消費額}{剰余価値}$$

ここで，資本家の私的消費が必要最低限の範囲に抑制されており，狭いレンジでしか変化しないと仮定すれば，蓄積率は剰余価値率に感応するようにみえる．ただし，蓄積率自体は，資本家によって意図的に調整される説明変数ではない．あくま

解 答　329

でもいわば結果値なのである．

111
（問題 168 頁）

解答 偽．

解説 この相殺効果には限界がある．
$$\alpha = \frac{1+m'}{k(1+m')+1} = \frac{1}{k+\dfrac{1}{1+m'}}$$

であるから，$k \to \infty$ かつ $m' \to \infty$ のとき，この値はゼロに近づく．生産技術がどんどん高度化し k が増大するなかでは，剰余価値率 m' の上昇で雇用量の低下を相殺してゆくことはできない．

112★
（問題 168 頁）

解答 生産物：$100 \div (1200/12 + 100) = 1/2$ だが，投下資本：$100 \div (1200 + 100) = 1/13$ となる．

113★
（問題 179 頁）

解答 31.25%

解説 （1）第 2 部門の蓄積率 50% ということでスタート．（2）375 の蓄積額を第 2 部門の資本構成 2：1 で分割する．（3）第 1 部門に対する第 2 部門の需要 1750 $= 1500c_2 + 250m_2(c)$ に対して，（4）第 1 部門の剰余価値から蓄積される追加不変資本 $250m_1(c) = 1000v_1 + 1000m_1 - 1750$ がきまる．（5）この追加不変資本に対して，第 1 部門の資本構成 4：1 で第 1 部門の追加可変資本 62.5 がきまる．（6）残りが第 1 部門の資本家の消費となる．（図 A.15）

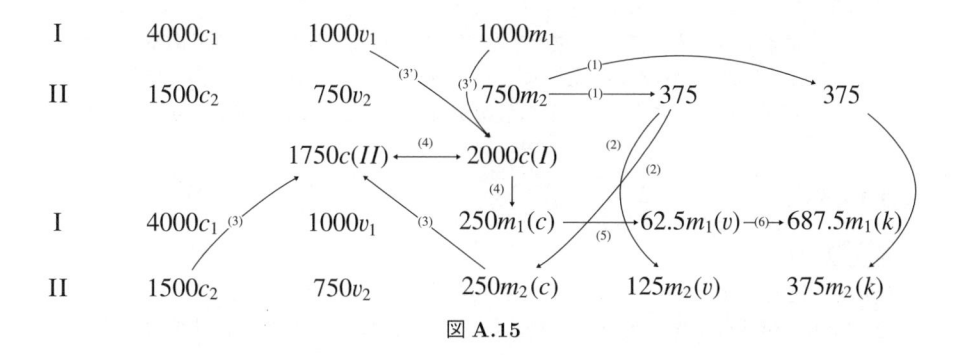

I　　$4000c_1$　　$1000v_1$　　$1000m_1$
II　　$1500c_2$　　$750v_2$　　$750m_2 \to 375$　　375

$1750c(II) \leftarrow 2000c(I)$

I　　$4000c_1$　　$1000v_1$　　$250m_1(c) \to 62.5m_1(v) \to 687.5m_1(k)$
II　　$1500c_2$　　$750v_2$　　$250m_2(c)$　　$125m_2(v)$　　$375m_2(k)$

図 A.15

第III篇・第1章

114★ （問題185頁）

解答 正しい．

解説 例えば，固定資本が存在せず，100万円の流動資本だけを生産過程に投下すればよいとする．生産された商品は，いつ売れるかはわからないが，仮に1ヶ月要したとする．その1ヶ月間，100万円は流通資本のかたちをとり，商品在庫として市場に滞留する．しかし，100万円が回収された時点で，次の生産過程に移ることで何ら支障はない．もう100万円を準備しておき，1ヶ月間の操業中止を避けるメリットはない．しかし，例えば生産過程に1,000万円の固定資本が投下されていると事情は違ってくる．この1ヶ月間，固定資本は遊休し，それが生みだすはずの利潤も消滅する．この遊休がデメリットなのである．したがって，逆に固定資本が一切存在しないとすれば，流動資本のほかに，流通資本をプラスして投下する必要はないことになる．

115★ （問題187頁）

解答 できない．

解説 この後，類似した問題が続くが，ちょっと自分で考えてみると，生産が価値の大きさをきめるという「客観価値説の極意」のようなものに触れることができるかもしれない．

ということで，ややくどくなるかもしれないが，説明してゆく．「けっきょく，同じことをいっているだけじゃないか」という気がしてきたら，その「同じこと」とは何か，自分でつきとめてみよう．それが「極意」ということになる．

さて，この場合，買い手からみて区別のつかない商品を，遠方から運んできて運輸費が多くかかったからといっても，その分，高く売れないことはすぐわかる．個々の商品が販売されるまでの履歴をたどると，運輸費はさまざまである．しかし，混ぜたら区別のつかない同じ「顔」の同種商品は，市場において同じ価値をもつ．いくら運輸費をかけても，商品の価値が高まることはない．残念ながら無駄な努力だ．

116★ （問題187頁）

解答 誤りである．

解説 運輸費は，生産過程における移動の費用と異なる性格をもつ．たしかに，運輸費も，例えば1キロメートル輸送するのに何円かかるかには，技術的な基準

がある．ここまでは，工場のなかでの移動の費用と何ら変わらない．

　だが，どこに運ぶかには，販売に特有な不確定な性格が現れる．工場のなかではどこに運ぶか，きまっていないなどということはない．この点が，販売のための輸送と違うのである．運輸費＝距離当たり費用×輸送距離というかたちをとる．「当たり費用」には技術的な基準があるが，輸送距離に基準がない．その点で，運輸費は販売に固有な費用として不確定な性格をもつ．生産技術を基礎に，生産物1単位を生産するのに共通に必要となる費用を累計した費用価格に，商品ごとにバラつく運輸費を合算するわけにはゆかないのである．

117★　(問題 187 頁)

解答　できない．

解説　輸送距離と同じで，期間当たりの費用には技術的な基準があるが，どの程度の期間，保管しなくてはならないかには基準がない．このため，保管費＝期間当たり費用×保管期間 には流通期間の不確定な変動が投影される．たまたま売れずに保管費が多くかかったからといって，たった今市場に持ち込まれたばかりの，保管費ゼロの商品より高く売れるわけではない．

118　(問題 187 頁)

解答　たしかに商品体を扱うかどうかの違いはある．運輸費も保管費も，「確定的な単位費用×不確定な距離・期間」のかたちになっている．商品1単位当たりの費用が確定できるのは，商品体に結びついているからである．会計処理では，そもそも「商品1単位当たりの計算費」など意味がないものとなる．

　このような会計処理に費用をどれだけ支出しても，その分，高く売れるわけではない．買い手は，もともと会計処理など買う気はないのだ．要するに，同種商品ならどの1単位にも共通に要する費用に還元できない流通費用としての性格をもつ．

119　(問題 187 頁)

解答　正しくない．

解説　ポイントだけ整理すると，(1) いくら宣伝しても，混ぜたら区別がつかない同種商品を隣の店よりも高く売るのは無理だ．もし宣伝することで高く売りたいのなら，最低限，見た目を変えないとダメである．そして商品体を変えるのであれば，それは一種の生産である．(2) 商品1単位に割り当てられない性質も，やはり流通費用として共通である．例えば宣伝のためのチラシの単価は技術的にきまる．しかし，それを何枚配布するのが適切なのかは，販売量との間に比例関係はない．その限りでは，運輸費や保管費と同様の性格をもつ．

120★ (問題 189 頁)

解答

$$\text{マージン率} = \frac{100 - 80}{100} = 20\%$$

$$\text{粗利潤率} = \frac{(100 - 80) \times 10\text{億}}{120\text{億}} \fallingdotseq 167\%$$

$$\text{純利潤率} = \frac{(100 - 80) \times 10\text{億} - 60\text{億}}{120\text{億} + 40\text{億}} = 87.5\%$$

解説 60 億円の流通費用がどこから捻出されるのか，流通費用も流通資本と同じように分母に入るのではないか，と思うかもしれないが，流通費用はあくまで費用であり，分母には入らない．それは，資本として「投下」されるのではなくて，粗利潤から費用として「支出」されるのであり，分子から控除すればよい．

121 (問題 191 頁)

解答 正しくない．

解説 一般的利潤率自体は，理論値として明確な水準を与えることはできる．基準値がはっきりしないのではなく，それが個別産業資本の純利潤率に対して発揮する規制力が，流通過程の不確定性によって弛緩するのである．

122 (問題 192 頁)

解答 誤まり．

解説 平均利潤は費用価格と異なる原理できまる．費用価格が同じでも生産価格は同じとは限らない．生産期間が長ければ，平均利潤はその分大きくなる．また，固定資本が大きければ，それの分，平均利潤も大きくなる．

123 (問題 193 頁)

解答 1. それぞれ，約 29%, 19% 2. $13/14$

3. 投下労働量は次の連立方程式の解である．

$$6t_1 + 4t_2 + 6 = 20t_1$$
$$8t_1 + 4t_2 + 4 = 20t_2$$

つまり,
$$-14t_1 + 4t_2 = -6 \tag{3.1}$$
$$8t_1 - 16t_2 = -4 \tag{3.2}$$

他方,支配労働量は次の連立方程式の解である.

$$\left(6\frac{p_1}{w} + 4\frac{p_2}{w} + 6\right)(1+R) = 20\frac{p_1}{w}$$

$$\left(8\frac{p_1}{w} + 4\frac{p_2}{w} + 4\right)(1+R) = 20\frac{p_2}{w}$$

$1+R = 5/4$ だったから,

$$-10\frac{p_1}{w} + 4\frac{p_2}{w} = -6 \tag{3.3}$$

$$8\frac{p_1}{w} - 12\frac{p_2}{w} = -4 \tag{3.4}$$

これを解いて
$$\frac{p_1}{w} = 1, \ \frac{p_2}{w} = 1$$

したがって,$t_1 < \frac{p_1}{w}$,$t_2 < \frac{p_2}{w}$ である.

連立方程式 (3.1)(3.2) 式と (3.3)(3.4) 式を比較すると,それぞれ1ヶ所,係数が違うだけで,あとは同じである.対応する直線を座標平面に示せば図 A.16 のようになる.
(3.3) は,(3.1) と点 $(0, -3/2)$ を共有し,傾きはより小さい.(3.4) は,(3.2) と点 $(-1/2, 0)$ を共有し,傾きはより大きい.したがって,(3.1) と (3.2) の交点 (t_1, t_2) は,(3.3) と (3.4) の交点 $(p_1/w, p_2/w)$ よりもつねに左下になる.

$$\boldsymbol{t} < \frac{\boldsymbol{p}}{w}$$

この関係は,
  (a) 小麦生産において,小麦投入量 < 小麦産出量
  (b) 鉄生産において,鉄投入量 < 鉄産出量
  (c) $R > 0$

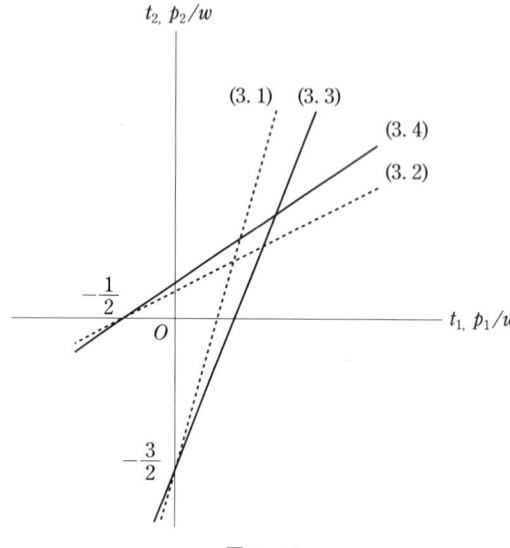

であれば一般に成りたつ.

そして，すでに示したように $Bp = Tw$ のとき，$t < p/w$ ならば

$$Bt < T$$

となる．生産価格のもとでは，つねに剰余労働が搾取されていることになる.

(解説) 1. 小麦, 鉄 1 kg に対象化された労働量を t_1, t_2 時間とすると，すでに解いたように (151 頁)，$t_1 = 7/12$, $t_2 = 13/24$ である．1 時間あたり 1 円という同じ価値価格がついたとすると，小麦，鉄 1 kg の価格は，それぞれ t_1, t_2 円となる．したがって

小麦生産資本の利潤率：$\dfrac{20t_1}{6t_1 + 4t_2 + \dfrac{6}{10}(5t_1 + 5t_2)} - 1 = \dfrac{9}{31} \doteqdot 0.29$

鉄生産資本の利潤率：$\dfrac{20t_2}{8t_1 + 4t_2 + \dfrac{4}{10}(5t_1 + 5t_2)} - 1 = \dfrac{21}{109} \doteqdot 0.19$

となり，小麦部門では約 29%, 鉄部門では約 19% となる．相対的に生きた労働を多く使用している小麦部門のほうが，粗利潤率は 10 ポイントほど高くなる.

2. t_1 時間は $t_1 x$ 円, t_2 時間は $t_2 y$ 円となる．この価格で，両部門の利潤率が等しくなると考えると，けっきょく,

$$(6t_1 x + 7t_2 y + \tfrac{6}{10}(5t_1 x + 5t_2 y))(1+R) = 20t_1 x$$

$$(3t_1 x + 3t_2 y + \tfrac{4}{10}(5t_1 x + 5t_2 y))(1+R) = 20t_2 y$$

を解くことになる．これを整理して p_2/p_1 と R を求めた 193 頁の式と比べてみると，$\dfrac{t_1 x}{t_2 y} = \dfrac{p_1}{p_2}$ となることがわかる．したがって，$\dfrac{x}{y} = \dfrac{p_1}{p_2} \times \dfrac{t_2}{t_1} = \dfrac{13}{14}$ となる.

投下労働時間に比例した価格で商品の価値の水準はきまるという考え方を，**投下労働価値説**という．しかし，厳密に投下労働量に比例した価格によるのでは，

今，問1でみたように，小麦生産と鉄生産で利潤率が等しくならない．t_1 も t_2 もともに1時間1円のような同じ比率できまったのでは，小麦生産のほうが相対的に利潤率が高くなる．ということは，これでは，小麦の価格が相対的に高いからである．この x/y の意味は，利潤率が等しくなるためには，小麦に対象化された1時間が1円となるなら，鉄に対象化された労働時間は1時間 14/13 円，つまり約 7.7% ほど高く評価される必要があるということを意味する．

124★ (問題 194 頁)

解答 変わらない．

解説 本文 193 頁の連立方程式のうち，第1の式 $(6p_1 + 4p_2 + 6w)(1 + R) = 20p_1$ の左辺，右辺をそれぞれ2倍するだけであるから，R も p_1/p_2 も変わらない．社会的需要の変化に応じて，産業部門の構成比率は自在に変化する．しかし，このとき，生産技術と剰余価値率が同じならば，一般的利潤率は変化せず，生産価格も影響を受けない．

125★ (問題 194 頁)

解答 1. $R = 1/4$, $p_1/p_3 = p_2/p_3 = 4/25$
2. $R = 1/4$, $p_1/p_3 = p_2/p_3 = 1/5$

解説 1. $(0p_1 + 3p_2 + 2w)(1 + R) = p_3$ という方程式を加えても，小麦生産と鉄生産ですでに決定された $R = 1/4$ や $p_1/p_2 = 1$ には影響がない．金が小麦生産や鉄生産には投入されていないからである．

2. $(0p_1 + 6p_2 + 2w)(1 + R) = 2p_3$ となるだけであるから，$R = 1/4$, $p_2/p_1 = 1$ であることに変わりはない．ただ金生産で生産力が上昇した結果，金の価値量は低下している．その金を標準とした生産価格 p_1/p_3, p_2/p_3 はともに同じ 25% だけ上昇して現れる．

この金のように，他の生産物を投入しながら，労働者の生活物資に含まれず，また他の生産物の投入にも含まれない奢侈品で，生産力が上昇しても，一般的利潤率が高まることはない．ただ，その奢侈品の価値が低下するだけである．生産力の上昇は，実質賃金率の低下を媒介に，一般的利潤率に影響を与えるのであり，奢侈品ではこの効果はない．このことは，利潤の根拠が生産力一般ではなく，純生産物の商品経済的分割，すなわち搾取にあることを示す．(図 A.14)

126 (問題 195 頁)

解答 誤まり．

解説 純利潤率の下方分散と，市場価格の下方分散とは密接に関連しているが，

厳密に考えると意味が異なる．個別資本が販売期間の変動による固定資本の遊休を回避する方法には，大きくいって三つある．(1) 運転資金を用意して対応する流通資本方式，(2) 販売促進活動に費用を支出して販売期間の短縮を図る流通費用方式，(3) 市場価格を引き下げて販売期間を短縮する価格調整方式，である．不確定な変動に対応する基本は (1) であり，もし (2) や (3) のようなかたちで，個別資本が直接に流通期間を短縮できるのであれば，販売期間は不確定に変動するとはいえないことになる．もし，多少とも価格を下げれば，ただちに販売できるのであれば，そもそも販売に期間を要するという必然性もなくなる．価格引き下げによる販売は緊急避難的性格のものであり，個別資本にとっては通常考えられるほど，簡単に利用できる方法ではない．

純利潤率の下方分散性は，(1)，(2)，(3) のいずれによろうとも，発生する一般的な現象であり，そのバラツキの形状は，それぞれの部門の需給状況に応じて変化する．これに対して，市場価格の下方分散性は，付随状況的な現象である．市場価格は，基本的には生産価格として実現されるが，その実現に耐えられなくなった個別資本の部分的離脱現象である．すべての市場価格が生産価格で実現され，価格分散が発生しないと仮定しても，純利潤率の下方分散は広く観察されることになる．

127 （問題 195 頁）

解答 不適切である．

解説 しばしば簡単化のためにこのような解説が広くおこなわれるが，かなり不正確なところがある．このような説明では，どの時点でも単一の市場価格が需給関係できまり，この市場価格が不動の中心点である生産価格のまわりを変動すると考えられている．需要と供給が一致する水準に市場価格がきまるという「均衡価格」の考え方を，生産価格にうまく「被せた」かたちになるので受け容れやすい．需要の変動に対して供給が事後的に反応し，市場価格を生産価格が規制する関係を説明するというかぎりでは，一定のメリットもある．しかし，これをそのまま支持しようとすると，市場の基本像を均衡論的に塗りかえなくてはならなくなる．その点で，限界のある説明であることを，同時にはっきり自覚したほうがよい．

たしかに，市場価格の変動として記述される現象は存在する．市場価格は一物一価できまるのではなく多かれ少なかれバラツキを示す．そして，市場価格が生産価格の下方に分散する限り，分散が大きくなれば平均値は下落し，小さくなれば上昇する．平均値はつねに存在し，その値は上下運動を繰り返す．この平均値の変動は，ある重心価格に引きつけられているように見える．しかし，これは結果的に観察される，「見かけの重心価格」である．この平均値の中心は，価格変動を外部か

ら観察することで推定されているにすぎず，その水準を決定する理論的根拠はない．その存在と位置が原理的に説明可能なのは，需給関係から独立に規定できる，生産価格以外にはない．そして，市場価格の分散や平均値は，この生産価格によって上方から規制されながら，需給状態を反映し，さまざまな態様で発現するのである．（図 A.17）

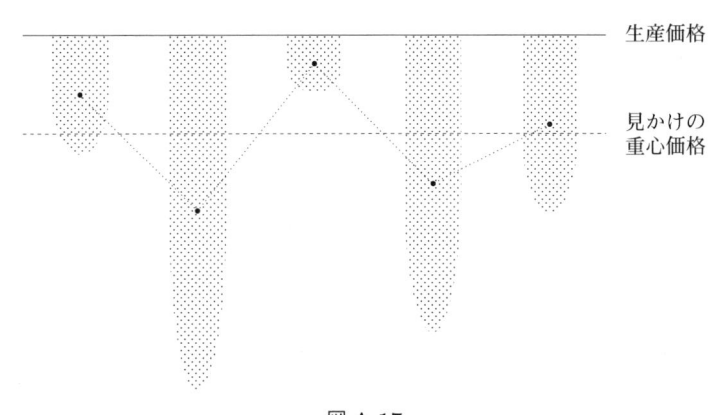

図 A.17

ただ，本書のこの説明は通念に対して意図的に疑義を貫こうとするもので，いささかアクが強すぎる．そうと思ったら，さしあたり「分かりやすい」説明で「分かったことにする」という手はある．生産価格は需要供給と独立にきまり，それが需要供給を反映する市場価格の変動を規制する点，それは個別産業資本の移動を通じて部門のバランスを調整することで達成される点，こうした点は問題文の説明でも満たされているからである．

128 （問題 198 頁）

解答 誤りである．

解説 生産価格の概念は，1 部門 1 生産条件を前提にした規定である．この条件を無視して，生産価格を市場価値の問題に拡張することはできない．複数の生産条件の併存は，生産価格の規制力に影響する．生産価格論と市場価値論は，異なる前提のもとで，異なる問題を解明する二つの理論領域なのである．

すべての部門の生産条件が単一	生産価格論	生産価格の水準の高低
ある生産部門で複数の生産条件が併存	市場価値論	生産価格の規制力の強弱

「市場価値」にかえて「市場生産価格」という用語が広く用いられているが，市場価値に固有の問題を無視した用語法である．

129
(問題 199 頁)

解答 1. 従来の生産条件が生産価格を規定するから，192 頁の例解で説明したように，市場では $p_1/p_2 = 1$ となる．したがって，$(7.5p_1 + 5p_2 + 6w)(1+R') = 25p_1$，$3p_1 + 3p_2 = 0.6w$ より $R' \fallingdotseq 0.35$．新生産方法を他に先駆けて採用した資本の個別的利潤率は，一般的利潤率 25% を約 10 ポイント上まわる．

2. このとき，一般的利潤率と生産価格比は次の式で規定される．

$$(7.5p_1 + 5p_2 + 6w)(1+R) = 25p_1$$
$$(8p_1 + 4p_2 + 4w)(1+R) = 20p_2$$
$$5p_1 + 5p_2 = 10w$$

以前と同様にして，これを解くと，$R \fallingdotseq 0.31$，$p_2/p_1 \fallingdotseq 1.08$ となる．小麦部門の生産性が上昇したため，一般的利潤率は $31 - 25 = 6$ ポイントほど高まり（相対的剰余価値の生産），鉄に対して小麦の価格が 8 ポイントほど高くなるのである．このとき，旧来の生産条件では利潤率 R'' が，

$$(6p_1 + 4p_2 + 6w)(1+R'') = 20p_1$$
$$5p_1 + 5p_2 = 10w$$

より，$R'' \fallingdotseq 21\%$ となり，一般的利潤率を $31 - 21 = 10$ ポイントほど下まわる劣等条件となる．

参考 第 II 篇から使ってきたお馴染みの数値例とは，これでお別れとなる．一つだけでは心もとないという人には，いくつも数値例を示すかわりに，本書で使ったような，投入と産出が整数値で構成され，有理数を解にもつ生産価格体系のつくり方を紹介しておく．

賃金を生活物資に置き換えた段階からはじめよう．はじめに $A(1+R) = A^+$ を考える．$A = 12, R = 1/4$ なら $A^+ = 15$ になる．A を $x + y = A, x' + y' = A$ という二つの整数の和にする．

$$(xp_1 + yp_2)(1+R) = A^+ p_1$$
$$(x'p_1 + y'p_2)(1+R) = A^+ p_2$$

は価格 $p_1 = p_2$ のときに R を保証する投入・産出比である．

例えば，$8 + 4 = 12$，$6 + 6 = 12$ とすれば，

$$(8p_1 + 4p_2)(1 + R) = 15p_1$$
$$(6p_1 + 6p_2)(1 + R) = 15p_2$$

となり，これは一般的利潤率 25% 生産価格比 $p_1/p_2 = 1$ の数値例となる．

次に，$p_1 : p_2$ を変化させる．p_1/p_2 の値を 1 から動かし，その効果が打ち消されるように，投入物量と産出物量を逆方向に調整してやればよい．つまり，

$$(x \times p_1/p_2 + y)(1 + R) = A^+ \times p_1/p_2$$
$$(x' \times p_1/p_2 + y')(1 + R) = A^+$$

は $p_1/p_2 = 1$ のとき成りたつ．$p_1/p_2 = k$ にしたければ，p_1/p_2 が乗じられている x, x', A^+ を $1/k$ 倍してやればよい．

$p_1/p_2 = 1/2$ にしたいときは

$$(16p_1 + 4p_2)(1 + R) = 30p_1$$
$$(12p_1 + 6p_2)(1 + R) = 15p_2$$

とすればよい．これで $R = 1/4, p_1/p_2 = 1/2$ となる生産価格体系ができた．

投入・産出のベクトルで考えるともっと簡単である．例えば，一般的利潤率 R が 1/3 で，価格比が 3 : 2 という数値例をつくるためには，はじめに，価格ベクトル $(p_1, p_2) = (1, 1)$ のとき一般的利潤率が 1/3 となる数値例

$$A(2, 7) \longrightarrow A^+(12, 0)$$
$$B(9, 3) \longrightarrow B^+(0, 15)$$

を考える．次いで，$(p_1, p_2) = (3, 2)$ に変更するため，投入・産出ベクトルの第 1 要素を 2 倍，第 2 要素を 3 倍すればよい．つまり

$$A(4, 21) \longrightarrow A^+(24, 0)$$
$$B(18, 9) \longrightarrow B^+(0, 48)$$

となる．

130 (問題 205 頁)

解答 成立しない．

解説 競争の圧力で地代化するのは，明確な基準をもって規定される生産価格の較差に基づく特別利潤である．そして，そのような生産価格はここでは 100 円と 110 円以外にはない．したがって，市場価格の上昇が 105 円に落ちつくということをかりに認めたとしても，その 5 円が地代化することはない．これは単なる超

過利潤であり，199 頁で規定した特別利潤ではないからだ．これは生産条件の切り替わりの局面に限ることではない．100 円の生産価格が支配する落流条件で社会的需要が満たされる局面で，問題文の考え方にたち，市場価格が 100 円をこえて 105 円に，ある一定期間上昇したとしても，この期間における超過分 5 円が地代化するわけではない．この命題を是認すれば，生産条件の切り替わりの局面でも原理は変わらないはずである．

生産条件の切り替わりに特有なのは，複数の供給条件が同時併存するという市場価値の問題である．［問題 128］の解説でも述べたように，市場価値の論理次元に，明確な規制力を具えた生産価格の概念をそのまま導入すべきではない．ここでも一般的にいえるのは，規制力自体が弛緩することまでである．優等条件への資本移動が困難な地代の問題において，生産条件の不連続な切り替わりの局面では，市場価格が激しく乱高下すると予想されるが，これから先は，条件を追加して精緻化するべき論点となる．

なお，生産条件は，優等なものから劣等なものに切れ目なく連続的に並んでいる，という想定をすれば，このような問題は消滅する．しかし，生産物は 1 単位ごとに限界費用が変化するというのも，過度の抽象である．同じ耕地で栽培される小麦の 1 キログラムごと，あるいは大量生産される自動車の 1 台ごとに，費用価格が異なるということはない．一定のまとまった供給量に関して費用価格が同じであり，かつ，全体として異なる費用価格の同種商品が供給されている，という想定をすれば，その生産過程のどこかに不連続な断点を想定していることになる．過渡的局面の説明が単純にはできないということと，それ自身の存在が特殊であるとか，あるいは基本的には存在しない，ということとは論理的に区別する必要がある．

131 （問題 205 頁）

解答　「利潤率の均等化のために超過利潤が差額地代化する」といっている点は，不適切な説明である．差額地代の形成は，特別利潤を少しでも我がものにしようと個別産業資本が競争することで，意図せざる結果として発生するのである．

解説　利潤率均等化のために，差額地代が支払われるというのは明らかに思い違いである．「A の結果，B が生じる」とき，これを「B の要請に答えるために A が存在するのだ」と解釈する議論のたて方を「要請論」といい，しばしば論理的な誤まりを招く．利潤率均等化が実現しなくても，資本主義がただちに困難になるわけではない．部門間のバランスが崩れれば，在庫が増え流通費用が嵩むなどの理由から，個別資本の純利潤率の下方分散が進み，平均値が低落することはあるが，それがただちに社会的再生産の困難につながるわけではない．資本主義的市場における

132 (問題 205 頁)

解答 絶対地代

解説 10円未満の絶対地代がガソリン・エンジンのパテントに発生する．ガソリン・エンジンという条件には量的制限はないから，発生するのはすべて絶対地代である．もし，生産価格を90円に引き下げる電動モータが開発されれば，ガソリン・エンジンという条件は陳腐化し，かつての蒸気機関のように無地代になる．

133★ (問題 208 頁)

解答 120/8 万円でよい．

解説 ポイントは，投資単位100万円が独立して投下できる，という仮定の意味をよく理解することにある．B地を耕作する資本家は，100万円追加したときに，その独立した100万円で採算がとれるような生産価格になるまで，投下に踏み切ることはない．一般的利潤率を上げられる投下先は他にもあるはずで，個別資本としては，それ以上の超過利潤を期待して投下する．

(1) 100万円追加投資をすると (2) その結果，生産価格が240/16万円に変わり (3) 投下総資本200万円でちょうど一般的利潤率20%が上がるようになる，というのは，第2次投資の独立性を無視した推論上のミスである．

もし生産価格が240/16万円であれば，B地の耕作は特別利潤を生まないから差額地代は消滅する．そのとき，B地を耕作する資本家が追加投資100万円を控えれば，逆に240/16 − 120/9万円の特別利潤が手にはいる．追加投資を引きだすには，やはり生産価格が追加の100万円に対して，個別に平均利潤をもたらす120/8万円まで上昇する必要があるのである．この価格水準ではB1には120/8 − 120/9万円の特別利潤が発生する．もしB地の地代がこれより低ければ，地代を支払ってB地を借りたいという個別産業資本が押し寄せる．この特別利潤は差額地代として支払わざるをえないことになるのである．

第III篇・第2章

134★ (問題 215 頁)

解答 1. 1300円 2. 1180円以上 3. 1180円以下 4. 1225円 5. 1250円

解説 1.

$$\frac{(p_r - 1000\,[費用価格]) \times 1\,[生産量] - 100\,[流通費用]}{800\,[固定資本] + 100\,[流動資本] + 100\,[流通資本]} = \frac{20}{100}$$

より $p_r = 1300$ 円．

2.

$$\frac{(p_w - 1000\,[費用価格]) \times 1\,[生産量]}{800\,[固定資本] + 100\,[流動資本]} \geqq \frac{20}{100}$$

より $p_w \geqq 1180$ 円．

3.

$$\frac{(p_r - p'_w) \times 1\,[生産量] - 100\,[流通費用]}{100\,[商業資本]} \geqq \frac{20}{100}$$

より $p'_w \leqq 1180$ 円．

$p_w = p'_w$ で，このとき，産業資本は商業資本に流通過程を肩代わりしてもらっても，自分でやっても同じことになる．それは，産業資本が自ら販売した場合のマージン300円のうちから，流通過程を代位する商業資本に，120円渡すような価格である．

4. 純利潤率が，産業資本と商業資本で食い違うような売渡価格では代位関係を拒む．だから，

$$\frac{(p_w - 1000) \times 1\,[生産量]}{800\,[固定資本] + 100\,[流動資本]} = \frac{(p_r - p_w) \times 1\,[生産量] - 50\,[流通費用]}{100\,[商業資本]}$$

また，最終の販売価格は従来どおりだとすれば $p_r = 1300$．したがって，$p_w = 1225$ 円．このとき，両者の利潤率は25%に上昇する．

5.

$$\frac{(p_w - 1000) \times 1\,[生産量]}{800\,[固定資本] + 100\,[流動資本]} = \frac{20}{100}$$

より $p_w = 1180$ 円．

$$\frac{(p_r - p_w) \times 1\,[生産量] - 50\,[流通費用]}{100\,[商業資本]} = \frac{20}{100}$$

より，$p_r = 1250$ 円．流通費用の節約による効果は，最終の販売価格が下落することで，資本家社会全体に還元される．

135 (問題 216 頁)

解答 正しくない.

解説 この主張には，(1) 分離の発生の問題と (2) 分離の持続の問題が含まれている．

(1) 縮小代位という効果がないと，分離が発生しないということにはならない．効率化することが事前にわかっているときだけ，その状況が現実化すると推論するのは誤りである．個別産業資本のうちには，流通過程を押しだそうという動機と，流通過程に専業化しようという動機がある．商業資本が産業資本から分離すること自体は，これだけで説明できる．

(2) 分離した状況が持続するのは，縮小代位がみられる場合に限るかというと，これも誤りである．単純代位であっても分離状態は存続可能である．分化した結果が，明らかに不効率であることがわかれば，産業資本は自ら流通過程も担当する．しかし，どちらでも同じであれば，すなわち単純代位の場合には，必ず流通過程を取りもどさなければならないということはない．

(3) このように，「分化あるいは分業は効率化を促す」という命題が真であっても「効率化がなければ，分化あるいは分業はない」という命題は必ずしも真にはならない．一見対偶をなすようにみえるが，ここでの効率化範疇には排中律が妥当しない．効率化するか，しないか，いずれかに判別されるわけではない．「変わらない」という単純代位の場合が存在するのである．分化・分業は，とくに効率化を生まなくても，例えば，個別企業として資本規模の限界などからいくらでも発生する．$\mathcal{A}$ 産業と $\mathcal{B}$ 産業に資本が分かれているのは，同じ産業の内部に，多くの個別資本が存在するのと同じ原理である．要するに，くっついても離れても同じという場合が含まれるのである．

(4) 実は，商業資本による代位を，単純代位，縮小代位という概念で捉えることに，より根本的な困難がある．資本の流通過程は生産過程と対照的な不確定性をもつ．生産過程にみられるような効率性を流通過程に考えることには無理がある．偶然的に変動する要素に節約という概念を適用することはできないのである．

(5) さらに一般的にいえば，単純代位・縮小代位は商業資本に固有の問題ではない．ある資本が生産過程 P（例えば紡績）と生産過程 Q（例えば織布）とを一貫生産したり，あるいは P，Q どちらかに特化したりする場合にも広く妥当する．売渡価格は，P，Q 間の分割を調整する一般原理である．単純代位，縮小代位という考え方は，産業資本間の分業を説明するのにむしろ適している．この場合には，技術的な確定性にあり，縮小しているかどうかの判断が可能だからである．このようなタテの分業とは異なり，不確定な過程が分化したヨコの分業の考察では，この

区別は暫定的な類比という以上の意義を認めることはできない．

136 (問題 217 頁)

解答 不適切である．

解説 商業資本が，流通費用を投じて，たとえば時々刻々変化する，さまざまな商品の価格情報を調べたりするかたちで，「情報や知識」を収集・集積していることはたしかである．この収集を「生産」とよびたいのなら，本書の「生産」と定義は異なるが，そうよんでもよい．しかし，商業資本はこの情報を自ら営利活動に使う．収集を「生産」とよぶとしても，その「生産物」は自分で「消費」するのであり，「情報や知識」を生産物として「販売」するわけではない．もし，ただ手数料をとって市場の価格情報だけを提供するのであれば，この場合は「情報や知識」を「販売」したといってもよい．しかし，これは例えば宣伝用のビラを印刷する産業資本と同類であり，自ら資本を W に変え，その価格差に利潤の源泉を求める商業資本ではない．商業資本を調査会社や広告代理店と混同してはならない．

137 (問題 218 頁)

解答 1. 400 万円, 2. 200 万円

解説 1. 100 万円の商品在庫を W'，100 万円の貨幣準備を G で表すとしよう．A が 2 個同時に売れ，そのうち 100 万円で仕入れ，W' を生産する，$(W', W') \longrightarrow (W', G)$ となる月には，B のほうは $(W', G) \longrightarrow (W', W')$，となり，次の月には A と B の状態が入れ替わる．つまり，売れない月の仕入れをするために，予備の貨幣を 100 万円ずつ用意する必要がある．したがって，A，B 合計すると 400 万円の流通資本が必要となる．

2. 商業資本は A，B 両資本から毎月 100 万円の商品を買いそれを売ることになる．$(W', W') \longrightarrow (G, G) \longrightarrow (W', W')$ を繰り返すだけであるから，商業資本の額は 200 万円でよい．

販売期間が不確定であるという点は，この例では考えられていない．2 週に 1 回 (W', W') が必ず売れるという想定になっているが，それでも，個別資本は売れない週に備えて貨幣資本を準備する必要がある．このような貨幣準備は，販売期間が不確定の場合も基本的には同じように必要となる．商業資本は複数の流通過程を集中代位することで，つなぎのため貨幣を節減する効果を生むのである．

138 (問題 220 頁)

解答 社会的分業を構成する各産業部門に資本総量が配分されるのと同じ原理で，商業資本の総量がきまると考えるのは誤りである．

解説 例えば，自動車1台に，ハンドルなら1つ，タイヤなら4つといった具合に，最終生産物の構成がきまれば，各生産手段を生産する産業部門の規模は，技術的関係できまる．だが，この原理で，商業資本の規模がきまるということはできない．繰り返し述べてきたように，販売過程には技術的な基準がないからである．

だからといって，もちろん，社会全体の資本が商業資本だけになったり，産業資本だけになったりする，ということはない．極端に商業資本に偏れば，商業資本の利潤率水準が下がり，産業資本への転換が進むであろう．しかし，これもまだ正確な説明ではない．産業部門と商業部門を，それぞれ固定した部門のように考えて，資本の部門間移動を想定しているからである．商業資本は，産業資本の流通過程が分かれたものだった．だから，独立した商業資本の規模は，産業資本がどれだけ流通過程を外部に押し出すか，内部に抱え込むか，という要因によっても変わってくる．極端な単純化だが，全体としてみると，生産過程の投下された資本が200，流通過程の投下された資本が100であるとする．単純代位を想定すると，商業資本の分化により，産業資本が200，商業資本が100となるように思われる．しかし，産業資本が生産過程に200，流通過程に50投下しており，商業資本が50ということもある．この意味からも，どれだけの独立した商業資本が必要かは本質的に不確定なのである．

139★
（問題221頁）

解答 不適切である．

解説 商業信用で生じる債務が金銭債務であり，買った商品を返しても債務の返済にならないことはたしかだ．しかし，結果が金銭債務であるということは，原因が貨幣貸付であるということを意味するものではない．金銭債務自体は，貨幣の贈与の約束をしたとか，他人にケガを負わせたとか，さまざまな原因で発生する．

たしかに商業信用は，与信資本の側に貨幣準備の過剰が存在することを前提とする．しかし，この「現在の貨幣」は，与信資本が自分の生産に必要な原材料に支出するのであり，受信資本に貸されるわけではない．金銭債務の上限を画するのは，与信資本の保有する商品在庫の総額であり，その限度内で受信資本の側の商品在庫の販売予想額が「将来の貨幣」として与信額のベースになる．「貨幣貸借説」では，この「現在の貨幣」と「将来の貨幣」のズレの問題が説明できない．

「貨幣貸付説」の対をなす考え方は「商品貸付説」とよばれてきた．この説の存在意義は，「貨幣貸付説」が貨幣の支払いがなされるまえに，簡単に「商品自体は売れた」とみなしていることへの批判であり，その限りでは「貨幣貸付説」の限界を衝いている．しかし，このことを「販売代金を貸し付けたのではなく，まだ売れていない商品を貸し付けたのだ」というのは，モノを商品と混同する初歩的な誤

りだ．「商品を貸して貨幣を返す」などというのは，2.4.3 項の「貸借と売買」で述べた原理的な区別ができていない証拠で，「流通論」レベルでサボったツケというほかない．商品の貸借の可能性については，[問題 52] の解説にも当たってほしい．

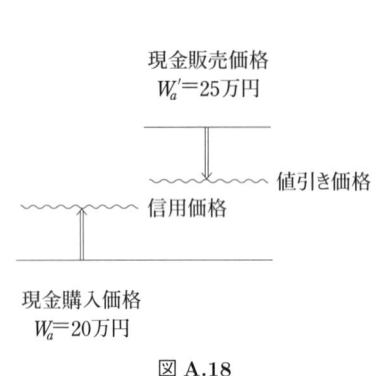

現金販売価格
$W_a' = 25$ 万円

値引き価格

信用価格

現金購入価格
$W_a = 20$ 万円

図 A.18

140★ (問題 223 頁)

解答 あくまで上限で，限りなく近づくわけではない．

解説 受信資本 a には値引きによる商品の自己販売という対処方法も残されている．与信資本 B が一方的に信用価格を引き上げれば，a はこの自力救済の道に走る可能性もある．この 5 万円すべてを機械的に現金価格に上乗せすることはできない（図 A.18）．

141★ (問題 224 頁)

解答 基本的に正しいが，与信額が 220 万円になるという推論は誤りである．

解説 与信期間の上限は基本的に与信資本の側の貨幣準備に依存する．与信額の上限は受信資本のマージンに依存する．

　与信額のベースになるのが，手持ちの現金 100 万円ではなく，在庫商品の価値 200 万円をベースにした信用価格を「創出できる」という点は重要だ．ただし，逆に手持ちの現金が 200 万円で，商品在庫が 100 万円の場合は，せっかく現金の余裕が 200 万円あっても，与信額の上限はそれ以下の 100 万円に「減殺される」．

142★ (問題 225 頁)

解答 基本的には正しい．

解説 流通費用は基本的に売り手の負担になる．与信に伴う独自の費用も，形式的には与信資本によって負担される．与信資本は「(信用価格 − 現金価格) × 信用販売数量」を追加的な粗利潤とする．信用調査費などの流通費用はこれによって賄われる．流通費用に支出する資本を追加的に必要とするわけではない．この額を控除した後に，追加的な純利潤が残る．しかし，これはあくまで形式上の議論で，信用価格の上昇を通じて，受信資本が実質的に負担していると考えることもできる．

143★ (問題 226 頁)

解答 正しくない．

解説 後払いだと現金販売より早く売れるように思えるのは，ちょっとした錯覚である．商品はたしかに早く持ち手を換えるが，支払はまだすんでいない．貨幣で売る場合と比較するのなら，債務が支払われた時点を基準に比べるべきである．そうすれば，商業信用は必ずしも現金販売に対して，個々の商品売買のレベルで，直接，販売期間を短縮するものではない．

商業信用の基本的な効果は，不確定な販売期間に備える準備金の額を全体として縮小する点にある．需要が強い部門では，この効果により，全体として，供給が弾力的に拡大されるのである．

144 (問題228頁)

解答 (1) の場合は，将来 W'_a が実際に生産的に消費される．B—A—X は同じ生産系列に属している．A, X 間の実需が反映されている点では，確実性は増す．また，B の生産物は，A を介してやがて X の原材料に変わってゆく．その点で B は X の将来の販売についても，ある程度，事情は掌握できる．B は「自分の属する生産系列が全体としてみると順調なのに，A が信用で買おうとしているのは，個別的なブレだろう，X が将来使う原材料を先取りして買っておくというのなら，信用してもよい」と考えるのである．しかし，このことは逆にいえば，同じ生産系列内の販売連鎖に依存しているという意味では「A だけではダメだが，X が保証するならよい」という決定的な違いはない．

これに対して，(2) の場合，売れ行きが好調な別の生産系列に依存できる．B は，自分の属する生産系列の状況から解放される．しかし，B にとって，そうした他産業の好調・不調を見きわめることは容易ではない．また，保証する X にとっても，直接取引のない A に対して保証を与えることは，特殊な事情がない限り，難しい．ましてや，将来に備えて A の商品を，生産在庫として買っておく，などということは，別の生産系列ではありえない．好不調の違いは，生産系列間でより強く現れるとすれば (2) を求める潜在的な要請はあるが，実現する条件は (1) に比べてより制限的である．

(3) の商業資本は，この制限を緩和する面をもつ．商業資本は，好調な部門の商品を集中的に買い取る．その点で (2) の側面を代理する．このような商業資本の活動を B が信用すれば，この商業資本に対して，A が信用で販売して商業資本の約束手形で B に支払うかたちが考えられる．このため，従来から，「受信のための与信」相手として商業資本が適切な面をもつといわれてきた．ただ，これは産業資本のなかから，まず，商業資本が分かれ，この商業資本から X のような資本が登場する，という意味では必ずしもない．

145★ (問題 236 頁)

解答 誤りである．

解説 一見すると，資金という商品 W を安い利子（＝資金の価格）で買って高い利子で売る G—W—G′ に還元できそうにみえる．しかし，銀行は与信資本から，資金を買って，それをそのまま受信資本に転売しているわけではない．銀行は，先に受信資本の商品在庫 W'_a の価値を，銀行の債務 Q' として，割り引いて現実化している．与信資本は，この銀行によって創出された「将来の貨幣」を，一部は銀行券など無利子の貨幣準備として，一部は有期預金など利子を生む債権として保有するのである．

146 (問題 239 頁)

解答

1. $r = \dfrac{20 \times 0.25 \times 10 - 20 \times 0.1 \times 10 - 20}{40} = 25\%$

2. $r = \dfrac{20 \times 0.25 \times 10 - 10 \times 0.1 \times 10 - (20+5)}{40} = 37.5\%$

3. $0.25 = \dfrac{20 \times i \times 10 - (20+5+5)}{40}$ より，$i = 20\%$．

147★ (問題 241 頁)

解答 下の表で，$\mathcal{P}$, $\mathcal{Q}$, $\mathcal{R}$ がそれぞれ全体に対してもつ債権は最右欄のプラス値，全体に対して負う債務は最下欄のマイナス値になる（図 A.19）．

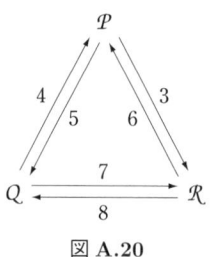

図 A.20 のような個別的な支払をおこなうかわりに，負組の $\mathcal{R}$ の口座額を $+10 - 14 = -4$ つまり 4 億円減らして 1 億円に，勝組の $\mathcal{P}$, $\mathcal{Q}$ の口座額をそれぞれ $+10 - 8 = 2$, $+13 - 11 = 2$ 万円増やして 7 億円にすればよい．三者ならまだ見通しはつくが，銀行の数がもっと増えると，個別的な支払は煩瑣きわまりないものになる．共通の銀行に預金をもち，その振り替えで一括処理するメリットがでてくる．

	$\mathcal{P}$	$\mathcal{Q}$	$\mathcal{R}$	
$\mathcal{P}$	0	4	6	+10
$\mathcal{Q}$	5	0	8	+13
$\mathcal{R}$	3	7	0	+10
	−8	−11	−14	

図 A.19

図 A.20

148
(問題 245 頁)

解答 このテキストも，どうやら終わりに近づいてきた．そろそろ，解答者の本音を少し述べておこう．

　債権の商品化は，取引の中味においては，一般の商品市場に比べても，より競争的な純粋な市場を実現する．しかし，その中味を入れる容器は，外的条件による非市場的なバックアップを不可欠とする．そして，外的条件を動員しながら，債権を証券として売買する債券市場が発展すると，産業資本の内部から形成される長期の資金だけではなく，地代，その他さまざまな収入やその源泉となる私的財産も，利子収入や債券価格の変動による利得を求めて流入する．こうして社会的再生産の外部に広がる社会生活の場が，利得追求に引き込まれ変容してゆくのである．

　ここに，開口部に独自な二重性が現れている．二重の輪を頭のなかに描いてほしい．内側の輪の内部では，商品経済的な行動が徹底する．しかし，それは輪と輪の間の領域で，逆に法制度や公権力をバックにした規制や管理が強まることとタイアップしている．市場の要因が強まれば，非市場的な要因が弱まるといった排他関係には必ずしもない．はじめ，同じ灰色の地に隠され，二重の輪は見分けにくい．だが，外側が黒くなればなるほど，内側は白くなるという変容を示す．はじめからすべて黒に塗りつぶし，「ブラックボックスには，さまざまな非市場的な要素が入る．それが資本主義の多様な類型を生みだすのだ」とみてはいけない．単純に競争を排除し，独占的組織によって生産を調整するとか，中央当局の計画によって統制するとかいった場合と，債券市場の環境を整備するために，法制度や慣習的な取り決めが強化されるといった場合とでは，外的条件の動員といっても意味が異なる．両者を一律に「原理論の考察対象から除外すべき」ではない．たしかに，後者の場合も，原理論では外的条件を特定した分析はできない．ただ，そこには外的条件が動員され，それを通じて，商品経済的な行動が拡充する開口部があることまでは，理論的に推論できるのである．

　最後に，もう一つ注意しておこう．外的条件を動員して発達する債券市場を，原理論で積極的に説明すべきだ，と主張していると誤解しないでほしい．債権市場は，一般の商品市場に比べて，あくまで外的条件に依存した特異な市場である．商業資本も商業信用も，原理論の本体は，個別主体の動機と行動で説明できる関係を中心に構成されている．これに対して，債券市場などは，原理的に説明しやすいのではなく，しづらい関係である．だからまた，資本主義に恒常的に形成されるとはいえない．それは外的条件が整った特殊な環境のもとで，しかも部分的に現れるにすぎない．ただひとたび，こうした関係が成立すると，それは既存の市場では手が届かなかった，外部の資産を市場の内部に呼びこみ変容させるパワーを発揮するの

である．

このあたりが，開口部で強調してきたミソである．

149 (問題250頁)

解答 資本主義を主語において考えると，(1) のように，資本主義を成りたたせる必須な要素がある．これに対して，(2) のように，必須ではないが，可能性として発生する要素もある．(1) のような必須な要素だけで構成された資本主義像を本質と規定し，(2) を不純な要素と位置づけることもできる．しかし，それでは資本主義の変容を理論的に捉えることはできない．(2) のような要素は，商品経済に発生する動力をもちながら，それ自体の力では始動できない．そのため，外的条件をそこに呼び込む力をもった開口部を形成する．株式市場も，その意味で，さまざまな制度によって枠づけられてはじめて可能となる，人為的だが，純粋な市場である．(2) の成立には外的条件が必要になるが，成立した中味においては (1) の要素に反するものではない．これに対して，(3) 小農民を保護するために政府が価格を統制したり，財政規模を拡大して経済活動の広い部面を国家の管理下におく，という場合もある．これは外的条件が導入されるという意味では，外見は (2) と共通だが，結果においては逆の方向を示す．(2) は (1) と共通するが，(3) は (1) を抑制することになる．同じく外的条件の作用が強まるようにみえても，(2) と (3) はこの点はっきり区別する必要がある．このテキストで強調した開口部は (2) であり，原理的に呼び込む力を導出できない (3) は開口部とはいわない．

第III篇・第3章

150 (問題255頁)

解答 歴史過程としての景気循環そのものは，恐慌も含めて，原理論で明らかにすることはできない．しかし，景気循環論を相と相転移という論理次元におき，原理論として展開することは可能である．歴史過程としての景気循環は，時代とともに変容する．こうした変容を解明する分析手段として，景気循環の理論は，再構築される必要がある．

151 (問題258頁)

解答 個別資本が独立に競争している状態では一般に成り立たない．

解説 利潤には，資本家の個人的消費にまわされる部分も含まれている．しか

し，利潤量が増大すると，この部分が比例的に増大するというわけではない．資本家は，利潤が多いと贅沢をし，少ないと節約するというわけではない．資本家の私的消費は，基本的には固定した額と考えてよい．すると，利潤率が増大し，利潤量が増えれば，蓄積率（蓄積額÷利潤額）は高まり，資本の総額は増大してゆく．その結果，再生産の規模は，一般に，一定の比率で累増してゆくと考えられる．少なくとも，利潤率の動向に合わせて，蓄積率が増減するといった原理ははたらかない．また，利潤率が低下すると資本蓄積の意欲が衰え，その分が貨幣蓄蔵にまわるようになるといったことも考えられない．互いに競争関係にある個別資本家が，自己の利潤率を目安に，それが下がれば追加投資を控えるといった行動をとると考えるのは誤まりである．

152★ （問題259頁）

解答 1. 10％の場合：図A.21の(1)，7％成長の場合：図A.21の(2)，2. 一般的利潤率は傾向的に低下する．

解説 1. 純生産が一定率で増大するということは，指数関数的に尻上がりに増大することを意味する．10％の場合，n年後の$c+v$の値は，$1000\times(1+0.1)^n$となる．$\frac{v+m}{c+v}=0.5$が維持されるなら，$v+m=0.5\times1000\times(1+0.1)^n$．2. 直線的に増大している100兆円定額増のケース（図A.21の(3)）は，利潤率が傾向的に低落している．分母が1000，1100，1200と毎期100兆円ずつ増加するのに，分子は100兆円に固定されているのだから，当然の結果である．一般に右上りの直線は，増加率の低落を意味する．量は増大しながら，率が低落することがある点は，景気循環を考えるとき，念頭におく必要がある．

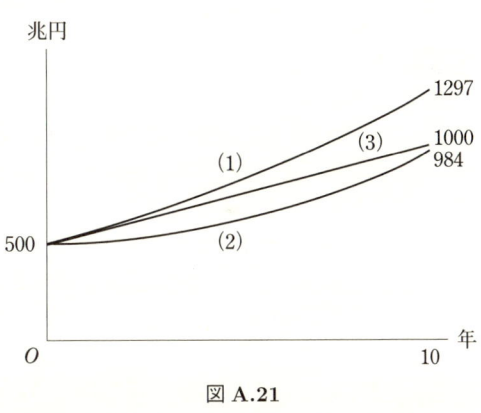

図A.21

153 （問題262頁）

解答 実質賃金率w/pの高低ではなく，実質賃金の総額$(w/p)\times T$が判断の基準．

154 （問題269頁）

解答 誤りである．

解説 すでに説明したように，利子率の水準そのものは，資金に対する需給関係できまるわけではない．それは銀行資本の利潤率を媒介にしてきまる．利子率が上昇した事態を，資金に対する需要が供給を上回ったといってみても，それは単なる「言い換え」で，「説明」にはならない．

問題は，このような需給説では利子率の急騰が説明できないところにある．需給関係を仮にとるとすれば，そこから導かれるのは利子率の漸増であり，好況から不況への転換点にみられるような利子率の急騰は説明できない．急騰を引き起こすのは，銀行を媒介とする信用機構が麻痺し，銀行の利潤率を媒介に一般的利潤率に連動していた基準となる利子率水準が，その規制力を喪失し，資金の価格としての利子率が浮動することによる．

155 （問題269頁）

解答 誤りである．

解説 この説明の誤りの根本は，利子率を利潤率と並ぶ，もう一つの資本の増殖率と考えているところにある．利子率は資金の価格であり，資本の増殖率を意味するものではない．仮に利子率が利潤率を上回ったとしても，資金の借り入れは貨幣資本の不足を部分的に補足するだけで，投下資本全体に関わるものではない．大きな比率で固定資本を投下している産業資本の場合，流通資本の不足から生産を停止し固定資本を遊休させることの損失を回避するために受信を継続することもある．利子率が利潤率を上回ったからといって，資本はけっして生産を停止しなければならないわけではない．利潤率がプラスであるかぎり生産の継続に問題はなし，一時的にマイナスになっても，すぐ倒産するわけではない．赤字額は投下資本額を減じることでカバーできる．固定資本を抱える資本は，投下資本額を一挙に貨幣化することはできない．赤字であっても操業を続け，固定資本価値の回収をはかることはある．上昇する利子率と下落する利潤率が交叉した時点で，恐慌が発生するというのは，第1次的な接近としても誤りである．

最後の問題になりそうなので，贅言を付す．黒板に，利潤率を表わす右下りの曲線と，利子率を表わす右上りの曲線を描き，右下り，右上りになる理由を解説した後，両者の交点に恐慌と書く．この点で，生産に資本を投下する意味がなくなり，恐慌が発生するといって終わりにする．この種の説明は，一見「わかりやすい」だけに始末が悪い．その誤りをきちんと説明しようとすると，その説明が「わかりにくい」ものとなってしまう．ここで閉口して，そんな「わかりにくい」説明より，

最初の「わかりやすい」説明でザックリゆけばよいではないかと思う気持はよくわかる．ここまでついてきた読者は，何度となく，そう思ったはずだ．だが，学問は「やすい」「にくい」の世界ではない．真偽を難易にすり替えてはならない．「わかりやすい」で満足できるのは，「ダマされる」ことと「わかる」ことの違いが「わからない」からだ．それなら，何も「わからない」ほうが，まだマシかもしれない．これが解答者の最後のメッセージだ．そして，このメッセージは「どこかヘンだ」とさっそく疑いはじめたあなたは，そろそろ本書を卒業する潮時だろう．

おわりに

　「おわりに」をはじめに読む人は多い．「はじめに」と「おわりに」があれば，両方読んで文字通り終わりにする人もいる．かくいう私もその口だ．いわんや，最初に経済原論のテキストだと断っている．マルクス経済学を一通り勉強したことのある人なら，ふつう，中味まで読む気にはなるまい．「最近じゃ，めずらしいな」とふと手にして，最初に目をやるのがここだろう．実は「はじめに」から読んでくれた学生諸君には，「解答」の最後で別辞を告げたばかり，もうここには残っていないはずだ．この「おわりに」はむかしマルクス経済学を学んだことのある方々に向けて書こうと思う．

　そこでいきなり質問，ご存知のマルクス経済学は「資本主義は変わったか」という問いに，どのような「答え方」をしてきたのか？ 急にいわれても……というのはごもっとも，しばらく，かつて学んだ原論を思いだしていただくとして，その間に，もう少し質問の意味を説明しておこう．マルクスなら，資本主義が変わるといえば，それは社会主義に変わること以外ない，というだろう．乱暴にいえば，資本家と労働者の階級対立がエスカレートして革命が起こる，というシナリオである．ところが現実は，そのまえに，資本家どうしが対立し戦争に突入してしまった．これは，自由主義段階の資本主義から，帝国主義段階の資本主義へ，資本主義の性質が大きく変わったせいだ．この認識が「マルクスの経済学」から「マルクス経済学」への飛躍だったと私は考えている．飛躍かどうかはともかく，「マルクス経済学」の原論は，生まれながらにして，資本主義の歴史的変容を解明する理論なのだ．

　というと「そんなことはない，『資本論』では個別資本の集中・集積を説いている．その結果が，独占資本＝帝国主義，さらに高次化したのが国家独占資本主義だ．基本は『マルクスの経済学』ですべて説明できている」という人もいるだろう．たぶん「マルクス主義経済学」のほうを学んだ人だ．そう教えた先生方は，資本主義は『資本論』を始発駅にして，同じレールのうえを突き進んでいると考えているので，およそ屈折というものを知らない．競争的資本

主義→独占資本主義→国家独占資本主義……と変わったといっても，それはイナダがハマチ，ハマチがブリ，と名を変えただけで中味は変わっていない．残念ながら「マルクス主義経済学」では，資本主義自身のダイナミックな歴史的変容はわからないのだ．……と聞いて「要するに正統派と宇野派の話がしたいだけでしょう」とわかる人はセミプロだ．

　それで先ほどの質問に戻ると，この資本主義自身の歴史的変容に関して，これまでの「マルクス経済学」の原論はだいたい次のような「答え方」をしてきたのではないか．「現実の資本主義は変わった．しかし，それでも資本主義であることに変わりはない．経済原論は，現実の資本主義が変わっても変わらない純粋な資本主義を明らかにするものだ．この純粋な資本主義を基準にして，現実の資本主義の歴史的変容や多様性もはじめて分析できるのだ」と．現実の資本主義がどんなに変わっても，原論の描く資本主義は変わらない．だってやはり資本主義なのだから……というのは，なにかイソップ物語の「酸っぱいブドウ」の話を思いだして，ちょっと切ない．それでも，現実の資本主義が純粋資本主義からますます乖離し続けるというのなら，まだ神棚にでも飾っておけば多少の御利益はあろう．ただ，こういう原論なら一度やれば沢山，どうせ現実には関係ないのだから．

　しかし，現在，資本主義は19世紀末を凌ぐ大転換に再度遭遇している．一度ならず，こうした歴史的変容を引きおこすのは，資本主義の本性のうちにその因子が潜んでいるためではないか．この経済原論は，こうした問題意識に導かれて，「変わる」という述語に対して，主語たりうるような「資本主義」の原理像を実地で再構築しようとしている．「現実の資本主義は変わるが，原論の資本主義は変わらない」とつぶやいて，手の届かなかったブドウを諦めるのではなく，「資本主義が変わる」という文がちゃんと成りたつ経済原論を目指してジャンプしてみた．ブドウは，食べてみなければ酸っぱいか甘いか，わからないのだから．どうも話がウマすぎる，そんな原論なんてホントに「有り」か……とお疑いなら，ダマされたと思って（本気でダマします）中味を読んでみてください．

＊　　　　　　　＊

　本書のもとになったのは，1984年から東京大学教養学部駒場キャンパスで，

ほぼ毎年担当してきた「経済原論」（経済学部）と「経済学原理」（法学部）という講義である．これから何かを真剣にわかろうとしている学生に，わかる話ができるかどうか，どんなによくできた理論でも1から，あるいはゼロに戻って，こういう人たちに伝えられない限り原論として失格だと，手を変え品を変え語りかけ「実験」を重ねてきた．少しは面白い話ができたかどうか，お金を払って実験台になってくれた皆さんに，まずお礼を申し上げたい．

　講義に実験材料を提供してくれたのは，大学院生の皆さんだった．私は夏が来るのが怖かった．長い夏休み，大学院の演習がないと，途端に抽象的な思考ができなくなるのだ．私は演習の場で，できかけのアイデアを顔見知りの院生に批判してもらうことで，やっとそれを，名も知らない数百人の学生に話せる内容に仕立てることができたのだ．かつていっしょに大学院で過ごし，今日までことあるごとに議論におつきあい願っている友人の皆さんからも，いろいろ実験器具をお借りした．借りっぱなしのものもある．これらの方々にもお礼申し上げなくてはならない．「こんなテキスト，どうでしょうか」と怖ずおず差しだした私に，「是非ウチでやりましょう」とポンとハズミをつけていただいた東京大学出版会の大矢宗樹さんにも感謝申し上げる．

2009 年 11 月 11 日

小 幡 道 昭

索 引

頁数の太字は，用語の定義が記載されている箇所を示す．

あ
後払い　138
表す　35, 50

い
生きた労働　→労働
意識　106
一物一価の法則（law of one price）
　　55, 87, 245
一覧払い　235
一般的価値形態　→価値形態
一般的等価物　→等価物
一般的富　→富
一般的利潤率　→利潤率
イデオロギー（Ideologie）　**25**, 153, 173, 202, 312, 315, 319
イニシアティブ　51, **52**, 287
入れ子　116

う
運動体　**82**
運動論　254
運輸費（Transportkosten）　**186**

お
同じ　281

か
階級（Klasse）　**153**
階級関係　**153**
階級社会　**156**
開口部　**47**, 131, 139, 153, 204, 211, 243, 305, 324, 349, 350
外注　91
外的条件　40, 47, 87, 123, 204, 240, 309, 349
回転期間（Umschlagszeit）　**86**
回転数（資本の）（Umschlagszahl）　**86**
価格（Preis）　**43**
価格形態　→価値形態
価格の実現　→実現
価格の度量基準　→度量基準
価格ベクトル　**159**
拡大再生産（erweiterte Reproduktion）　**166**, 177
拡大された価値形態　→価値形態
下向序列　**207**
家産　**80**
貸倒準備　**232**
貸出利子　→利子
家事労働　**312**
型づけ（casting）　**136**, 172, 265
価値（Wert）　29, 32
価値価格（Wertpreis）　**194**, 334
価値形態（Wertform）　**32**, 280
　一般的価値形態（Allgemeine Wertform）　**41**
　価格形態（Preisform）　**43**
　拡大された価値形態（entfaltete Wertform）　**39**
　貨幣形態（Geldform）　**43**
　簡単な価値形態（einfache Wertform）　**36**

索引　359

個別的価値形態（einzelne Wertform）　56, 287
相対的価値形態（relative Wertform）　32
等価形態（Äquivalentform）　32
価値実現　→実現
価値実体（Wertsubstanz）　30, 280
価値尺度（Wertmaß, measure of value）　50
価値増殖（Verwertung）　81
価値対象性（Wertgegenständlichkeit）　33
価値どおりの価格（Wertpreis）　→価値価格
価値の大きさ　→価値量
価値の姿態　81
価値の不可知性　→不可知性
価値表現（Wertausdruck）　32, 50
価値物（Wertding）　281
価値量（Wertgröße）　30
過程　101
稼働率　259
過度的差額地代　→地代
金貸資本的形式　→資本形式
株価　248
株券　→株式証券
下部構造　110
株式市場　248
株式資本　247
株式証券　247
貨幣（Geld）　41
貨幣貸付説　221
貨幣価値（Geldwert）　60
貨幣恐慌　→恐慌
貨幣形態　→価値形態
貨幣資本　184
貨幣商品（Geldware）　44, 285
貨幣数量説（quantity theory of money）　294
貨幣性　44

貨幣賃借説　345
貨幣単位　42
貨幣蓄蔵（Schatzbildung）　63
貨幣取扱資本（Geldhandlungskapital）　238
貨幣取扱費　255
貨幣の度量基準　→度量基準
貨幣表券説（chartalist theory of money）　47
貨幣名　→貨幣単位
貨幣利子　→利子
貨幣流通（Geldumlauf current）　56
可変資本（variables Kapital）　161
下方分散　69, 191, 195, 260
カラダ（生物の）　13, 98
為替手形　227
変わる　274
環境（environment）　254
間接交換　38
完全オートメーション　312
簡単な価値形態　→価値形態
元本　74

き

機械（Maschine, Maschinerie）　131
機械制　127
機械体系（Maschinensystem）　131
起源　3
期限の定めのない債務　→銀行
機構化　197
技術（Technik）　119
擬制　24, 105
技能　→熟練
規模の経済　116
基本構造　→構造
客体（object）　21
協業（Kooperation）　111
分業に基づく協業（die auf Teilung der Arbeit beruhende Kooperation）　111, 315

360　索引

単純協業（einfachen Kooperation）　**111**, 315
恐慌（Krise）　**257**
　　貨幣恐慌（Geldkrise）　257
　　産業恐慌（Geschäftskrise）　**266**
　　商業恐慌　267
　　信用恐慌　268
　　中間恐慌　257
強制通用力（Zwangskurs）　**72**
競争（Konkurrenz）　190
競争心（Wetteifer, emulation）　**114**, 313
共同所有　→所有
共有　→所有
金　283, 335
金貸資本的形式　→資本形式
金貨幣　45
銀行（Bank）　**233**
　　銀行業資本（Bankier）　**233**
　　銀行券（Banknote）　**235**
　　銀行資本（Bankkapital）　**233**
　　銀行信用（Bankkredit）　226
　　銀行の利潤率　→利潤率
　　銀行の貸出利子　→利子
　　銀行の銀行　243
　　銀行の債権　233
　　銀行の債務　233
　　銀行の預金利子　→利子
　　期限の定めのない債務　**234**
　　中央銀行　243
　　発券銀行　235
　　有期債務　235
金銭債権　71
金属貨幣（metallische Geld）　45
金本位制（gold standard）　50
金利　→利子

く

偶然的価値形態（zufällige Wertform）　→簡単な価値形態

具体的有用労働　→労働
グローバリズム　6

け

系（system）　97, 253
経営様式（Betriebsweise）　110
景気　253
景気循環（industrilles Zyklus）　**253**
経済原論（Principles of Political Economy）　**1**
経済性の原則　→節約原理
計量　50
結合資本（konbinierter Kapitalist, assoziierte Kapitalist）　**80**, 246
結合生産　**143**
決済　71
原価（cost price）（費用価格）　**84**, 186
現金　232
原始的蓄積（資本の）（ursprüngliche Akkumulation des Kapitals）　**158**, 165

こ

交換価値（Tauschwert）　29, **32**, 43
交換性　29, 279, 287
交換比率　→交換価値
交換力　30, 287
交換を求める形態　35
恒久的土地改良　210
好況（prosperities）　256
工場制　4, 126, **135**
工場制手工業　→マニュファクチュア
工場内分業　→作業場内分業
構造（structure）　**15**
　　構造論　254
　　基本構造　65
　　変位構造　65
購買期間（Kaufzeit）　183
購買力（purchasing power）　61

後発資本主義国　　→資本主義
合目的的　　→目的意識的
効用　　26, 28, 58, 279
国際通貨　　43
個人資本家　　80
個人的所有　　→所有
個数賃金　　→出来高賃金
個体的所有　　→個人的所有
国家紙幣（Statpapiergeld）　　47
国庫　　243
固定資本（fixes Kapital）　　184
古典的帝国主義　　5
個別産業資本　　183
個別的価値形態　　→価値形態
個別的利潤率　　→利潤率
ゴミ　　27, 312
コミュニケーション　　102, 109, 132

さ

財（goods）　　278
債券　　245
債券市場　　245
在庫（Vorrat）　　66
再生産（Reproduktion）　　142
　　　再生産可能　　145
再生産表式　　176
債務保証　　228
最劣等地にも生じる差額地代　　→地代
再割引　　242
差額地代　　→地代
差額地代の第1形態　　→地代
差額地代の第2形態　　→地代
先物　　302
作業場内分業　　→分業
搾取（Ausbeutung, Exploitation）
　　　161, 334
査定　　136
三角貿易　　88
産業革命　　4
産業恐慌　　→恐慌

産業資本的形式　　→資本形式
産業循環　　→景気循環
産業予備軍（industrielle
　　　Reservearmee）　　172, 260
産出　　102
産出ベクトル　　145
三段階論　　3

し

時間賃金　　→賃金
指揮監督労働　　115, 313
資金　　73
自己増殖（Selbstverwertung）　　80
資産　　35, 42, 54, 232, 268, 296
市場価値（Marktwert）　　198
市場社会主義（market socialism）
　　　296
市場生産価格　　198, 338
システム（system）　　13, 47, 98, 132,
　　　254
自然過程　　101
自然環境　　143, 209
自然形態（商品の）　　→商品体
自然的属性　　→属性
自然のたまもの（gift）　　152, 312
姿態　　305
姿態変換（Formwechsel）　　81, 309
実現（Realisierung）　　51
　　　価格の実現（Realisierung des
　　　　　Preises）　　51
　　　価値実現　　50, 51, 58
実質賃金率　　260
私的個人　　24
私的所有　　→所有
自動　　108, 122, 131
自動制御　　14
支配　　24, 89, 247
支配証券　　247
支配労働量　　→労働量
支払手段（Zahlungsmittel）　　71

支払準備 **232**, **235**
資本 (Kapital) **80**
資本移動 (Kapitalwanderung) **190**
資本形式 **87**
 金貸資本的形式 **87**
 産業資本的形式 **87**
 商人資本的形式 **87**
資本構成 (Zusammensetzung des Kapitals) **167**
資本市場 →株式市場
資本主義 (capitalism) **110**, **123**, **158**, **165**, **307**, **309**
 後発資本主義国 **4**
 資本主義の起源 **10**
 資本主義の純化傾向 **6**
 資本主義の不純化 (Verunreinigung) **8**
 自由主義段階 **4**
 重商主義段階 **3**
 重商主義的資本主義 **307**
 純粋資本主義 **6**, **317**
 先発資本主義 **4**
 帝国主義段階 **4**
資本主義的生産編成 (kapitalistische Produktionsweise) **158**
資本主義的生産様式 **110**
資本主義的蓄積 (kapitalistische Akkumulation) **165**
資本蓄積 (Akkumulation des Kapitals) **165**
資本投下 (Kapitalanlage) **80**
資本による包摂 →包摂
資本の回転数 →回転数
資本の原始的蓄積 →原始的蓄積
資本の浸透 →浸透
資本の多態性 →多態性
資本の多様性 →多様性
社会的再生産 **142**
社会的生産 **144**
社会的分業 →分業

社会的平均的必要労働 **280**
借地農業者 **3**
奢侈品 (Luxusartikel) **327**, **335**
種 **31**
私有 →私的所有
自由主義段階 →資本主義
重商主義段階 →資本主義
重商主義的資本主義 →資本主義
集団力 (Massenkraft) **112**, **172**, **313**
自由鋳造 **284**
重農学派 (physiocracy) **312**
自由放任 (Laissez-Faire) **4**
収斂説 **8**
縮小代位 **216**
熟練 (技能) **119**
熟練労働 (geschickte Arbeit) **137**
主語 **22**, **33**, **81**, **273**
手工業 (Handwerk) **127**
受信 **71**
 受信のための与信 →与信
主体 (subject) **21**
主体性 (労働者の) **133**
出資 **81**
取得 **152**
取得費用 **84**
需要 **58**
純化傾向 →資本主義の純化傾向
純粋資本主義 →資本主義
純粋な流通費用 (reine Zirkulationskosten) **186**
純生産物 (net product) **142**
純生産ベクトル **145**
純利潤 →利潤
純利潤率 →利潤率
使用価値 (Gebrauchtwert) **26**, **29**
 他人のための使用価値 (Gebrauchtwert für andre) **27**

償却資金（Amortisationsfonds）
　　184
商業恐慌　→恐慌
商業資本（Handelskapital）　214
商業資本の利潤率　→利潤率
商業社会（commercial society）　8
商業信用（kommerzieller Kredit）
　　221
商業労働（kaufmännische Arbeit）
　　129, 312
証券市場　248
上向序列　207
状態（state）　2, 14, 253, 295
商人（Kaufmann）　95
商人資本（Kaufmannskapital）　214
商人資本的形式　→資本形式
消費（Komsumtion）　102
商品（Ware）　29
商品貸付説　345
商品貨幣説（commodity theory of
　　money）　44, 285
商品経済的富　→富
商品資本　184
商品体（Warenkörper）　27
商品流通（Warenzirkulation,
　　circulation）　56
　　単純な商品流通（einfache
　　　　Warenzirkulation）　95
上部構造　110
情報　94, 217, 229, 344
情報通信技術　112, 228, 235
剰余価値（Mehrwert）　159
剰余価値率（Rate des Mehrwerts）
　　161, 326
剰余生産物（Mehrprodukt）　153
剰余労働時間（Mehrarbeitszeit）
　　159
ジョブ数　170
所有（Eigentum）　23
　　共同所有（Gemeineigntum）　277

共有　277
個人的所有（individuelles
　　Eigentume）　24
私的所有（Privateingtume）　24,
　　301
自立的　4
身体（人間の）　24, 101, 106, 120,
　　318
死んだ労働　→労働
浸透（資本の）　309
信用価格　70, 223
信用貨幣（Kreditgeld）　47, 292
信用恐慌　→恐慌
信用調査費　225
信用売買　70, 220, 286

す

ストック（stock）　85
スミス的効果　→分業

せ

生活過程　154
生活手段　→生活物資
生活水準　154
生活物資（Lebensmittel）　152
生産（Produktion）　102
生産価格（Produktionspreis）　194
生産過程の流通過程化　91
生産期間（Produktionszeit）　142,
　　183
生産技術　147, 151
生産資本（produktives Kapital）
　　184
生産手段（Produktionsmittel）　142
生産諸条件
　　（Produktionsbedingungen）
　　143
生産性（労働の）（Produktivität der
　　Arbeit）　→生産力
生産的　142, 145

生産的消費 **145**
生産的労働（produktive Arbeit） **148**
生産様式（Produktionsweise） **110**
生産力（労働の）（Produktivkarft der Arbeit） **164**
正則 **297**
セイ法則（Say's law） **295**
世界貨幣（Weltgeld） **43**
世界商品（staple commodity） **89**
絶対地代　→地代
絶対的剰余価値の生産（Produktion des absoluten Mehrwerts） **163**
節約原理（経済性の原則） **148**
専業化 **232**
全体 **11**, **253**
全体的価値形態（totale Wertform）　→拡大された価値形態
先発資本主義　→資本主義
全般的物価騰貴 **267**

そ

層 **12**
相（phase） **255**
相対的過剰人口（relative Übervölkerung） **170**
相対的価値形態　→価値形態
相対的剰余価値の生産（Produktion des relativen Mehrwerts） **164**, **327**
相転移（phase transition） **256**
相場 **68**
造幣局（mint） **284**
属性 **22**
粗生産物（gross product） **142**
ソビエト連邦 **5**
粗利潤　→利潤
粗利潤率　→利潤率
ソ連型社会主義 **296**

た

代位 **214**
体系（system） **15**
大工業（große Industrie） **126**
対象（object） **21**
対象化された労働　→労働
代理物 **45**
多態性（資本の）（polymorphism） **87**
他人のための使用価値　→使用価値
多様性（資本の） **87**
単価（unit price） **44**
単純協業　→協業
単純再生産（einfache Reproduktion） **165**, **176**
単純代位 **216**
単純な商品流通　→商品流通
単純労働（einfache Arbeit） **137**

ち

力 **9**
蓄積率（Akkumulationsrate） **166**, **328**, **351**
蓄蔵　→貨幣蓄蔵
蓄蔵貨幣（Schatz） **63**, **253**
知識 **21**, **217**, **301**, **344**
地代（Gruntrente） **198**, **201**
　過渡的差額地代 **205**
　最劣等地にも生じる差額地代 **207**
　差額地代（Differentialrente） **203**
　差額地代の第1形態 **207**
　差額地代の第2形態 **207**
　絶対地代（Absolute Grundrente） **204**
　独占地代（Monopolrente） **205**
致富（Bereichung） **64**
中央銀行　→銀行
鋳貨準備金（Reservefonds von Münze） **62**, **295**

索引　365

中間恐慌　→恐慌
抽象的人間労働　→労働
超過利潤　→利潤
直接的生産物交換（unmittelbare Produktenaustausch）　57
著作権　301
賃金（Lohn, wage）　133
　　時間賃金（Zeitlohn）　134
　　賃金形態　134
　　賃金制度　134
　　賃金率（wage rate）　134
　　出来高賃金（Stücklohn）　135
賃貸借（rental）　73
賃料（Rente, rent）　73, 133, 201

つ
通流　→貨幣流通

て
帝国主義段階　→資本主義
出来高賃金　→賃金
デノミネーション　285
転化（Verwanderung）　82
転売（resale）　76, 79, 214, 249, 348

と
投下　89
等価　281
等価形態　→価値形態
等価物（Äquivalent）　32
　　一般的等価物（allgemeine Äquivalent）　41
投下労働価値説　334
投下労働量　→労働量
投機　266
当座預金　235
投資　→資本投下
同質性　280
同種　281
投入　102

投入ベクトル　145
特参人払い　235
独占地代　→地代
特別利潤　→利潤
独立小生産者　315
土地合体資本　→土地資本
土地資本（la terre-capital）　210
特化　214, 233
富（Reichtum）　35, 64
　　一般的富　64
　　商品経済的富　35, 65, 79, 249
取引所（Börse）　245
度量基準（Maßstab, standard）　42
　　価格の度量基準（Maßtab der Preise, standard of price）　43, 49
　　貨幣の度量基準（Geldmaßtab, standard of money）　42
度量標準　→度量基準
問屋制家内工業（Varlagssystem）　135

な
内製化　91

に
二重価格　90

ね
ネオリベラリズム　6
値付け　51
値引き　68

は
廃棄物　143, 312
配　246
量る　50
発見　202
発券銀行　→銀行
発展段階　2, 7

パテント　202
バベッジ的効果　→分業
販売期間（Verkaufszeit）　67, 171, 184, 214
販売代位　82
汎用性（労働力の）　107

ひ

必要労働時間（notwendige Arbeitszeit）　159
等しい　281
評価　29, 51, 287
費用価格（Kostenpreis）（原価）　186
表現　50, 60, 282
標準形　264

ふ

フィアット・マネー（fiat money）　47
フェティシズム（Fetischcharakter）　39
不可逆性　51, 52
不可知性　61
　価値の不可知性　79
不況（depressions）　256
複雑労働（komplizierte Arbeit）　137
福祉国家体制　5
複製　22
不熟練労働　137
物価（prices）　61
物価指数（price index）　61, 294
物品貨幣　45
物々交換（barter）　57, 289
物量　26
不変資本（konstantes Kapital）　161
フロー（flow）　85
プロレタリアート（Proletariat）　3
分化　217
分化・発生　297

分業（Teilung der Arbeit, division of labour）　117, 213
　作業場内分業（Teilung der Arbeit innerhalb einer Werkstatt）　118
　社会的分業（gesellschaftliche Arbeitteilung）　118
　スミス的効果　128
　バベッジ的効果　128

へ

平均利潤　→利潤
変位　→構造
変形　58, 65, 226, 264, 297
変種　91
変身（Verwanderung）　52, 82
変態（Metamorphose）　82
変容　2, 7, 9, 349

ほ

法貨（legal tender）　72, 243
包摂（Subsumtion）（資本による）　309
法則性　101
保管費（Aufbewahrungskosten）　92, 186
保険　233
補語　22, 33
保蔵（hoarding）　63
補塡　152
本源的自然力　201
本源的弾力性　154
本源的蓄積（資本の）　→原始的蓄積

ま

マージン（margin）　84, 188, 193, 215
前貸（Vorschuß）　80
マニュファクチュア（Manufaktur）　126

め
メカニズム（mechanism） 12, 132

も
目的意識的（zweckmäßig） **103**, 110, 120
持ち手変換 57
モノ 1, 21
模倣 115, 190

や
約束手形 228
夜警国家（night watch state） 4
安上がりの政府（cheap goverment） 4

ゆ
唯物史観 110
有価証券 245
有期債務 →銀行
有限責任（limited liability） 247
有効需要（effective demand） **58**, 64
有用性（Nützlichkeit） 23
輸送費（Transportkost） 94

よ
要請論 340
預金（Depositen） 234
　　預金利子 →利子
欲望 36
余剰（surplus） 64, 142
与信 71
　　受信のための与信 227, 299
欲求 37

り
利子（Zins） 74, 236
　　貨幣利子 74
　　銀行の貸出利子 236, 237
　　銀行の預金利子 237
金利 74
利子率（Zinsfuß, Zinsrate） **74**, 238
利潤（Profit） **83**
　　純利潤 83
　　粗利潤 83
　　超過利潤（Surplusprofit） 199
　　平均利潤（Durchschnittsprofit） **194**
　　特別利潤（Extraprofit） 199
利潤証券 247
利潤率（Profitrate） **85**
　　一般的利潤率（allgemeine Profitrate） 190, 260
　　銀行の利潤率 237
　　個別的利潤率 190
　　純利潤率 188
　　商業資本の利潤率 220
　　粗利潤率 189
　　利潤率の傾向的低下の法則（Gezets des tendenziellen Falls der Profitrate） 201
流通期間（Zirkulationsperiode） 183
流通資本（Zirkulationskapital） 184
流通手段（Zirkulationsmittel） 56
流通速度（貨幣の）（Umlaufsgeschwindigkeit） **60**, 295
流通費用（Zirkulationskosten） **83**, 186
流動資本（zirkulierendes Kapital） 184

る
累積的価格上昇 267

368　索　引

れ
歴史的　2

ろ
労賃（Arbeitslohn）　133
労働（Arbeit）　103
　生きた労働（lebendige Arbeit）　151, 167, 201, 334
　具体的有用労働（konkreten nützkichen Form der Arbeit）　33, 107
　対象化された労働（死んだ労働）（vergegenständliche Arbeit）　151, 167, 201
　抽象的人間労働（abstrakt menschlicher Arbeit）　33, 107, 280

労働過程（Arbeitsprozeß）　107
労働貨幣　296
労働期間（Arbeitsperiode）　149
労働吸収係数　170
労働市場（Arbeitsmarkt）　171
労働手段（Arbeitsmittel）　107
労働組織　110
労働対象（Arbeitsgegenstand）　107
労働量　149
　支配労働量　160, 194
　投下労働量　160, 194
労働力（Arbeitskraft）　91, 106
労働力の商品化　123

著者略歴

1950 年　東京生まれ
1974 年　東京大学経済学部卒業
1981 年　東京大学大学院経済学研究科博士課程退学
1984 年　東京大学経済学部助教授，のち
　　　　　東京大学大学院経済学研究科教授
現　在　東京大学名誉教授

主要著書

『価値論の展開』，東京大学出版会，1988 年
『市場経済の学史的検討』（共編著），社会評論社，1993 年
『貨幣・信用論の新展開』（編著），社会評論社，1999 年
『マルクス理論研究』（共編著），御茶の水書房，2007 年
『マルクス経済学方法論批判——変容論的アプローチ』，
　　御茶の水書房，2012 年
『価値論批判』，弘文堂，2013 年
『労働市場と景気循環——恐慌論批判』，東京大学出版会，2014 年

経済原論　基礎と演習

2009 年 11 月 27 日　初　版
2020 年 3 月 25 日　第 9 刷

［検印廃止］

著　者　小幡道昭（おばたみちあき）

発行所　一般財団法人　東京大学出版会

代表者　吉見俊哉
　　　　153-0041 東京都目黒区駒場 4-5-29
　　　　http://www.utp.or.jp/
　　　　電話 03-6407-1069　Fax 03-6407-1991
　　　　振替 00160-6-59964

印刷所　大日本法令印刷株式会社
製本所　牧製本印刷株式会社

©2009 Michiaki Obata
ISBN 978-4-13-042133-1　Printed in Japan

JCOPY〈出版者著作権管理機構　委託出版物〉
本書の無断複写は著作権法上での例外を除き禁じられています．複写される場合は，そのつど事前に，出版者著作権管理機構（電話 03-5244-5088，FAX 03-5244-5089, e-mail: info@jcopy.or.jp）の許諾を得てください．